KinniSh - romance
15

TUULA-LIINA VARIS

Vaimoni

Werner Söderström Osakeyhtiö Helsinki

www.loistopokkarit.com

Tekijä on saanut tukea Alfred Kordelinin säätiöltä

Viides painos

Ensimmäinen painos ilmestyi v. 2004

Kustantaja:
Werner Söderström Osakeyhtiö

Painopaikka:
Nørhaven Paperback A/S
Viborg, Tanska 2005

ISBN 952-459-551-6

I

Katsotaan, onko tämä totta.
Katsotaan, onko tämä totta.
Katsotaan, onko tämä totta.
Tämä elämä, jota elän.

Pohjois-Amerikan
intiaanien sotatanssilaulu

1

Minulta katosi vaimo. Hävisi noin vain, äkkiä ja kerta kaikkiaan jäljettömiin, tavallisena harmaan vuodenajan harmaana päivänä. Päivä oli lokakuun toinen, keskiviikkopäivä. Aamulla vaimoni oli vielä istunut tavalliseen tapaansa keittiön pöydän ääressä, äänettömänä, katse Hesarissa, kun tulin ulos työhuoneestani, joka oli myös makuuhuoneeni ja kirjastoni. Sanoin sitä studiokseni. Olin huonolla tuulella, olin aamuisin melkein aina, ja jos en ollut, tulin heti, kun näin vaimoni. Hän näkyi ikkunaa vasten tummana ja möhkälemäisenä. Hän oli mykkää kiveä. Hän oli pimeä valoni edessä, liikkumaton ja läpipääsemätön.

Sinä aamuna minulla oli krapula, ja olin myöhässäkin. Joskus ryyppäämisestä oli iloa, joskus jopa hyötyä, mutta edellisen illan ryyppäämisestä ei ollut. Pitkä ilta turhaa jankutusta turhaksi käyneen naisen kanssa. Se nainen ei ollut vaimoni, ja siksi hän jankuttikin.

Suuni oli napsahtavan kuiva ja pahan makuinen.

Vaimoni nimi on Pippa. Virallisesti hän on Pirjo, mutta sitä nimeä ei kukaan käytä. Hän on ollut Pippa vauvasta saakka. Minä olen Pertti, mutta kaikille Pete. Pete vaan. Pippa ja Pete ne yhteen soppii, huomenna pannaan pussauskoppiin, sieltä kuuluu niks naks ja kohta syntyy karvanen laps...

Miten totta.

Pipalla oli yllään Marimekon taiteilijantakki, virttynyt kaapu, jossa oli sata erikokoisista ja erivärisistä tilkuista ommeltua taskua. Hänen valtavan tissinsä päällä helotti pinkki kangaspala. Sekin näytti mielenosoitukselliselta: naisraukan surun kalventama sydän. Tunsin puistatusta, kun katseeni osui hänen pesemättömiin hiuksiinsa, niskan rasvapattiin, sumopainijan hartioihin. Ohut kultavitja, jossa riippui kultainen medaljonki, minun joskus ammoin, toisessa maailmanajassa antamani lahja, oli melkein porautunut hänen ihoonsa. Sitä Pippa piti aina kaulassaan, halpaa kullattua helyä, joka minulle kyllä oli ollut kallis silloin. Kun annoin medaljongin, sen sisällä oli meidän kuvamme, kummankin pikkuruiset, hymyilevät kasvot omassa puoliskossaan. Kun medaljongin sulki, Pippa ja Pete joutuivat pussauskoppiin...

Tiedän, että medaljongin toisessa puolikkaassa ei enää ole minun kuvaani vaan kuva siitä, josta minä en halua kuvaa nähdä. En edes kuvaa.

Ja aina tuo kaapu, tällä kertaa harmaaksi haalistunut musta. Muistaakseni sillä oli myös sininen ja ruskea. Mistä niitä riitti? Ei kai niitä ollut valmistettu eikä myyty enää sataan vuoteen?

Kun istuin pöytään, Pippa taittoi Hesarin ja nousi. Hesari kuuluikin minulle, minun aamukahvilukemistokseni, täysin ja kokonaan. Sen vaimoni kyllä tiesi. Hän löntysti hartiat kyssässä vessaan, tohvelinpohjat päästivät pieniä uikutuksia hänen kantapäittensä alla. Että ihminen voi olla lihava. Ja epäsiisti. Pesisi edes tukkansa. Leikkauttaisi sen joskus. Ostaisi jonkin keveän ja raikkaan vaatteen ruhonsa peitoksi. Puuteroisi naamansa. Vaihtaisi joskus ilmeensä vähän iloisempaan.

Aamiainen oli sinä aamuna yhtä täydellinen kuin aina. Vahva, ranskalaisittain paahdettu kahvi ja kuuma maito odottivat kannuissaan myssyjensä alla, omassa pikku suojuksessaan pysyi lämpimänä neljän minuutin muna. Kaurapaahtoleipää, vähärasvaista tuorejuustoa, appelsiinimarmeladia, kurkkua ja tomaattia, greipeistä ja appelsiineista puristettua mehua. Kaikki oli kauniisti katettu pellavaiselle tabletille, jonka väriin iso pehmeä paperilautasliina sointui.

Kaikki mitä minulle tehtiin, tehtiin viimeistä pilkkua myöten ja vähän ylikin.

Vaimoni oli täydellinen, enemmän: oikea piru.

Aamuisin hän itse ryysti pelkkää maitokahvia

tummaksi pinttyneestä nimikkomukistaan. Senkin minä olin hänelle lahjoittanut, ostanut pienestä keramiikkapajasta, maalauttanut nimen kylkeen: PIPPA. Se tapahtui kauan, kauan sitten.

Syömisen vaimoni aloittaisi vasta, kun olin sulkenut oven perässäni. Hän jatkaisi sitä tauotta kotiin tulooni asti. Niin kuin en sitä tietäisi.

Nielin aamiaista ja raivoani. Teki mieli käydä Pipan kimppuun, kokeilla onko tuo massa yhtä tunnotonta kuin näyttää. Teki mieli tappaa se nainen. Monta kertaa minun oli tehnyt mieli tappaa vaimoni Pippa. Hän oli pilannut minun elämäni. Hän pilasi sitä jatkuvasti. Hän oli minun elämäni häpeällinen salaisuus, vamma minussa.

Kaikella mitä hän oli ja mitä hän teki, hän pilkkasi minua, nauroi minulle, mitätöi minut.

Joskus löin, en usein, en niin usein kuin teki mieli. En lujasti, en niin lujasti kuin teki mieli. Pipan lyöminenkin oli vastenmielistä. Tuskin sain häneen mustelmaakaan syntymään. En usko, että häneen koski, ei ainakaan paljon. En halunnut satuttaa häntä, se ei ollut päämääräni; taoin lukittua ovea. Hän ei kiljunut eikä karjunut, ei yrittänyt puolustautua. Vain posket alkoivat hehkua. Kun kohtaus oli ohi, hän palasi entiseen jähmeään ilmeettömyyteensä. Pahemmin olin itse järkyttynyt; en ole tunteeton, vaikka toivoisin olevani. Minun oli pakko häipyä, kiskaista ainakin muutama kalja ostarin baarissa, mieluiten pää täyteen jossakin keskustan paikassa, että pääsin kiukusta ja häpeästä ja sain torjutuksi säälin, mädän röyhtäisyn laimenneen raivon alta.

Kaikki oli Pipan omaa syytä. Tai ainakaan syy ei ollut minun.

Sinäkään aamuna ei vaihdettu sanaakaan.

Soitin autosta töihin. Susanna kuulosti reippaalta ja hyväntuuliselta. Ei merkkiäkään siitä että oltiin aamuöihin asti jankutettu, kuka on luvannut mitä ja miksi asiat eivät etene niin kuin on ollut puhe. Susanna sanoi Virransivun jo käyneen, äkäisenä, ja ilmoittaneen, että palaveri olisi kello kymmenen. Tuokkokin tulisi. Tiesin palaverin aiheen. Sen takia ja alun perin Virransivun kanssa minä edellisenä päivänä olin paukuille lähtenytkin, mutta Susanna tuppautui mukaan, ja kun Virransivu oli kahden kaljansa jälkeen lähtenyt, siitä tuli sitten mitä tuli, sitä ainaista Susannan ja minun suhteen veivaamista. Miten Susanna osasikaan ääntää tuon »meidän suhteemme». Mitä teet suhteemme suhteen, rakas? En mitään, baby. En ikinä. Mutta sitä en kerro sinulle.

Suljin puhelimen. Kulosaaren sillalta kaupunki näytti likaiseen villariepuun kääräistyltä. Lokakuu, ikuinen, sumuinen ja saastainen Sörnäisten ja Vallilan yllä, harmaa, väsähtänyt vesi loiskimassa niljaisiin rantakiviin. En enää pitänyt tästä kaupungista, vaikka se oli ainoa kaupunki minulle, ainoa tässä elämässä, paras.

Työnsin Susannan mielestäni, sillä minulla oli muutakin syytä tuntea oloni epämiellyttäväksi. Tuokko oli koko konsernin julkaisujohtaja. Hän kävi toimituksen palavereissa harvoin, eikä hänen ilmestymisensä sinne tiennyt koskaan hyvää. *Tässä ja nyt* -lehden irtonumerot eivät pariin kuukauteen olleet menneet kaupaksi niin kuin olisi pitänyt, ja se on kerran viikossa ilmestyvälle aikakauslehdelle pitkä aika. Mutta viimein oli saatu kunnon lööppikamaa. Kokoomuksen kansanedustaja Airi Pakarinen oli saatu tavaratalossa kiinni kassi täynnä halpoja ihovoiteita, deodorantteja ja sukkahousuja. Rouva Pakarinen oli pahimman kilpailijamme *Viikonpäivien* päätoimittajan Simo Pakarisen äiti. Emme jättäneet sitä mainitsematta jutussa, jossa kerroimme dramaattisesti, miten hälyttimet vinkuivat, ripeät vartijat tarttuivat kamelinkarvaulsteriin pukeutuneen arvokkaan rouvan gobeliinikankaiseen ostoslaukkuun, ja miten rouva jopa oikeuskanslerilla uhkaillen pani raivokkaasti hanttiin ennen kuin romahti kyynelöiden kiinniottajiensa käsivarsille. Rouvan henkilöllisyys ei jäänyt epäselväksi, siitä hän piti itse kiljunnallaan huolen. »Ettekö tiedä, kuka minä olen? Minä olen kansanedustaja Airi Pakarinen.» Näytelmää seurasi sankka yleisöjoukko, joka buuasi ja kannusti. Tarvittiin poliisi palauttamaan järjestystä.

Tai näin me asian kerroimme. Saimme vinkkipuhelimeemme monta soittoa suoraan paikalta.

Saatoimme myös sanoa soittajille vinkkejä tulleen niin paljon, että palkkio, joka tässä tapauksessa olisi tuntuva, on arvottava. Ei niitä koskaan arvota, mutta siitä ei koira perään hauku. Kukaan kunniallinen suomalainen ei halua nimeään julki juorulehden vinkinantajana. Palkkioarvonnan tuloksia ei kerrota lehdessä eikä niitä kukaan kysele. Jos kyselisi, sanoisimme, että tiedot ovat lehden ja palkkionsaajan välisiä ja luottamuksellisia.

En ollut turhaan pannut Peuhkuria asialle. Tottakai minä tiesin, että revittely oli kaikkien eettisten sääntöjen, joskaan ei lain vastaista. Ja Peuhkuri tiesi myös. Siksi se panikin parastaan, se kyyninen hylkiö.

Viikonpäivät oli ollut hälyttävän pitkään niskan päällä, vaikka oli pienempi lehti. Päätoimittaja Pakarisen pikkuserkku oli mennyt naimisiin maan suosituimman iskelmätähden kanssa, ja Pakarinen oli saanut ostetuksi häät yksinoikeudella. Se oli kunnon skuuppi, sillä laulaja oli käsittämättömän palvottu; kaikenikäiset naiset juoksivat pitkin maata sen keikoilla, tavoittelivat laumana lavan edessä sen housunpuntteja ja kurkottelivat haaroväliä, olisivat nuolleet kengätkin, jos olisivat ylettäneet. Silti sitä pidettiin yleisesti homona. Saattoi se tietysti homo ollakin, eivät häät mitään merkinneet. Pakarisen pikkuserkku oli pyörinyt taustakuorolaisena ja tanssityttönä tähden keikoilla, mutta haaveili omasta urasta.

Näyttävä naimakauppa oli eduksi kummallekin. Meidän kuvaajamme oli ajettu tylysti pois kirkon portailta, ja *Viikonpäivät* oli hurskastellut päälle, miten epäeettisiä keinoja eräät sensaatiolehdet käyttävät tunkeutuessaan ihmisten yksityiselle alueelle näiden elämän herkimpänä hetkenä ja vastoin nimenomaista kieltoa. Meidän lehtemme *Tässä ja nyt* mainittiin tietysti. Jäimme siinä jutussa nuolemaan näppejämme, vaikka saimmekin sitten juorupalstalle pätkän siitä, että kaksi tunnettua ammattikaunotarta oli käynyt häätilaisuudessa kynnet koukussa toistensa kimppuun niin, että heidät oli miesvoimin revittävä erilleen.

Olin pannut tiimini vähän penkomaan, ja se oli löytänyt keskisuomalaisen kirkonkylän baarista keskarituopin takaa pikkuserkun entisen avomiehen. Mies oli aika entinen muutenkin ja kohtuullista korvausta vastaan hän valutti mielellään myrkkynsä *Tässä ja nyt* -lehden palstoille. Hehkeä morsian, joka esiintyi luunvalkoisessa satiinissa ja pitkässä hunnussa kuin neitsyt, saatiin näyttämään häikäilemättömältä kiipijältä, joka olisi nainut vaikka Jammu-sedän, jos sillä olisi saanut itselleen julkisuutta ja potkua uralle. Iskelmätähden mahdollisesta homoudesta emme sentään uskaltaneet vihjaista; miestä jumaloiva naislauma olisi varmasti rynnännyt toimitukseen repimään kappaleiksi sekä Peuhkurin että minut.

Jutusta oli irtonumeromyynnissä aika lailla apua, vaikka tuli siitä harmiakin. Palautepostin lapioimiseksi olisi tarvittu sontatalikko, ja tilaajapalvelu valitti kymmeniä tilauksia irtisanotun sangen epäkorrektein saatesanoin.

Mutta pahimman kilpailijan kleptomaaniäiti oli napakymppi.

Puoluetoimisto oli tietysti nyt hälytystilassa ja ottanut yhteyttä Virransivuun. Kansanedustaja Pakarisella oli nuhteettoman imago. Hän oli niitä naiskansanedustajia, jotka olivat säilyttäneet paikkansa vaalikaudesta toiseen juuri paasaamalla uupumatta kaikenlaista tapainturmelusta vastaan.

Palaverista tuli epämiellyttävä. Virransivu ja Tuokko esiintyivät kuin heillä ei olisi osaa eikä arpaa siinä, että minun päätoimittajana piti repiä sensaatioita mistä ikinä sain. Irtonumeromyynti ei nyt sitten ollutkaan tärkeätä hyvien yhteiskuntasuhteitten rinnalla eikä varsinkaan sen rinnalla, että lehden maine tiettyyn mittaan asti tiettyyn suuntaan lojaalina tiedotusvälineenä saisi kolauksen. Kleptomania on psyykkinen sairaus eikä rikollisuutta, Tuokko saarnasi etusormi pystyssä. Aijaa, onko? Enpä tuota tiennytkään, saatanan Jeesus. Mutta pidin mölyt mahassani.

»Mennään lounaalle», sanoi Tuokko Virransivulle. He ponnahtivat sekunnilleen samalla ripeydellä punanahkaisista asiakastuoleistani ja marssivat tasatahtia ulos. Repliikki oli tarkoitettu minulle: sinua emme lehtitalon ravintolan päällikkökabinettiin tänään kutsu.

Susanna pyörähti heti sisälle ja istahti asiakastuoliin. Hän oli enemmän kuin alainen, hän, eikä pöytäni edessä seisoskellut. Ja nyt hän oli myrskyn merkkinä. Oiva hetki kritiikille, kun toinen oli jo valmiiksi siipeensä saanut. Minua vaadittiin tilille tekemisistäni ja varsinkin siitä, mitä en ollut tehnyt. Minä en ollut lähtenyt hänen kanssaan yhteiselle lomamatkalle kesällä, vaikka olin luvannut, ja hän oli joutunut odottelemaan lomansa kanssa elokuuhun ja keksimään kaikenlaisia selityksiä sen lykkäämisestä. En elettäkään ylipäätään ollut tehnyt suhteemme normalisoimiseksi – normalisoimiseksi, jumalauta! – eli siis avioeron järjestämiseksi, vaikka olin monta kertaa pyhästi – pyhästi, jumalauta! – luvannut. En edes ollut vienyt häntä teatteriin tai elokuviin viikkokausiin. Ainakaan kuukauteen emme olleet viettäneet yötä yhdessä niin kuin normaalit – normaalit, jumalauta! – rakastavaiset. Aina vain samaa kapakassa nuhjaamista ja pikapanoja minun työhuoneeni sohvalla lukitun oven takana. Se oli alentavaa. Susanna tunsi itsensä hyväksikäytetyksi. Mitä minä oikein tarkoitin? Minä en tarkoittanut mitään, mutta voiko sitä naiselle sanoa? En voinut sanoa mitään; naisen nalkutus halvaannuttaa minut. Nipotus ei ottanut loppuakseen, ennen kuin kallistin Susannan työhuoneeni sohvalle, vaikka päätä särki ja potutti. Susannan mieliala kyllä parani. Hän tuli ja meni ovissa, varsinkin minun ovessani, niin omistajan elkein, että herätti tietävää hymyä toimituksessa. Olin nähnyt sen hymyn, monta kertaa. Se ilmaisi, että Susannan ja minun juttu oli kaikkien tiedossa. Epäilin, että Susanna itsekin märehti sitä porukassa muiden kanssa, kerjäsi myötätuntopisteitä ja parjasi minua.

Töitten jälkeen pelasin erän squashia Virransivun kanssa. Ei olisi huvittanut, mutta oli pakko tässä tilanteessa olla vähän mielin kielin. Eikä ihan vähän: hävisin suosiolla matsin, vaikka Virransivu pelasi huolimattomasti niin kuin aina. Sen niin kuin monien muidenkin yhtiön päällikkötason miesten mielenkiinto oli ajat sitten siirtynyt squashista golfiin, mutta koska talon kellarissa oli pelitilat, joskus oli näytettävä, että niitä arvostettiin ja harrastusta löytyi.

Minä en saanut pakotetuksi itseäni kiinnostumaan golfista, siitä pallon perässä kävelystä naurettavissa vaatteissa. Se sopi itseironisille briteille tai lapsenmielisille amerikkalaisille, mutta ei pönäköille suomalaisille pomomiehille, jotka ottavat kaikki pelit verisen tosissaan. Tottakai tiesin, että golf olisi eduksi uralleni ja että radalla neuvoteltiin ohi pöytäkirjojen ja vaihdettiin tärkeitä tietoja. Golf-kaveruus alkoi olla yhtä merkittävä veljesside kuin vapaamuurarius. Sitäkin pyhäin yhteyttä talosta löytyi. *Tässä ja nyt*

-lehden yritys julkistaa suurimpien kaupunkien vapaamuurareitten jäsentiedot oli tyssätty nopeasti »sopimattomana», ja Virransivu haukkui minut naiiviksi. »Se paljastus tehtiin jo yli neljännesvuosisata sitten Hymyssä, ja naiivia se oli silloinkin», Virransivu letkautti.

Join vain yhden keskarin pelin jälkeen, vetosin autoon ja töihin, jotka olin muka aikonut vielä tehdä kotona. Ajelin Kulosaareen. Olin nälkäinen. Pipan laittaman iltapalan ajatteleminen tuntui mukavalta. Näinä mykkinä, vaikeina vuosina vaimostani oli tullut erinomainen kokki. Mitähän tänään olisi? Olisipa vaikka lämmintä sipuli-juustopiirakkaa. Katkarapuvoileipiä, kastikkeena kotitekoinen majoneesi. Kylmäsavulohileipiä ja uppomunia. Chilillä maustettua katkarapupataa ja patonkia. Viileää valkoviiniä. Kylmää olutta.

Sitten kunnon yöunet.

Kyllä kaikki kirkastuisi.

Tuokko lakkaisi nykimästä niskaansa edessäni, kun huomaisi, ettei puolueella sen paremmin kuin kansanedustajalla itselläänkään ole mitään, mistä ottaa kiinni kunnianloukkausjuttua virittääkseen. Kunhan kaakattivat ja uhkailivat. Airi Pakarinen oli jäänyt kirkkaasti kiinni, ja siitä oli poliisiraportti. Se on julkista aineistoa, kyllä sitä sai käyttää. Tuskin eukko kantelisi edes Julkisen sanan neuvostolle. Ei ollut hänen etunsa mukaista, että juttu saisi yhtään enempää näkyvyyttä kuin hän itse oli järjestänyt. Ja mehän voimme hienotunteiseen tapaamme tehdä selväksi, että meidän puoleltamme asia jää tähän sillä ehdolla, että meitä vastaan ei yritetä mitään. Ja mitä sitten, jos yrittävät? Irtonumeromyynnin kannalta kunnianloukkausjuttu tehoaa kuin ärhäkkä mainosisku. Tulee sitä paitsi paljon mainoskampanjaa halvemmaksi, vaikka hävittäisiinkin. Sen Tuokko ja Virransivu kokemuksesta hyvin tiesivät.

Joten miksi ne ylipäätään pillastuivat, vanhat sotaratsut?

Hyvä tuuleni alkoi palailla. Ajoin auton katokseen. Odotin jonkin hivelevän tuoksun tulvivan vastaani, kun avasin ulko-oven.

Olin kompastua kynnysmatolla lojuvaan postiin. Mitään hyvää tuoksua ei tuntunut. Huoneisto oli pimeänä.

Pippa ei ollut kotona.

Hämmästyin tavattomasti.

Pippa oli ylen harvoin muualla kuin kotona. Ei Pipalla enää ollut ystäviäkään, paitsi yksi, vanha luokkatoveri Taina, vaateputiikinpitäjä, feministi äksyintä lajia, iankaikkinen oikeassaolija, jota en voinut sietää ja joka ei voinut sietää minua. En ymmärrä, miksi juuri Taina oli jäänyt, kun kaikki muut Pipan ystävät olivat kaikonneet. Eivät heti tragedian jälkeen vaan vähä vähältä vetäytyneet, kun huomasivat, että heidän yrityksensä ymmärtää ja lohduttaa eivät herättäneet Pipassa mitään vastakaikua. Ensin ne rupesivat luomaan minuun kummastuneita katseita, sitten ne eivät enää tulleet, sitten eivät enää soittaneetkaan.

Missä ne kaikki nyt mahtoivat olla, nuo Titat ja Jatat, Marsat, Mirrit, Assit, Lissut, Lennut ja Ninnut? Ajatteliko niistä kukaan enää Pippaa, ihmettelikö, mitä tälle mahtoi kuulua? Puhuivatko ne koskaan Pipasta, kun viettivät tyttöjen iltaa porukassa, johon Pippa oli niin kiinteästi kuulunut?

Taina oli sudennaamastaan ja kulahtaneisuudestaan huolimatta kieltämättä hyvän näköinen, aina tyylikkäästi puettu ja laitettu, täysin toista maata kuin Pippa. En ymmärrä, mitä kiintymystä hän saattoi tuntea homssuista ja sairaalloisen lihavaa Pippaa kohtaan, miten edes ilkesi liikkua sen kanssa muiden ihmisten näkyvissä. Minä en ollut näyttäytynyt julkisella paikalla Pipan seurassa enää vuosiin. Harvoin kai Taina ja Pippakaan missään kävivät. Pippa ei mielellään liikuskellut. Jos ne eivät istuneet meillä, Taina haki Pipan autolla ja vei kotiinsa, missä ne sitten kittailivat viiniä ja söivät suklaata ja arvattavasti sättivät minua, joka olin vaimonhakkaajaroisto ja tunnoton naisennitistäjä.

Mitä muuta yhteistä Pipan näköisellä naisella ja kutsumuksellisella muotiputiikin pitäjällä saattoi olla kuin yhteinen vihamies. Pippa kulki kaljasaavinpeitoissa ja oli ainakin neljäkymmentä kiloa ylipainoinen? Enemmän: viisikymmentä. Luulisi, ettei ystävyys ainakaan hyvää mainosta ollut Tainan Amanda -nimiselle putiikille, jonka kanta-asiakkaisiin kuului seurapiirirouvia, tv-julkkiksia ja muuta pintajengiä. Tai mistä minä tiedän. Muistin kyllä jo kouluajoilta, että luokan kaunotar usein valitsi sydänystäväkseen ja luotetukseen jonkun pullukan, ikään kuin omaa kauneuttaan korostaakseen. Pullukasta ei ollut kilpailijaksi, siksi hän oli ihana ystävätär, joka palvoi kaunotarta ja jakoi ihastuksesta lääpällään hänen hurmaavat salaisuutensa. Pääsi sitä kautta ikään kuin osalliseksi kiehtovaan elämään, muotikuteisiin ja rakkausjuttuihin.

Mutta Pippa ei ollut tyhmä.

Ainakaan nuoruudessaan heillä ei voinut olla sellainen suhde. Pippa oli ollut paljon paremman näköinen kuin Taina, se näppylänaamainen vinosilmä, joka luimisteli pitkän mustan otsatukkansa takana Pipan vieressä luokkakuvassa. Taina se paksu oli ollut, siihen aikaan.

Pippa oli ollut tosi hyvän näköinen.

Se entinen Pippa.

Se, jota ei enää ollut.

Se, jota ei ollut enää ollut moneen vuoteen.

Jossain Pippa ja Taina tietysti nytkin olivat viiniä lipittämässä ja haukkumassa minua. Voin kuvitella, miten Taina paasasi ja saarnasi ja vaati jättämään minut, paskiaisen, ja miten Pippa nyyhki ja niiskutti, ettei voi, koska... En todellakaan tiennyt, miksi Pippa halusi jatkaa tätä sietämätöntä avioliittoa, sietämätöntä nimenomaan hänelle. Minulle avioliitosta oli sentään jotain etuakin: minulla oli ilmainen ja erittäin pätevä piika.

Jota kohtelin huonosti. Niin huonosti, että sitä ei olisi yksikään palkattu piika sietänyt.

Ei minun ole vaikea myöntää totuutta. Kohtelin häntä huonosti, nyt, mutta kaikkeni olin yrittänyt. En osannut enkä jaksanut muuta.

Mutta piikani pätevyyteen kuului se, että jos hän jonnekin oli mennyt, hän jätti aina pöydälle lapun, yhden sanan viestin. Teatterissa. Leffassa. Tainalla. Ja silloin oli jääkaapissa aina jotain minua varten, pari valmista voileipää tai täytettyä croissantia. Tai edes salaatti. Nyt ei ollut mitään. Sen tarkistin ensimmäiseksi, koska minulla oli nälkä.

Raivostuin. Saatanan ämmä. Olin tottunut siihen, että huolto pelasi. Sopimusta ei ollut koskaan solmittu eikä siitä koskaan puhuttu, mutta se oli silti selvä: Pippa sai olla mitä oli sillä ehdolla, että hoitaa huushollin moitteettomasti. Ja minut niin, ettei minulla ollut moitittavaa.

Intiimipalveluja hoitoon ei kuulunut. Niitä ei edellytetty puolin eikä toisin.

Niistä ei voitu edes puhua.

Emme olleet vuosiin nukkuneet samassa huoneessa.

Mutta kodin Pippa hoiti. Aina oli siistiä kuin sairaalassa, ruoka oli gourmet-luokkaa, pöytä oli kauniisti katettu – aina yhdelle – ja kaapissa oli rivi puhtaita, silitettyjä paitoja, laatikossa alusvaatteita ja sukkia. Housut pysyivät prässissä ja kengät kiiltävinä.

Huollon pikkutarkka täydellisyys tuntui mielenosoitukselta. Se oli mielenosoitusta. Ymmärsin sen hyvin ja hän ymmärsi, että minä ymmärsin. Mutta minä en välittänyt. Me ymmärsimme toisiamme täydellisesti, joten mitä huolta? Kaikki oli minun kannaltani käytännöllistä ja mukavaa. Minä maksoin viulut, mutta olihan päätoimittajan palkka hyvä, oli työsuhdeasunto ja työsuhdeauto, työsuhdekännykkä ja työsuhdehempukka. Pipalle annoin kuukausittain tuntuvan rahasumman, pihi minä en todellakaan ollut, kun oli minun hyvinvoinnistani ja elämiseni laadusta kysymys.

Pippa hoiti kaiken eikä nalkuttanut. Ei sitten puhunut juuri muutakaan, mutta siihenkin olin pikku hiljaa jotenkuten tottunut.

Oli parempikin, ettei vaimoni puhunut, koska hänellä ei ollut vuosiin ollut kuin yksi puheenaihe.

Ehkä tottuisin siihenkin, miltä Pippa näytti. En tietenkään niin hyvin, että koskaan hänen kanssaan missään näyttäytyisin. Pipan kokoinen vaimo ei sopinut siihen imagoon, joka minulla *Tässä ja nyt* -lehden päätoimittajana oli. Päätoimittaja on laivansa keulakuva ja hänen vaimonsa on oltava miehensä keulakuva. Miten olisin voinut mennä Pipan kanssa elokuvien ensi-iltoihin, ravintoloitten avajaisiin, edes perjantaipaukulle trendibaariin? Puistatti ajatellakin ilmettä Tuokon tai Virransivun naamalla, jos olisin ilmestynyt johonkin firman tilaisuuteen Pippa käsipuolessani ja esitellyt hänet vaimonani.

»Tässä on vaimoni Pippa, hän potee elefanttitautia ja kroonista apatiaa.»

Olin antanut ymmärtää, että vaimoni on kunnianhimoinen uranainen, joka elää omaa elämäänsä eikä missään tapauksessa halua olla mikään hienostunut rinnallaseisoja, niin kuin naistenlehdet menestyvien miesten edustavia vaimoja joskus määrittelivät. Kuin ne olisivat rotukoiria. Niin kuin jotkut olivatkin. Vinttikoiria, dobermaneja, silkkisiä spanieleja, pieniä nättinaamaisia jackrussellinterrierejä. Niitä kelpasi esitellä. Rottweilerinkin olisin kelpuuttanut. Tai vaikka hevosen.

Mutta kenenkään perässä ei tallustellut norsu.

Eikä tallustelisi ainakaan minun perässäni.

Valehtelin, että vaimoni joutuu työnsä takia viettämään pitkiä aikoja ulkomailla, eri yliopistoissa ja tutkimuslaitoksissa. Valehtelin, että vaimoni tutkimusala on sellainen, ettei hänelle ole eduksi esiintyä millään lailla julkisuudessa silloin harvoin, kun on kotimaassa. Valitsin hänen tieteenalakseen kemian. Mitä sun vaimos tekee? Hän on kemisti. Heti ensimmäisellä kerralla se livahti kuin itsestään. Olin varma, että ainakaan kemiasta ei kukaan ammattipiireissäni tietäisi sen vertaa, että osaisi tehdä kysymyksiä, joihin minä en osaisi vastata. Eikä kemia ollut niin trendikäs ala kuin geenitutkimus tai muut biotieteet, joiden menestyneimmät edustajat poseerasivat julkkispalstoilla siinä kuin viihteen, taiteen, urheilun, kauneuskirurgian ja rahamaailman tähdet.

»Onks teillä lapsia?» »Ei. Meillä on urat ja omat elämät. Se on meidän valintamme.»

Ihmiset uskovat mitä tahansa, kunhan kuvittelevat sen olevan jotain hienoa. Tässä tapauksessa totuus olisikin ollut uskomattomampi kuin paksuin valhe. Tai mistä minä tiedän, uskoivatko ne. Ainakaan firmassa ei kukaan perheasioitani ottanut puheeksi sen jälkeen, kun olin lyhyesti ja tylysti vastannut ensimmäisiin kysymyksiin.

Kun kuuntelin toimituksen kahvihuoneessa, miten ne kalkattivat toistensa yksityisasioista kuin olisivat kaikki samaa sukua, iski epäilys, että ne tietävät kyllä minustakin kaiken, tuntevat Pipan ainakin ulkonäöltä, ovat onkineet selville koko meidän onnettoman tarinamme ja ovat minun läsnäollessani hiljaa vain säälistä.

2

80**-LUVUN LOPPUVUODET** olivat Pipan ja minun onnen aikaa. Eivätkö ne olleet kaikkien onnen aikaa? Kekkonen nyt kuoli, mutta Neuvostoliitto eli ja hengitti rautaisin keuhkoin ja oli menossa kohti hallittua vapautumista Gorbatšovin johdolla. Muuri jakoi vielä kahtia Berliinin ja maailmaa pitemmällekin. Ilmapiirissä oli jännittävää vapinaa, mutta emme vielä osanneet odottaa tärinää ja jyrinää, joka oli tulossa. Raha alkoi virrata ja hölmöimmät rupesivat mellastamaan sillä tyyliin, josta maksaisivat vielä katkeran laskun, vaikka ei kukaan sitä vielä ennustaa osannut. Mutta fiksu ihminen saattoi vielä vilpittömin mielin olla optimistinen sosialisti ja sanoa sen ääneenkin.

Työväenliike oli molempine siipineen työväen asialla, ja minä olin alle kolmekymppinen ja työväenlehdessä töissä. Pippa, vaikka oli minua pari vuotta nuorempi, oli jo muutaman vuoden ollut puolueen naisjärjestön kustantamassa pienessä naistenlehdessä toimittajana. Toimitukset olivat samassa talossa Vallilassa. Meillä oli molemmilla opinnot kesken, minulla valtiotieteen ja tiedotusopin, Pipalla kirjallisuuden ja taidehistorian. Kesken opinnot molemmilta jäivätkin, eikä sillä tuntunut olevan väliä. Oli onnenpotku päästä kesken opintojensa juuri niihin töihin, joihin on aina halunnut. Olin muutenkin opiskellut hitaasti, koska minun oli pakko tehdä töitä koko ajan. Lehteen pääseminen oli suunnaton helpotus; ravintoloitten keittiöt, tukkuliikkeiden varastot, haisevat pakettiautot ja rakennustyömaat olivat ehtineet tulla liiankin tutuiksi.

Ettenkö olisi ollut valmis, vaikka ei loppututkintoa ollutkaan? Minä olin valmis, valmiimpi kuin kukaan, astumaan köyhän asialle, taistelemaan oikeudenmukaisemman yhteiskunnan puolesta.

Pippa ei ollut häikäisevä kaunotar, mutta hän oli raikkaalla tavalla hyvän näköinen, valoisa ja kiva ihminen, aktiivinen ja puhelias, helposti innostuva. Ihastuin hänen pitkään ja hoikkaan, siroluiseen vartaloonsa ja sievään pystynenäiseen naamaansa, josta harmaanvihreät silmät vilkkuivat iloisesti ja älykkäästi. Hänellä oli hiukan nököt hampaat, etuhampaat hauskasti vähän ristissä toistensa päällä, mutta tuo pieni kauneusvirhe teki hänet minun silmissäni erityisen viehättäväksi ja tyttömäiseksi, varsinkin kun hän tuntui hiukan ujostelevan sitä.

Kesken naurun suulle lennähtävä käsi, siinä oli jotain seksikästä.

Tukka oli lyhyt, vaaleahko, suora ja kiiltävä. Pippa oli tullut Vaasasta, hänessä oli pohjalaista suoruutta ja sen mausteeksi vähän suomenruotsalaista koketeriaa, äidin puolelta, sellaista kaunista käytöstä, joka jossakin toisessa ihmisessä olisi ärsyttänyt. Ihailin Pipan luontevaa, yksinkertaista pukeutumista, josta näkyi varakkuus ja varma maku. Itseäni vaivasi köyhän pojan ainainen epävarmuus siitä, mikä on tyylikästä ja mikä sopii minulle, ja sen takia usein sorruin keikarimaisuuksiin ja typerän näköiseen muodikkuuteen. Mutta olin päättänyt oppia. Olin köyhän asialla, ja täydestä sydämestäni, mutta omasta köyhästä ja kurjasta lapsuudestani aioin kyllä ottaa selkävoiton kaikilla rintamilla, nujertaa muistotkin siitä.

Pidin työstäni työväenlehdessä, varsinkin sen jälkeen, kun pääsin hoitamaan lehden kulttuuriosastoa, joka sai pari kertaa viikossa kokonaisen aukeaman ohuesta tabloid-kokoisesta lehdestä. Julkaisin paljon kirjailijoiden, taiteilijoiden ja muiden kulttuuripersoonien haastatteluja, avasin osaston oman keskustelupalstan ja taistelin itselleni jonkinlaisen avustajabudjetin. Rupesin itse kirjoittamaan kolumneja, joissa yritin lietsoa keskustelua parhaani mukaan. Kehitin omaperäisen, hiukan tunteikkaan tyylin, joka oli lähempänä kaunokirjallisuutta kuin asiaproosaa. Toiset pitivät siitä, toisia se ärsytti. Ja juuri se oli tarkoituskin. Sen verran viljelin huumoria ja sarkasmia, että pääsin usein iltapäivälehtien sitaattipalstoille. Empaattisuuteni ja tapani panna oma persoonani avoimesti juttuihini näytti ryydittävän mukavasti työväenlehteä, joka kieltämättä usein vaikutti suoraan puoluetoimistosta masinoidulta jäsenjulkaisulta. Vanhimmat toimittajat olivat vielä niitä, jotka olivat tulleet lehteen ammattiyhdistysliikkeen, puolueen tai jonkin sen jäsenjärjestön toimitsijan tehtävistä. He olivat edelleen enemmän toimitsijoita kuin toimittajia, eivät osanneet kirjoittaa, eikä sillä ollut heidän mielestään mitään väliäkään. Kanta oli tärkeä, ei se miten se ilmaistiin. Jos toimituspalavereissa uskalsi vähän arvostella juttujen kapulakielisyyttä, sai kaikkien vihat päälleen.

»Taas yrittää muna olla kanaa viisaampi.» »Me on kuule politiikasta kirjoitettu jo silloin, kun sinä paskansit housuihisi.»

Tässä ympäristössä yritteliäs kirjoittaja erottui. Vaikka omalta porukalta ei kiitosta herunut, aloin saada mainetta kirjoittajana ja mielipiteen muodostajana. Omasta mielestäni olin arvokas koko liikkeelle, minuahan luettiin, jopa toisten lehtien toimittajat lukivat, mutta eihän sille kukaan omassa lehdessä saati puolueessa arvoa antanut.

Pippa antoi, ja muisti sen myös sanoa. Pippa oli

itsekin näppärä kirjoittaja, ja haastattelijana erinomainen. Hänen tuntui olevan helppo saada luottavainen suhde haastateltaviinsa. En sitä ihmetellyt, niin luonteva ja vapaa hän itse oli. Hän oli työstään hyvin innostunut. Tuohon aikaan hänen lehdessään *Ajan naisessa* alettiin varovasti lähestyä feminismiä ja luonnonmukaista elämäntapaa. Opeteltiin ympäristöopin alkeita.

Pippa oli innoissaan vähän kaikesta: luomuviljelystä, kierrätyksestä, kasvisruokavaliosta, eläinsuojelusta, luontaislääkkeistä... En aina osannut ottaa häntä oikein vakavasti, kun hän selitti, että aika toimii juuri noiden aatteiden hyväksi, vaikka niitä ei vielä laajoissa naispiireissä käsitetäkään. Niin kuin ei käsitettykään. Pipan suruksi tilaajamäärä laski vähitellen koko ajan. Perinteinen tilaajakunta, naisjärjestön jäsenet ja muut työväenliikkeen aatemaailmaa lähellä olevat naiset ilmeisesti vieroksuivat lehden kieltämättä joskus huuhaan puolelle hurahtaneita juttuja, joissa unimaailmaa ei aina erotettu reaalimaailmasta eikä kuppausta kirurgiasta. Niin vieroksuin minäkin, en voinut kuvitella esimerkiksi äitini tapaisen ihmisen saavan lohtua elämäntilanteessaan yrttikylvyistä tai väriterapiasta tai unipäiväkirjan pitämisestä. Ja naisten tiedostamisryhmille hän olisi nauranut katkerat naurut. Äitini oli ollut *Ajan naisen* tilaaja, muistin lehden aivan pikkulapsiajoiltani asti.

Mutta Pipalle esitin kritiikkiäni hyvin varovaisesti.

Pippa ja minä rakastuimme toisiimme, aloimme seurustella ja muutimme yhteen. Pipan äidin kauhuksi, mutta lilla mamma rauhoittui kyllä, kun Pippa vannoi ja vakuutti, että naimisiin mennään niin pian kuin suinkin. Ostimme toisillemme halvat sormukset, jotta olisimme kihloissa niin virallisesti, että se kelpasi Pipan äidillekin. Ja minä ostin Pipalle medaljongin, jonka puolikkaisiin panin pikkuruiset kasvokuvat meistä molemmista. Mamma lähetti kihlajaislahjaksi Gunnel Nymanin väripilkutetun taidelasimaljan.»Napannut omalta piirongiltaan ja käärinyt pakettiin», sanoi Pippa ja selitti minulle, kuka on Gunnel Nyman ja mikä on hänen lasiteostensa arvo. Joojoo, kyllä tiedän, sanoin, vaikka en ollut tiennytkään.

Skoolissa oli šekki, jolla mamma toivoi meidän ostavan »jotain pientä, kivaa ja hyödyllistä uuteen kotiin». Ostimme rahoilla Brunbergin tryffeleitä, Kauppatorin kalleimpia tuontimansikoita ja oikeata samppanjaa, panimme suklaat Nymanin skooliin, menimme lautalla Korkeasaareen, söimme ja joimme kallion kolossa, kävelimme kaulakkain vaaleassa kesäkuun yössä Alppilaan ja menimme pikku hiprakassa sänkyyn.

Sama ammatti oli suhteellemme vain eduksi. Usein pohdimme lehdistöeettisiä kysymyksiä ja kirjoittamisen ongelmia iltaisin viinipullon ääressä pienessä asunnossamme Alppilassa. Kyyhkyslakassamme, jossa oli huone, makuualkovi, keittokomero, istumaammeella varustettu kylpyhuone ja niin pieni vessa, että sinne piti mennä peruuttamalla. Neljäkymmentä neliötä. Luksusta se minulle oli; kynäpenaalin mallisessa vuokrayksiössäni Eerikinkadulla oli ollut vain seitsemäntoista neliötä, ja kylpymahdollisuutta markkeerasi käsisuihku vessassa. Pipan huoneen ja keittiön kämppä Aurorankadulla Etu-Töölössä oli ollut aivan toista luokkaa, joten hän kai Alppilaan muuttaessaan oli mielestään laskeutunut lähemmäs omaa vaatimattoman elämäntavan ihannettaan.

Olimme idealisteja. Koimme olevamme jossain määrin myös taiteilijoita. Halveksimme sensaatiojournalismia ja naistenlehtien kaupallisuutta ja sitoutumista tavaramaailmaan. Me emme sitoutuneet, sisustuksemme oli varastohyllyjä ja pakkilaatikoita. Patjat oli levitetty lattialle, ja lattiatyynyillä istuttiin. En ollut ennen viettänyt sellaista lattiaelämää; en varsinkaan ollut tottunut syömään lattialle asetetulta tarjottimelta. Mutta Pippa ei ollut millänsäkään, vaikka joskus nurkkien pölykoirat tunkivat lautasille asti. Meillä oli pitkät siivousvälit.

Kyynisyydelle olimme vihaisia. Siihen journalistin ammattitautiin me emme sairastuisi. Vaikka meidän lehtemme olivat pieniä, ne olivat tärkeitä, niitä lukivat vaikuttajayksilöt, ja niin niiden sanoma levisi. Pienet lehdet vasta olivatkin tärkeitä, todellisia tiedon välittäjiä median markkinahumussa. »Lukekaa pieniä lehtiä, ajatelkaa suuria ajatuksia.» Joku legendaarinen 60-luvun tähtijournalisti sen oli sanonut. Emme muistaneet kuka, mutta se oli hienosti sanottu. Koimme tekevämme tärkeätä työtä, ja se kompensoi työstä maksettua kurjaa palkkaa.

Minua se köyhäily salaa kyllä kismitti. Olin ollut köyhä koko ikäni. Koululaisena jouduin luovuttamaan kaikki kesäansionikin äidille, koska niitä tarvittiin perheemme elatukseen. Pippa taas oli varakkaasta kodista, kauppaspariskunnan ainoa lapsi, joka olisi leskiäidiltään saanut vaikka kuinka paljon taloudellista tukea, jos olisi halunnut. Mutta Pippa ei halunnut. Hänellä oli varaa olla haluamatta.

Vaatimaton elämä niukasti kalustetussa asunnossa oli hänelle huviretki pellonpientareelle, piipahdus, jolta voi koska tahansa palata takaisin tyylikalustojen, lattiaa viistävien satiiniverhojen, aitojen mattojen, jykevän pianon ja kullattujen taulunkehysten turvalliseen maailmaan. Hänellä oli tuo kaikki käden ulottuvilla, siksi hän ei arvostanut sitä. Minulta taas puuttui se kaikki, oli aina puuttunut, minulle se maailma oli unelma, haave, kaipuun kohde. Konkreettisempaa: päämäärä, jonka olin vannonut saavuttavani niinä vuosina, kun lopen uupuneena ruumiillisesta työstä pureskelin lenkkimakkaranpätkää kämpässäni ja tiesin, että olisi pitänyt vielä jaksaa lukea. Mutta Pipan kanssa minun oli oltava kuin minäkään en arvostaisi maallista hyvää. Osasin ollakin, mutta mielessäni olin vakaasti päättänyt menestyä urallani, saada vaikutusvaltaa, vaurastua.

Työväenlehteen en aikonut jäädä nuhjaamaan. En ollut niiden toveri. Tai saatoin ollakin, mutta kaveri en ollut. Aate, maailmankatsomus oli asia erikseen. Mutta sen tähden ei ollut pakko puutteessa ja kurjuudessa kitua. Oli mahdollista sekä menestyä että pitää kiinni näkemyksistään ja periaatteistaan. Eivätkö siitä olleet eläviä todistuksia ne puolueen asian ohella omaakin asiaansa ansioituneesti ajaneet vanhat toverit, jotka eläköityneinä ja työväenliikkeen hyvin palkitsemina latelivat merkkipäivähaastatteluissaan tulisia taisteluterveisiä nahkasohvaltaan kristallikruununsa alta?

Ennen kaikkea: mistään muusta tinkimättä saattoi pitää kiinni ammatillisesta kunnianhimostaan, kirjoittajan intohimostaan. Siitä olin varma. Olin aito idealisti.

3

ÖYSIN JÄÄKAAPISTA PURKIN tanskalaista lohipateeta ja leipälaatikosta puolikkaan jo vähän kuivahtanutta patonkia. Panin patonginpalat kymmeneksi sekunniksi mikroon ja levitin lämmenneelle leivälle pateeta. Avasin valkoviinipullon. Viiniä talossa oli aina. Ja olutta. Ja tietysti kirjava kokoelma pulloja baarikaapissa, jossa oli peili takaseinänä, lasiovet ja ruusunpunainen valo. Pippa katsoi viistoon tummaa teak-puista hyllystöhökötystä, kun se kannettiin sisään. Ei hän sanonut siitä mitään, eli jo mykkää vaihettaan. Mutta ilme nousi vielä naamalle, ja sen minä näin. En välittänyt.

Menin olohuoneeseen leipineni ja viineineni, asetuin sohvalle, nostin jalat pöydälle, haukkasin paksuja paloja, hörpin viiniä nopeasti suurin kulauksin. Kun pullo loppui, hain toisen.

Missä perkeleessä ämmä luuraa?

Älköön luulko, että rupean perään soittelemaan. Viinilasi toisensa jälkeen tyhjeni; aika kului rattoisasti, kun mietin, mitä ilkeyksiä lataisin päin sen naamaa, kun se tulisi kotiin. Näin ei kohdella ihmistä, minua. Jos minun toimeni vaativatkin minua toisaalle, viipymään ilmoittamatta myöhään ja joskus yön ylikin, Pipan toimet eivät vaadi. Hänen toimensa ja tehtävänsä ovat täällä. Hänen tehtävänsä on hoitaa tätä kaikkea.

Sanoin sen ääneen, ja kun sanoin »tätä kaikkea» käteni teki niin laajan kaaren, että olin tulla nokilleni lattialle. Toinen pullo olikin jo tyhjä. Toinenkin pullo. Paras mennä nukkumaan. Huomenna on kova päivä. Huomennakin on kova päivä. Kovalla miehellä on kovia päiviä. Ei muuta olekaan kuin kovia päiviä. Saatana, niin.

Menin studiooni ja sänkyyni, mutta valkoviinistä huolimatta uni ei tullut. Kuuntelin autojen ääniä. En ollut koskaan aikaisemmin huomannut, miten vilkas autoliikenne öiseen aikaan tällä kadulla oli. Ketkä siellä oikein ajavat? Tämähän on Kulosaarta, hiljaista, rauhallista, arvokasta seutua, parempien ihmisten asuinaluetta, jossa kadutkin on nimetty Suomen tasavallan presidenttien mukaan. Meidänkin kotikatumme. Öiseen aikaan asukkaitten mersut ja bemarit huokuvat lämmitetyissä talleissaan, kiiltävät pinnat silkkisinä hohtaen kuin roturatsun nahka. Minun sininen Volvoni on työhevonen niiden rinnalla.

Miten tällä kadulla voi liikenne olla kuin Hämeentiellä tai Hesarilla? Mihin maailma on menossa?

Kuuntelin autojen ääntä, jarrutuksia, pysähdyksiä, ovien mäjähdyksiä, ihmisääniä. Takseja tulee ja menee. Ovet paukkuvat koko ajan. Onko tässä taloyhtiössä bordelli, jumalauta, myydäänkö täällä pimeää viinaa, venäläisiä naisia, huumeita?

Joka kerta, kun auto pysähtyi lähelle, jäi hyrräämään, ovi loksahti auki ja läimähti kiinni, kuvittelin, että se on Pippa.

Nyt Pippa tuli taksilla, maksoi, otti rahasta takaisin, nousi autosta, käveli ovelle, otti avaimen taskustaan työntääkseen sen lukkoon.

Nyt Pippa tuli.

Mutta Pippa ei tullut.

4

KUN OLIMME asuneet vuoden yhdessä, Pippa otatti ehkäisykierukan pois. Hän ilmoitti siitä minulle etukäteen, sanoi olevansa kypsä saamaan lapsen. Säpsähdin, mutta tajusin heti, että asiasta ei neuvoteltaisi.

Muutaman kuukauden kuluttua hän oli raskaana. Hän oli onnellinen, ainakin sanoi olevansa ja näytti siltä.

Minäkin sanoin olevani, mutta en tiennyt, olinko. En ollut kaivannut lapsia, en ollut suunnitellut elämää perheen isänä. Vasta kun Pippa kertoi olevansa raskaana, tajusin, että olin aina ajatellut vain meitä kahta; aina olisi vain Pippa ja minä. En osannut kuvitella itseäni isänä, en osannut kuvitella mitä muuta kenenkään lapsuus voisi olla kuin oma lapsuuteni oli ollut, juopon, itsekkään ja ilkeän isän mielivaltaa, jota äiti pelkonsa, aloitekyvyttömyytensä ja saamattomuutensa voimalla tuki, toimi omia lapsiaan vastaan. Hän vaati meiltä lapsilta enemmän kuin aikuiselta mieheltä. »Älkää suututtako isää.» »Ymmärtäkää isää.» Kun isä riehui, meidän piti lähteä. »Pysykää poissa isän tieltä.»

Minä ymmärsinkin isää paremmin kuin ryhditöntä ja tahdotonta äitiä. Minä ymmärsin isän keinot. Ja kun olin tarpeeksi vahva, käytin niitä. Mäjäytin häntä turpaan, kun hän uhkaili minua.

Äiti lehahti paikalle, voihki ja kaakatti kylmine pyyhkeineen, loppumattomine myötätuntoineen. »Tytöt, tytöt!» hän huusi. Siskot istuivat keittiössä kirjojensa ääressä, eivät tulleet. Sanaakaan sanomatta he painoivat keittiön oven kiinni.

»Vuoro vaihtui», sanoin äidille. Mutta ei se vaihtunut. Minuun ukko ei enää koskenut, eikä minunkaan tarvinnut koskea häneen.

Pippa ja minä menimme naimisiin heti alkusyksystä, ennen kuin raskaus näkyi. Meidät vihittiin vaatimattomin menoin maistraatissa. Mamma Birgitta tuli Vaasasta ja ilmaisi suorin sanoin katkeruutensa siitä, että emme olleet halunneet järjestää kunnon kirkkohäitä. Tai emme olleet antaneet hänen järjestää, sillä meidän ei olisi tarvinnut nähdä vähintäkään vaivaa, hän olisi järjestänyt kaiken, viimeistä piirtoa myöten. Ilomielin hän sen olisi tehnyt, ainoalle tyttärelleen. Ilomielin hän olisi esitellyt vävynsä vaasalaiselle seurapiirilleen, ilmaissut onnensa siitä, ettei ollut menettänyt tytärtään vaan saanut pojan. Hän pyyhkäisi kajalin mustaaman kyynelen silmäkulmastaan.

»Nyt lopetat», Pippa sanoi. Mamma turisti nenänsä, nosti sen yläviistoon ja vaikeni.

Anoppi sai kuitenkin tarjota meille häälounaan Savoyssa ja leppyi muutaman viinilasin kallisteltuaan sen verran, että halaili minuakin ja toisteli, kuinka hyvän vaimon olin Pipasta saanut. Tunsin näyttäväni lampaalta siinä hymyillessäni ja vakuutellessani olevani hyvin tietoinen siitä, minkälainen aarre minulla nyt oli hallussani.

Tajusin, että mamma Birgitta ei koskaan tulisi pitämään minusta.

Pippa oli ilmoittanut etukäteen, että millään ehdolla hänen mammaansa ei päästettäisi Alppilan asuntoomme. Se sopi minulle.

»Kun se näkee meidän kodin, se rupeaa lähettämään rekkalasteittain pöytiä, tuoleja, piironkeja ja kaikkea vanhaa rojuansa pitsilakanoista lähtien», Pippa sanoi. »En halua, että se puuttuu minun elämääni ja olemiseeni sillä tavalla.»

»Meidän.»

»Mitä meidän?»

»Meidän elämiseemme ja olemiseemme.»

»Niin tietysti, kulta. Meidän.»

Anopin häälahja oli pankin lahjakortti. Summa sai silmäni pyöristymään. Pippa nappasi paperin laukkuunsa ja lupasi tallettaa rahat tilille. »Ei me niitä tarvita», hän sanoi, kun anoppi oli häipynyt Vaasaansa. Ei sitten. En muista, että olisin sen koommin lahjakorttia tai rahoja nähnytkään. Ensin unohdin koko paperin. Ei niitä rahoja todellakaan tarvittu. Sitten kun olisi tarvittu, tilanne oli sellainen, etten uskaltanut ottaa niitä edes puheeksi.

Mutta mitä rahoista. Minähän olin onneni kukkuloilla, ihan oikeasti olin. Lapsestakin, kun olin tottunut ajatukseen. Tai ainakin onnistunut torjumaan eräitä lapsuuteen ja isyyteen liittyviä ajatuksiani.

En osannut pelätä mitään vakavaa, vaikka Pipan raskaus osoittautui vaikeaksi. Hän oli aneeminen ja pahoinvoiva. Verenpaine nousi ja jalat turposivat. Keskenmenovaaran takia hänen oli jo raskauden alkukuukausista lähtien vietettävä pitkiä aikoja sairaalassa. Minä olin uneton ja hermostunut, mutta katsoin kunnia-asiakseni pysyä Pipan sairaalassa ollessa illat kotona juomatta kaljaakaan. Säpsähdin jokaista puhelinsoittoa. Nyt se on sairaalasta! Nyt on tapahtunut jotain!

Mutta Pippa itse oli käsittämättömän hyvällä tuulella. »Euforinen», sanoi lääkäri papereihinsa tuijottaen, rykäisi, nosti katseensa minuun ja toisti: »Vähän epätavallisen euforinen.»

Omaksumiensa oppien mukaisesti Pippa oli vakuuttunut siitä, että kohdussa kehittyvän lapsen ja jopa onnellisuuden määrää ennen kaikkea odottavan äidin henkinen tila. Syntymättömälle lapselle oli luettava rauhallisella äänellä ja soitettava maailman kauneinta musiikkia. Niinpä meillä luettiin iltakaudet ääneen runoutta ja soitettiin klassista musiikkia. Erityisesti huilumusiikki miellyttää kohdussa olevaa lasta, Pippa tiesi. Mozart kehittää lapsen älykkyyttä jo ennen syntymää, Beethoven taas esteettistä aistia. Runoissa pitää olla rytmiä, ja niin ainakin Leino, Sarkia, Tynni ja Meriluoto tulivat minulle tutuiksi Pipan raskauden aikana. Höpötin runoja sairaalasängyn vieressäkin, ja kun minä en ollut paikalla, Pippa luki niitä itse, kunnes naapuripetin potilas pyysi, että hän rukoilisi äänettömästi niin kuin muutkin ihmiset, Jumala kyllä kuulee.»Nuija muija», Pippa kuittasi ja rupesi liikuttelemaan suutaan äänettömästi lukiessaan. Lapsi kuulee runon äitinsä ruumiin värähtelyistä, hän oivalsi.

Se oli tyttö. Se syntyi useita viikkoja ennen laskettua aikaa ja vaikeasti vammaisena.

Lääkäri puhui jotain erittäin vaikeasta meningomyeloseelestä, subduraalivuodosta, RD-oireyhtymästä ja hydrokefaliasta, ja samoja käsittämättömiä sanoja saimme tankata myöhemmin papereista.

Meille sanottiin heti, että vaikka diagnoosi oli lähinnä oletuksia, oli varmaa, että lapsen mahdollisuudet selvitä hengissä muutamaa kuukautta pitempään olivat olemattomat. Se oli selvää puhetta, minulle.

Lääkärin oli vaikea katsoa meihin päin. Pippa

makasi sängyssään vedenkirkkain silmin. Kai ne olivat antaneet sille jotain rauhoittavaa.

Minun oli lähes mahdotonta katsoa lasta, sen isoa karvatonta päätä, jonka pinnassa siniset suonet risteilivät, kasvoja, jotka melkein halkaisi valtava huulihalkio, turvotuksen melkein umpeen muuraamia silmäviiruja.

Mitä me olimme tehneet? Mitä me, Herra Jumala, olimme saaneet aikaan?

Lapsi hätäkastettiin jo synnytyssalissa Birgitaksi. Pippa ei siinä kiireessä muuta keksinyt kuin äitinsä nimen.

Olin valmistautunut siihen, että Pippa tämän koettelemuksen jälkeen olisi syvästi masentunut, varmasti lääkärinavun ja terapian tarpeessa, kuten tunsin olevani itsekin. Olin jo lääkäreidenkin kanssa puhunut, saanut käytösohjeita ja suhtautumisneuvoja suut silmät täyteen. Neuvolasta kyllä ohjataan hänet terapiaan, jos hän vain suostuu neuvolassa käymään. Siitä pitäisi minun pitää huolta, sillä vaimoni vaikutti aika... no, epätasapainoiselta.

Entäs minä, kuka minua surussani lohduttaa? Minunko tässä pitää ruveta terapeutiksi ja sielunhoitajaksi, vaikka olen itsekin palasina? Raivo nousi sisälläni, mutta en sanonut mitään, kunhan nyökyttelin osoittaakseni, että ymmärrän ja yritän parhaani.

Mutta Pippa ei ollut masentunut. Hän oli maanisen täynnä tarmoa. Hän vaati vaatimalla, että hänen on päästävä vauvan kanssa kotiin. Hän hoitaisi lapsensa, vaikka se veisi häneltä hengen. Eikä se veisi, se olisi päinvastoin hyväksi sekä hänelle että vauvalle. Hän oli varma, että oman äidin rakastava hoito vaikuttaisi parantavasti pikku Birgittaan. Huuli- ja kitalakihalkiot voidaan leikata, se on pikkujuttu. Ja ihmeitä tapahtuu. Äidin rakkaus voi tehdä ihmeitä. Aina on toivoa. Niin kauan kuin on elämää on toivoa. Pipan unet olivat täynnä myönteisiä enteitä, niiden täytyi merkitä jotain.

Pippa lateli näitä latteuksia niin paatoksella, että pelästyin enkä uskaltanut panna vastaan. Onko se seonnut? En voinut millään uskoa, että Pippa pärjäisi kotona tuon onnettoman rääpäleen kanssa, kun sille eivät asiantuntijatkaan mitään voineet.

»Niin surullista kuin tämä onkin, emme voi tehdä mitään, tällaista vain joskus tapahtuu», sanoi lääkäri.

Minusta näytti, että hän kohautti olkapäitään. Jokainen lääkäri osastolla oli kurkkua myöten täynnä Pipan paasauksia. Vieköön sen kotiin. Ei täällä väkisin voi ketään pitää.

Korostin taas kerran Pipalle, että lääkäri ei antanut mitään toivoa.

»Mutta se onkin mies.»

»Mitä se tähän kuuluu?»

»Kuuluu se. Se juuri kuuluukin. Ei se voi ymmärtää äidin ja vastasyntyneen suhdetta. Minkälainen sielullinen yhteys se on. Ei kukaan mies voi.»

Istuin Pipan sairaalavuoteen ääressä. Jossain hoitohuoneessa, lämpökaapissa, huovan sisällä, tykytti pieni, särkymäisillään oleva sydän, hengitti vajaasti kehittynein keuhkoin, sinertävin, ruhjeen halkaisemin kasvoin pikku Birgitta, meidän onneton – mikä?

Tekeleemme.

Yritys ihmiseksi.

Hautasin pääni käsiini. En sanonut mitään.

»Vaimonne on šokissa ja terapian, ehkä pitkällisenkin terapian tarpeessa», lääkäri oli sanonut.

Mutta miten minä voin hänet terapiaan pakottaa?

Lapsi oli kotona vain pari kuukautta. En koskaan voinut sanoa sitä Birgitaksi. Enkä vauvaksi. Hädin tuskin lapseksi. Minusta se oli otus, olio, eliö, *alien*. Ja minun avullaniko tuo alien oli Pippaan istutettu, minunko tekojeni seurauksena hänestä ulos puristunut? Se rääkyi vihlovasti suuri, kalju pää hiessä, rikkonaiset huulet sinisinä. Se oksenteli ja sai kouristuksia. Huuli- ja kitalakihalkion vuoksi se ei voinut imeä, vaan maito oli valutettava sen suuhun pipetillä. Pipan oli lypsettävä itseään, kunnes maidontulo ehtyi. Sitten alkoi vastikkeiden kanssa pelaaminen.

Pippa laihtui luurangoksi. Tuntui, että hän ei nukkunut koskaan. Hänen itkukohtauksensa olivat lähes yhtä kammottavia kuin lapsenkin. Silmät kuopalla, naama harmaana hän kulki lapsensängyn, keittokomeron ja kylpyhuoneen väliä. Kun hän hetkeksi nukahti, hän liikehti levottomasti, säpsähteli ja puhui unissaan.

Lapsen rakastava isoäiti pysyi hiljaa Vaasassaan sen jälkeen, kun oli soittanut ja parkuen vaatinut tyttäreltään oman osansa lohdutuksesta. Hänen elämänsä oli yhtä kärsimystä, hän ei nukkunut eikä syönyt, itki vain yökaudet tätä hirveää kohtaloa.

»Oletko sinäkin synnyttänyt sairaan lapsen?» Pippa kysyi ja paiskasi vastausta kuuntelematta puhelimen kiinni.

Pippa ja lapsi valtasivat alkovin; minä siirryin olohuoneen lattialle. En juuri nukkunut minäkään. Tunsin hirvittävää syyllisyyttä, en tiennyt mistä enkä jaksanut analysoida. Kun töissä kysyttiin vauvasta, sanoin, että se on sairas ja vastasin myöhempiin kyselyihin sen voinnista niin tylysti, että ne loppuivat. Olin niin väsynyt, että joskus panin oveni lukkoon, ilmoitin keskukselle olevani palaverissa ja nukuin tuolissani. Opin nukkumaan yläruumis pöydän päälle taipuneena, pää käsivarsien välissä sen jälkeen, kun takakenossa tuolissa nauttimieni päiväunien jälkeen naapurihuoneessa majaileva kunnallistoimittaja kehotti minua pitämään varani: huoneestani oli kuulunut kummallista jyrinää, vaikka ovi oli lukossa ja minä itse olin ilmoittanut olevani infossa. Päätellen siitä, minkälaista sakkia puheillani juoksi, kysymyksessä oli varmasti joku vakiavustajani, joka veteli kännisiä päiväuniaan tuolissani.

»Oletko antanut avaimesi jollekulle? Se on, kuule, ankarasti kiellettyä.»

»En ole antanut. En. Talossa on varmaan tehty jotain poraustöitä, ne äänethän tuntuvat tulevan mistä sattuu.»

Sain Pipan lopulta suostumaan siihen, että lapsi viedään sairaalaan. Odottamaan varmaa kuolemaansa, tiesin minä, ja tiesi Pippakin, vaikka ei suostunut sitä uskomaan. Elämämme ei siitä helpottunut vähääkään. Äitiysloma jatkui ja muuttui sitten sairaslomaksi, jota jatkettiin ja jatkettiin. Ei Pippaa olisi töihin saanutkaan. Kaiken energiansa hän käytti juostakseen päivittäin lasta katsomassa. Joka vierailusta oli yhtä kauheat seuraukset: tuntikausien itkua, syyttelyä ja itsesyytöksiä ja purkauksen jälkeen pitkää painostavaa vaikenemista ja ilmaan tuijottelua.

Menin muutaman kerran hänen mukaansa, kunnes en kerta kaikkiaan enää jaksanut. Kieltäydyin jyrkästi menemästä. Pippa pillahti itkuun. Menetin malttini.

»Mitä helvettiä sinä käyt siellä itseäsi kiduttamassa? Sen otuksen ei tule siitä yhtään sen parempi olo, se ei tunnista sinua eikä ketään muutakaan. Se ei kasva, se ei kehity, se tekee kuolemaa, yritä saada se mahtumaan kalloosi!»

Se oli ensimmäinen todellinen raivokohtaus. Teki mieli tarttua Pippaan ja ravistella niin, että luut helisisivät. Että jäsenet irtoilisivat. En tarttunut. Pippa oli niin laiha ja hauras, että olisi voinut kuolla käsiini. Pippa ei itkenyt eikä raivonnut. Hän meni mykäksi, puki päälleen ja lähti ulos. Tuli takaisin yhtä mykkänä. Sen jälkeen hän ei pyytänyt minua mukaansa koskaan, ei puhunut koko lapsesta.

Lapsi oli kuuden kuukauden ikäinen, kun se kuoli. »Sinnitteli ressukka harvinaisen pitkään», kommentoi lääkäri. Olin helpottunut, voin tunnustaa sen nyt, mutta silloin hävetti myöntää sitä edes itselleni. Yritin lohduttaa Pippaa. Puhuin, miten poloisen Birgitan oli nyt hyvä olla, kun maailmassa oli ollut niin paha olla.

»Vielä me lapsia ehditään tehdä vaikka tusina.»

Pippa rupesi kirkumaan, että hän ei ikinä, ei ikinä, rupeaisi edes yrittämään lasta. Hän on saanut merkin, hänelle on ilmoitettu, hänelle on näytetty, että kosto seuraa yrittämistäkin.

»Jostain minua rangaistaan, vaikka en vielä tiedä mistä, mihin pahaan olen edellisessä elämässäni sotkeutunut», hän ulvoi.

Se oli niin pimeää, että minulle riitti. Jätin Pipan

parkumaan ja hourimaan mielipuolisuuksiaan ja pakenin kapakkaan.

Mitä muuta olisin voinut tehdä? Ihminen minäkin olen, en enempää. Ja sitä paitsi sen otuksen isä, kai minunkin tunteeni olisi voinut ottaa huomioon.

Pippa kävi asennuttamassa kierukan. Turhaa se oli. Meidän sukupuolielämämme oli mennyttä, vaikka olin elätellyt toivoa, että ajan myötä kaikki palautuisi normaaliksi. Pippa ei kestänyt kosketustanikaan. Hän perusteli sitä sillä, että hänen surutyönsä oli kesken. Hänen on saatava tehdä se perusteellisesti loppuun asti. Se onneton otus ilmestyi meidän aviovuoteeseemme heti, kun yritin lähestyä Pippaa. Se tappoi kaikki halut minustakin. Joskus, hyvin harvoin, vedin hänet lähelleni, käänsin alleni ja toimitin asiani. Taoin itseäni hänen lonkkaluihinsa, hän makasi allani niin liikkumattomana, etten tuntenut edes hänen hengitystään. Raivon voimalla pääsin loppuun, mutta masennus ja häpeä noiden irvokkaitten aktien jälkeen kävivät niin voittamattomaksi, että lakkasin yrittämästä, palasin patjalleni ja jätin alkovin Pipan ja hänen murheensa haltuun.

Surutyön loppuun saattaminen merkitsi Pipalle jokailtaista hautausmaalla juoksemista ja sen jälkeen mykkää ilmaan tuijottelua aina nukkumaan menoon asti. Kynttilöitä sytytettiin huushollin joka nurkkaan. Elimme illat kuin kappelissa. Jos Pippa suostui puhumaan, hän halusi muistella lasta. Minusta se oli käsittämätöntä. Minä en halunnut sitä muistella. Minun teki pahaa ajatellakin sen surkeata olemusta.

Eikö tällainen raskas vaihe pitäisi osata jättää jo taakse? Ei, sanoi Pippa. Hänestä minunkin pitäisi itkeä kunnolla. Hänestä oli tuhoisaa, kun koteloin surun sisääni enkä pura sitä.

Mutta minä en koteloinut. Minussa ei ollut surua, ei lapsesta. Jos surua oli, se oli surua meistä kahdesta, siitä että elämä valui hukkaan, että istuimme tässä pienessä kämpässämme ja tuijotimme mennyttä ja menetettyä sen sijaan, että olisimme katsoneet ulos maailmaan ja ruvenneet taas elämään, terveet, nuoret, elinkelpoiset ihmiset.

»Siellä on kesäkin. Mennään edes ulos.»

Pippa katsoi minua kuin pyhäinhäpäisijää.

»Surutyölle pitää antaa aikaa», Pippa sanoi katse kaukaisuudessa.

»Mutta kuinka kauan, kuinka kauan?» minä vaikeroin.

»Niin kauan kuin se vaatii.»

Se tuli yllättävän kylmästi. Se Pipassa olikin outoa, pelottavaa. Miten sentimentaalinen ja kylmä se osasikaan olla yhtaikaa. Minkä tunteen riivaama se oikein oli?

Olisin itkenyt, vaikka vain Pipan mieliksi, jos tilanteemme olisi siitä parantunut. Mutta ei minua itkettänyt enkä pystynyt teeskentelemään. Olin elänyt itkemättä läpi pahempiakin vaiheita elämässäni.

Enkä ollut siihen epäsikiöön kiintynyt millään lailla. Sen sanoin kerran kiukuspäissäni Pipallekin. Siitä seurasi parin viikon mykkäkoulu. Pippa kulki silmät punaisena askareissaan, ei puhunut, ei pukahtanut. Joka ilta hän lähti hautausmaalle kassissaan uudet kynttilät. Tuli syksy, talvi ja uusi kevät, mutta meidän suljettujen verhojemme takana oli joulu ainainen. Kynttilöitä ikkunalla, kynttilöitä hyllyillä ja tiskipöydällä, kynttilöitä lattialla kellumassa vedessä isossa lasivadissa. Muuten kevät sai Pipan hurjistumaan. Hän ryhtyi rakentamaan lapsen haudasta miniatyyriparatiisia, kukkapenkkiä Eedenin yrttitarhaan. Mutta kotona oli kaikki miten sattui: imuroimatta, tiskaamatta, pyykit pesemättä, vaatteita ja tavaroita hujan hajan, ikkunat ja ikkunalaudat paksussa rasvaisessa pölyssä. En minäkään jaksanut kaikesta työpäivän jälkeen huolehtia. Enkä halunnutkaan. Eikä enää säälittänyt vaan inhotti, kun tulin kotiin, jossa nainen oli koko päivän pötköttänyt sohvalla nuhjuisessa yöpaidassaan panematta rikkaa ristiin. Kynttilät vain seilasivat vesivadeissaan kuin Tuonelan joella.

Siitä vetelehtimisestä tein sitten yhtenä kauniina kesäpäivänä lopun. Tulin töistä väsyneenä ja hikisenä, kaipasin suihkua, puhtaita alusvaatteita, ruokaa.

Vastassa oli tunkkainen puolipimeys, tyhjä jääkaappi, likapyykkien valtaama kylpyamme. Nainen makasi aamutakissaan sohvalla, käsivarsi otsalla, ja vastasi tervehdykseeni jonkinlaisella niiskauksella. Kiskaisin hänet ylös. Tuljutin tukasta ja läimin molemmille poskille. Raahasin kylpyhuoneen ovelle ja tuuppasin sisään.

»Pese edes itsesi, sontasäkki!»

Poljin kynttilät sammuksiin vesivateihinsa ja painuin ovesta ulos. Kun tulin aamuyöllä juovuksissa takaisin, asunto oli imuroitu, tiskit tiskattu ja kylppärin narulla märkä pyykki. Alkovin verhojen taakse en kurkannut.

En kadu yhtään. Enkä häpeä. Sen jälkeen alkoi tapahtua, kämppä siivoutua ja lämmintä ruokaa ilmestyä pöytään perheen elättäjälle.

5

KUVITTELIN, etten ollut nukkunut koko yönä, mutta kai minä olin, kun hätkähdin hereille. Kello oli melkein kahdeksan. Olin varma, että Pippa oli hiippaillut kotiin joskus aamuyöstä minun nukkuessani. Avasin hänen huoneensa – meidän entisen yhteisen makuuhuoneemme – oven.

Se oli tyhjä. Supersiisti ja tyhjä. Topattu kermanvärinen päiväpeite lepäsi rypyttömänä parisängyn päällä. Ei ryppyä, ei tahraa. Ei Pippaa.

Paiskasin oven kiinni. Suuta kuivi, mutta krapulassa en tuntenut olevani. Menin keittiöön ja laskin vettä hanasta. Menin lasi kädessä olohuoneeseen ja nostin puhelimen luurin, annoin linjan vonkua, kunnes kotivastaaja keskeytti. Sinulla ei ole viestejä, se naukaisi makealla naisen äänellä. Sen eitä painottava puhenuotti ärsytti.

Minulla ei ole tietoa siitä, missä vaimoni on.

Pitäisikö minun huolestua?

Kysymys oli retorinen. En ollut vähääkään huolestunut. Olin edelleen pirun kiukkuinen. Ymmärsin, että Pipan poissaolo oli mielenosoitusta, päähänpisto, häijy temppu, jolla yritetään kiusata minua tai opettaa minulle jotain. Tämä on juoni, jonka Pippa on Tainan kanssa punonut. Kasvatusmielessä.

»Ja mikähän opetus tässä piilee?», kysyin ivallisesti ääneen. Kukaan ei vastannut. Iso huoneisto, kaunis kotini, oli siisti ja äänetön.

Ainoa epäsiisti kohta oli olohuoneessa, siinä missä olin pureskellut patonkia ja latkinut valkoviiniä. Pullot ja lasi olivat pöydällä. Leivänmuruja, kaksi korkkia, toinen kiinni korkkiruuvissa, kapseleiden kiekurat, lasin jättämiä pyörylöitä pöydän pinnassa. Minun kenkäni ja sukkani lattialla. Hesari levällään sohvalla. Olinko minä sitäkin lukenut? Päätin, etten ainakaan korjaa jälkiäni. Korjatkoon Pippa, kun tulee. Olkoon se minun kommenttini hänen lapselliseen temppuunsa. Enkä keitä aamukahvia. Olkoon se toinen kommentti. Enkä soita kotiin. En koko päivänä. Ja kun illalla tulen, en kysy, missä hän on ollut.

Olen ihan kuin tähänkin asti. Olen kuin Pippaa ei olisi olemassakaan.

Soitin jo autosta.

Viiden hälytyksen jälkeen naukaisi kotivastaaja. Sen jälkeen kuulin oman ääneni: Tämä on Pete ja Pippa Arjoston vastaaja. Voit jättää viestin. Jätä viesti kotivastaajaan äänimerkin jälkeen, naukaisi naisääninen nauha, painot sanoilla viesti ja jälkeen. En jättänyt.

Oulunkylässä pysäköin auton nimikkopaikalleni lehtitalon sisäpihalle. Talo toimituksineen nousi ympärilläni lähes täydellisenä neliönä, se oli kuin jättiläismäinen perunakappa, jonka laitojen sisään minut oli suljettu. Valot loistivat kaikista ikkunoista, mutta yhdestäkään ei näkynyt sisään. Ruutuja peittivät sälekaihtimet. Niiden takana työt olivat alkamassa tai jo täydessä vauhdissa. Pidettiin aamupalaveria, kuunneltiin uutisia, luettiin lehtiä, etsittiin ideantynkää.

Vain suoraan ylös oli näköala avoin. Siellä matoivat hiljaista, jotenkin järkevän ja tarkoituksenmukaisen näköistä matkaansa tummanpuhuvat pilvet ja purkivat alleen ohutta tihkua. Minusta tuntui, että ulsterini oli läpimärkä ja painoi suunnattomasti, vaikka eihän se voinut autossa kastua. Tunsin, että saasteista raskas kosteus, Helsingin iljettävä ilmanala, imeytyi joka huokoseeni ja että sisätiloissa alkaisin hiljalleen tihkua jotain märkää, likaista ja pahalle haisevaa, ja että itse asiassa olin tihkunut siten jo pitemmän aikaa.

Yhtäkkiä tuntui voittamattoman vastenmieliseltä mennä toimitukseen, nähdä Susannan pirteä, hyvin meikattu naama, kuulla joka-aamuinen kiekaisu: Mooi! Huomenta!

Avasin henkilökortilla linnoituksen ulko-oven, käynnistin henkilökortilla hissin, avasin henkilökortilla toimituksen oven. Kolme kertaa samanlainen lyhyt tukahtunut surahdus. Sain luvan kulkea, vanki vankilaani, elinkautisvanki elinkautistani istumaan.

Kestin kaiken kuin mies. Susannankin, naamoineen, kiekaisuineen. Oli tänään virittänyt vaalean tukkansa kampojen avulla kiharaiseksi mättääksi päälaelleen. Korvista roikkui jotain pitkää ja välkkyvää. Yllä oli jotain kirkkaan punaista. Näytti sen yhden televisiotoimittajan pikkusiskolta.

»Hommaa kahvia ja juustosämpylä ja lasi tuoremehua», käskin.

Susanna näytti siltä kuin sillä olisi jotain kivaa kahdenkeskistä asiaa. Kyllä minä hänen asiansa tiesin, mielialansa tunsin. Hän on niitä naisia, jotka oppii äkkiä ulkoa.

Kun Susanna toi tarjottimensa, sanoin, että minulla on tärkeää ajatustyötä. Haluan olla yksin, kenenkään häiritsemättä. »Kenenkään», toistin. Hän sulki suunsa ja nykäisi niskaansa. Kiharamätäs hänen päässään tärähteli hillitysti, kun hän keikutti punaiseen verhotun takapuolensa ulos huoneesta.

Soitin kotiin.

Jätin viestin kotivastaajaan.

»Haista vittu», sanoin.

6

Jonnekin minun oli pelastauduttava, kun kotona alkoi olla sietämättömän painostavaa. Ruokaa kyllä sai, ja puhtaita sukkia ja paitoja. Siisteyskin alkoi olla melkein ylimitoitettua. Mutta kynttilät paloivat edelleen kuin päättymättömissä hautajaisissa, pieni itkun tihinä kuului öisin patjalleni alkovin verhon alta, vaimeana, mutta kiusallisena ja loppumattomana. Tippuva hana, kiinalaista kidutusta: kylmä tippa otsaan joka kahdeskymmenes sekunti. Se osui, vaikka olisin miten kääntelehtinyt.

Olihan minulla työni, elämäni sisältö, uskoni itseeni. Tosin idealismini oli alkanut vaarallisesti rapistua. Yhteiskunnan luvuttomiin epäkohtiin ei enää tehnyt mieli tarttua kaksin käsin niin kuin ennen, hyvinä aikoina. Kaikkein eniten alkoi tympiä se poliittinen innostus ja oman puolueen asian ajaminen, joka lehteni linjalle tietysti oli olennaista. Rakennamme maailman onnellisen! Mekö? Tällä jengillä? Ja paskat!

Tuli lama; se tuki mielialaani. Mutta lehteni mekasti. Pysyin kuorossa, koska sillä laululla elin ja elätin vaimoanikin.

Ajan nainen kitui henkitoreissaan. Tiedettiin, että sen päivät olivat luetut, kun puolueen oman naisjärjestön jäsenetkin olivat sen hylänneet. Eivät olleet sisäistäneet sen vallankumouksellisia sisäisen uudistumisen ja henkisen kasvun oppeja, ja kun eivät olleet saaneet haukkumakirjeillään ja soitoillaan muutosta aikaan, lakkasivat tilaamasta. Lehteä tehtiin päätoimittajan, toimitussihteerin ja numero numerolta yhä surkeammaksi käyvän avustajakunnan voimin, yhä laihemmaksi henkistyneenä läpyskänä, yhä kehnommalle paperille.

Ei ollut vaikea ymmärtää, ettei Pippaa haluttukaan takaisin töihin. En tiedä mitä juoruja päätoimittaja oli kuunnellut, kun hän laskeutui hengen korkeuksistaan työhuoneeseeni ja rupesi kautta rantain kyselemään kuulumisia ja puhumaan, että Pipan itsensäkin kannalta olisi nyt parasta jatkaa sairaslomaa niin pitkään kuin suinkin ja tulla sitten irtisanotuksi, että saisi mahdollisimman pian ansiosidonnaista työttömyyspäivärahaa.

»Se on sen asia», sanoin lyhyesti, mutta lupasin viedä terveiset perille.

Pippa ei kommentoinut ynähdystä enempää, mutta vaikutti helpottuneelta. Sairasloma jatkui. Sitten lopetettiin lehti. Minun lehteni omisti »edistyksellisiä naisia yhdistäneen arvokkaan ja perinteikkään julkaisun» muistolle jälkiartikkelissa pari pahoittelevaa sanaa, mutta tiesin kyllä, millainen helpotus julkaisun kuolema oli koko puolueelle. Puoluetoimistosta oli jo pitkään puitu nyrkkiä »hulluille akoille» ja sille huuhaalle, jolle lehti oli omistautunut.

Minulle tuli tunne, ettei vaimoni Pippa enää elämänsä päivänä tee ammattityötään minkään lehden toimituksessa. Eikä ylipäätään mitään palkkatyötä kenenkään palveluksessa.

Sen tärkeämpää oli minun panostaa uraani. Elettävä oli.

Työväenlehtitausta ei työmarkkinoilla välttämättä ollut meriitti. Mutta näkyvyyteni kolumnistina ilmeisesti auttoi, kun minut kymmenien hakijoiden joukosta valittiin toimittajaksi *Tässä ja nyt* -lehteen. Pääsin ison konsernin palkkalaiseksi ja tunsin astuneeni tukevalle maalle. Siirryin aikakauslehtipuolelle ja muutenkin kuin toiseen maailmaan, missä vallitsi ankara kilpailu ja oli opittava kovat otteet. *Tässä ja nyt* oli kuuluisa räväkkyydestään, vaikka sitä ei aivan samanlaisena sensaatiolehtenä pidetty kuin pahinta kilpailijaansa, ulkomaisen julkaisijan *Viikonpäiviä*. *Tässä ja nyt* käsitteli silloin tällöin asia-aiheitakin ja julkaisi kahta liuskaa pitempiäkin juttuja.

Työn tekemisen meininki oli aivan toista kuin työväenlehdessä, jossa tähtäyspiste oli seuraavissa vaaleissa ja jossa joku aatteellisen uskollisuuden saralla ansioitunut vanhempi kollega saattoi maleksia viikkokaudenkin tuottamatta riviäkään. Työmäärä kasvoi tuntuvasti, mutta tuntuvasti nousi myös palkka. Vaikka olin kiinnittänyt Tuokon ja Virransivun huomion juuri kolumneillani ja muulla poikkeavuudellani työväenlehden tavanomaisesta kuosista, sama tyyli ei käynyt uudessa työpaikassani ollenkaan. »Kill your darlings, man», hoki Virransivu jatkuvasti ja tökki sormellaan sanontojani ja lauseitani, joita itse olin pitänyt erityisen omaperäisinä ja onnistuneina. »Sentimento! Ma non troppo!» se huusi, huitoi käsillään, pani naamansa vihaiseen ruttuun ja yritti näyttää siltä yhdeltä kapellimestarilta. Se oli vitsikästä, ja sille piti nauraa. Hohhoijaa. Mutta ei sille, kun se saarnasi, että hienotunteisuus on journalismissa pahe ja suuri synti; hienotunteisuudella ei ole yhtäkään aviisia pystyssä pidetty, ei Suomessa, eikä missään. »Ja mitä tämä on? Ironiaa? Ironiaa ei kuule ymmärrä kuin yksi sadasta ja sekin väärin.»

Joopa joo. Eipä ei.

Virransivu oli nostanut omilla periaatteillaan lehden levikkiä ja varsinkin irtonumeromyyntiä häikäisevästi, joten oikeassa hän oli. Ei minun korkeavireisellä, tunteikkaalla, empaattisella, kultivoituun ilmaisuun pyrkivällä tyylilläni irtonumeroita kaupattu. Epäkohtia sai kyllä penkoa, pitikin, mutta ei niitä analysoida saanut, ei miettiä syitä, seurauksia, rakenteita. Piti vain osoittaa, miten vääryys taas huusi taivaisiin tämänkin tapauksen kohdalla, miten tunnottomia ovat Helsingin herrat ja heidän byrokraattinsa, kun pienen ihmisen asiasta on kysymys. Kun radaltaan suistuneet viihdetähdet, salaliittoteorioitaan kauppaavat viinan syömät entiset poliitikot ja virkamiehet ja muut drop outit alkoivat muodostua vähän liian likeisiksi ystäviksi toimitukselle, Virransivu otti pakkia ja palautti lehden enemmän asialinjalle. Kun irtonumeromyynti laski, etsittiin taas sosiaalipornon, julkkisjuorujen ja seksin alueelta räväkämpiä aiheita.

Se oli yhtä soutamista ja huopaamista. Kun sain tilaisuuden, siirryin mielihyvin tekemään julkkishaastatteluja. Opin nopeasti tyylin: sekä pistelemään että makeilemaan samassa jutussa, ujuttamaan kuvateksteihin haastateltavan lipsahdukset, joita hän kielsi julkaisemasta, tarkistuttamaan vain haastateltavan suorat repliikit, tekemään otsikoita, jotka lupasivat enemmän sensaatiota kuin juttu sisälsi. Jotkut juttuni saivat kiitosta talon ylintä johtoa myöten, olin ymmärtänyt oikein sananvapauden suomat oikeudet ja velvollisuudet koko laajuudessaan. Olin itsekin kyvyistäni ylpeä ja panin kaikkeni peliin varsinkin, kun pääsin haastattelemaan jotain huippupoliitikkoa tai merkittävää kulttuuripersoonaa. Sain ruveta kirjoittamaan kolumnejakin, kunhan pidin huolta, että jutut olivat tarpeeksi henkilöön meneviä ja käsittelivät niin suuria julkkiksia, että ne tunsi viimeinenkin puolijauhoinen Helvetinkorven Kurjanperää myöten. Kolumneja varten kehitin omasta mielestäni erityisen hienostuneesti ilkeän, hiukan, mutta ei liian kyynisen tyylin, joka oli ihan muuta kuin niiden parin tunnetun valtakunnanvinoilijan jutut, joita julkaistiin iltapäivälehdissä.

Minä etenin uralla. Tunsin tyydytystä tietäessäni, että julkkikset sekä pelkäsivät että olivat imarreltuja kun pääsivät haastateltavaksi. Minun käsittelyyni eivät kelvanneet mitkä tahansa nöpönenäiset missit, viinan kanssa läträävät lankkumaalarit tai vasta markkinoille tuupatut vasikanjalkaiset iskelmälaulajat. Minä valitsin itse.

»Kill your darlings», hoki Virransivu.

Se oli hyvä neuvo.

Juuri sen minä tein.

Sekä töissä että kotona.

Torjuin elämästäni sen, mikä torjuttavissani oli, nielin sen, mikä oli nieltävä, puhuin ja vaikenin sen mukaan kuin oli edullista.

Sitä elämä on; niin muutkin joutuvat tekemään.

Kun ymmärsin tämän, aloin viihtyä lehden tiimissä. Toimitus oli pieni. Käytettiin paljon avustajakuntaa. Palkkiopolitiikassaan lehti oli linjakkaasti linjaton. Avustajien palkkiohaitari oli laaja, eikä kukaan tiennyt toistensa saamisten määrää. Eihän se ollut reilua, eikä oikein rehellistäkään, mutta käyttökelpoinen menetelmä se oli; yllättämällä senttarin isolla palkkiotarjouksella hänet sai tekemään melkein mitä tahansa. Lehti panosti irtonumeromyyntiin; tilaajia oli vähän, ja määrää näytti olevan vaikea kasvattaa ainakaan Virransivun tempoilevalla toimituspolitiikalla. Joskus tehtiin monta numeroa asialinjalla, välillä reviteltiin kuin millään ei olisi mitään väliä. Irtonumeromyyntiin panostaminen oli riskipeliä, mutta kun onnistuttiin, rahaa tuli paljon ja nopeasti.

Suomalainen julkkismaailma on pieni: kourallinen aika mitätöntä ja väritöntä porukkaa. Pariutuivat ja erosivat, pettivät toisiaan, kokivat yllätysrakkauksia ja yllätysraskauksia, möhlivät raha-asiansa, töppäilivät juovuspäissään. Ei niiden asioiden penkomiseen paljon tutkivaa journalismia tarvittu, ennemminkin piti toppuutella niiden omaa intoa päästä esille. Opin äkkiä tuntemaan ihmislajin, jota toimituksessa kutsuttiin yleisnimellä »maanvaiva». Olin työväenlehdessä todellakin kellinyt viatonna kuin lapsi kehdossa; ei siellä oppinut mitään siitä, miten raadollista tappelua julkisuuteen pääsystä käytiin.

Toimituksen keskeinen persoona oli juopottelullaan ja ilkeämielisillä jutuillaan valtakunnallisen maineen saavuttanut yli viisikymppinen Tauno Peuhkuri, jota kukaan ei kai ollut nähnyt täysin selvänä vuosikausiin. Peuhkuri ei pelännyt ketään eikä hävennyt mitään, siinä mielessä se oli niin kuin erään määritelmän mukaan todellinen kirjailija on. Kirjailijana se itseään pitikin, oli joskus nuorempina vuosinaan kasannut pari julkkiselämäkertaa ja jonkin päättömän kauhuromaanin.

Peuhkuri varustautui haastatteluihin kynällä, lehtiöllä ja pullolla koskenkorvaa. Hän jututti mieluiten hengenheimolaisiaan, veljiään viinassa. Nauhuria hän ei käyttänyt koskaan, se olisi pelkästään häirinnyt hänen inspiroitunutta kirjoitustyötään. Harva kehtasi valittaa siitä, mitä hänen suuhunsa oli pantu, kaikki eivät muistaneetkaan puheitaan. Jos joku kävi kiistämään, valokuvaaja todisti aina Peuhkurin puolesta.

Mieluiten Peuhkuri kirjoitti omaa niin sanottua kolumniaan, viljeli palstaansa, niin kuin se sanoi, vaikka mikä palsta se oli, jumalattoman pitkä jeremiadi, joka kattoi joskus kolmekin aukeamaa ja jatkot päälle. Näissä vuodatuksissaan se puolijuopuneen rentoudella pohdiskeli maailman menoa ja ilkeili ihmisille, joista se ei tosiasiassa tuntunut tietävän yhtään mitään. Yhteiskuntanäkemyksiltään se oli jämähtänyt jonnekin neljännesvuosisadan taakse, aikoihin, jolloin oli ilmeisesti viimeksi nähnyt selvän päivän ja vihannut kahta porukkaa yli kaiken: uskovaisia ja taistolaisia. Se sai aukeaman lurituksen syntymään vaikka omista ruumiintoiminnoistaan, joiden tarkkailuun ja raportointiin se tuntuikin yhä tiiviimmin erikoistuvan. Pelkäsi kuolevansa varmaan, ja syystä. Iskelmätähtien, tv-julkkujen, missien ja mallien kimpussa ahersi kaksi nelikymppistä naista, Kaija ja Tuija, Kaija laiha, Tuija lihava, Kaijalla kaareva nenä, Tuijalla ennemminkin peruna, mutta muuten samannäköisiä sinisenmustiksi värjättyine hiuksineen, jotka oli kammattu tiukasti pitkin päätä ja sommiteltu jumalattomaksi nutturanmöhkäleeksi niskaan. Nenän takia ja vähän muistakin ansioista Kaijaa kutsuttiin Kotkaksi. Tuijaa taas perunanenästä huolimatta Korpiksi, koska hänen sukunimensä oli Korpinen. Ne olivat ronskeja naisia, eivät panneet nimittelyä pahakseen.

Valitsemallaan uralla molemmat osoittivat rautaista ammattitaitoa. Sääliksi kävi joskus kokemattomia nuoria missejä, malleja, laulajia ja näyttelijättäriä, jotka joutuivat niihin petolinnunkynsiin. Kun ne olivat nuorten tyttöjen silmissä vanhoja, ne onnistuivat esittämään äidillistä ja saivat kokemattomasta ihmisestä irti aivan mitä halusivat. Kun ne tottuneesti luotsasivat julkkisuraansa aloittelevan tytönhonkkelin ensi luokan ravintolaan lounaalle ja juottivat sille pari lasia vuosikertaviiniä ja panivat sen hämmentymään kalaveitsien ja jälkiruokahaarukoitten kanssa, sehän pulputti mitä tahansa. Jonkin aikaa lehdessä oltuani opin arvostamaan, ihailemaankin heidän ammattitaitoaan. Minusta ei olisi yhtä koviin otteisiin ollut, mutta minä tähtäsinkin muualle, pois likaisesta työstä. Sitä oli kuitenkin tehtävä, jotta pääsisi siitä pois; niin systeemi toimii.

Toimitussihteeri Antero Lyytinen oli kellankalvakka, hiljainen mies, joka hoiti työnsä niukoin sanoin, mekaanisen tuntuisesti eikä juuri osallistunut ideointiin. Joskus ihmettelin, miten hänen kaltaisensa ihminen yleensä oli päätynyt *Tässä ja nyt* -lehden tapaiseen julkaisuun. Ei sitä häneltä kysyäkään voinut. Hän ei puhunut asioistaan kenellekään. Istuin vain päätteensä ääressä päivät pitkät, tuijotti punareunaisin silmin ruutuun, oli aina paikalla ennen muita ja jäi tuolilleen, kun muut lähtivät. Toimitussihteerin tehtävien ohella hänen vastuullaan olivat lehden terveyssivut, jotka olivat keskittyneet kaikenlaisen itsehoidon, luontaislääkityksen ja vaihtoehtohoitojen esittelyyn. Kuvittelin voivani päätellä siitä jotakin Lyytisen orientoitumisesta. Hän oli niin kalpeakin, mahtoi popsia pelkkiä ruohoja ja hoitaa itseään jollakin homeopaattisilla tipoilla ja yrttihauteilla.

Kun pääsin päätoimittajaksi, olisin lopettanut koko terveyssivut, mutta siihen tuli julkaisujohdolta jyrkkä kielto. Luontaistuotekauppiaat ja maahantuojat olivat hyviä ilmoittajia, joiden kanssa oli pelattu sopupeliä vuosikaudet: juttu ilmoituksesta, kaksi parhaasta, mutta tietenkin niin, ettei ihan voinut tekstimainonnasta syyttää. Selvänäkijän kysymyspalstan sain sentään lopetetuksi todistelemalla, että moinen huuhaa karkottaa sata järkevää lukijaa, jos sitten tuokin kymmenen kajahtanutta lisää. Sitä paitsi, esitelmöin, selvänäkijän pitäminen palstoilla murentaa merkittävästi lehtemme uskottavuutta yleisaikakauslehtenä, joka sentään joskus julkaisee kovia faktajuttujakin politiikasta ja talouselämästä. Jos niitä ryvetyksiä nyt voi koviksi faktajutuiksi sanoa, mutta tätä kommenttia en sanonut ääneen. Todisteluni meni läpi ja lopulta sain lähettää selvänäkijälle ilosanoman: hänen palveluksiaan ei tarvittaisi enää. Ämmä oli katkera, hän oli pitänyt palstaa kauan ja leimautunut siihen. Sen menettäminen merkitsi hänelle sekä tulojen että imagon laskua alan tosi raakamaisessa kilpailussa.

»Se noituu kostoksi rupia perseesees», naureskeli Peuhkuri, joka oli inhonnut palstaa yhtä syvästi kuin minä.

Lehden vakikuvaaja ja taittaja olivat kimpassa, ne tunsivat ilmeisesti visualisoijina olevansa toista ihmislajia kuin kirjoittajat, suuria graafisia taiteilijoita, jotka antoivat muiden ymmärtää, että heidät oli tarkoitettu merkittävämpiin tehtäviin tässä maailmassa kuin kasaamaan rahvaanomaista aikakauslehteä. Lopulta ne menivätkin kihloihin ja muuttivat yhteen asumaan. Minun makuuni he tekivät liian kirjavaa ja levotonta jälkeä, mutta lakkasin arvostelemasta, kun minulle oli tuhanteen kertaan vakuutettu, että riemunkirjavuus ja levottomuus ovat moni-ilmeisyyttä, ja juuri se herättää ostoimpulssin.

»Täytyy erottua», hölähti Virransivu.

Minusta juuri kaikkien lehtien samankaltainen moni-ilmeisyys esti erottumisen, varsinkin, kun kansissa ja kansijutuissa usein olivat samat julkkikset, mutta en sanonut mitään. Minähän olin tullut ilmeettömän mustavalkoisesta työväenlehdestä, jossa väriä edusti vain etusivulla lehden nimen alle painettu punainen viiva.

Tässä ja nyt käytti paljon myös maan kuuluisinta, ja oikeastaan ainoata paparazzia, vähän yksinkertaista, mutta innokasta Jussi Lehtistä, joka sekä kuvasi että kirjoitti ja jonka sai kohtuuhinnalla postaamaan jotain äkkiä pinnalle pullahtanutta urheilutähteä tai Helsingin yössä milloin missäkin kunnossa haahuilevaa suosikkinäyttelijää vaikka yökaudet, jos vain oli tullut vihje, että kohde käy vieraissa. Kyllä raha tekee nöyräksi, naureskelimme joskus toimituksessa, ja minä siteerasin: »Oliskoos toi Jussi päivän tienvieressä liaassa, jos sille maksais markan?» Peuhkuri pärskähti. Muutkin nauroivat epävarmasti.

Peuhkuri väitti kerran tehneensä Jussille tempun yhteisellä keikalla itäsuomalaisessa kaupungissa, jossa jonkun naimisissa olevan vonkujan epäiltiin viettävän haureellista lomaa toisen naimisissa olevan vonkujan kanssa.

»Osoitin kaupungilla Jussille yhden komean auton ja sanoin, että kato tota. Painuin itse hotelliin. Neljä tuntia se postasi ennen kuin tuli hotelliin ja sanoi, ettei se varmaan ollut kohteen auto, kun siihen meni ihan muu mies. Se kysyi minulta, kenen auto se oli. Ei aavistustakaan, minä sanoin. Silloin sen naama vähän venähti ja se piti mykkäkoulua puoli seuraavaa päivää.»

Susanna Pasanen oli toimituksen ja erityisesti päätoimittajan sihteeri, nätti, pitkäsäärinen tiukkapeppu, jonka iloisuus ja reippaus tekivät heti vaikutuksen minuun. Sen minihameinen, raikas olemus ja taidokkaan kevyt flirttailu olivat aina aamuisin kuin lääkettä kotona vallitsevan pysyvän hautajaistunnelman jälkeen. Elämä on myös tätä: keveätä, kuplivaa, ei niin kovin vakavasti otettavaa.

Olin näkevinäni Virransivun ja Susannan välillä jotain kevyttä flirttiä vakavampaa, minkä Susanna kielsi ehdottomasti ja kiihkeästi, sitten myöhemmin. Minä olin hänen suuri rakkautensa, jos en nyt ihan ensimmäinen, niin varmasti viimeinen, tätä suurempaa tunnetta hän ei ikinä kokisi. Susannan suuren tunteen kohteena oleminen tuntui ajoittain erittäin hyvältä. Jopa niin hyvältä, ettei eläminen hänen kanssaan tuntunut aivan mahdottomalta tulevaisuuden näyltä. Ajoittain se sitten taas tuntui.

Virransivu kannusti toimitustaan viikkopalavereissa kuin myyntimiesjoukkuetta ja rohkaisi jokaista tekemään niin rajuja juttuja kuin suinkin. Konsernilla oli pätevät lakimiehet. Toimittajan tehtävänä ei ole pohtia lakia eikä etiikkaa, kun talossa oli ihmisiä, jotka saivat niiden pohtimisesta palkkaa. *Tässä ja nyt* joutuikin aika usein Julkisen sanan neuvoston hampaisiin. En voinut olla ihailematta Virransivun pettämättömän teräviä, moraalisen vastuuntunnon leimaamia vastineita, jotka hän yhdessä lakimiesten kanssa oli sorvannut. *Tässä ja nyt* oli kirjoittanut demokratian ja sananvapauden vaatimalla tavalla asioista, joista kansalla on oikeus tietää. Hän käänsi mustan valkoiseksi; moitteen kohteeksi joutuneen jutun kirjoittamatta ja julkaisematta jättäminen olisi ollut suoranaista totuuden pimittämistä ja kansan nenästä vetämistä.

Virransivun ja juristien taidoista huolimatta neuvostolta tuli usein langettavia päätöksiä. Virransivu otti ne mainosiskuina. Kunnianloukkausjuttuja lehteä vastaan ei juuri nostettu, ja jos nostettiin, ei juuri voitettu. Konsernin lakimiehet olivat todella päteviä.

Mutta entä nyt? Ilkeäisikö kleptomaani-kansanedustaja viedä jutun oikeuteen, kun ei voisi kuitenkaan kiistää sitä, että oli jäänyt kiinni varastelusta? Jos veisi, toisiko psykiatrin lausunnon todistukseksi sairaudestaan? Jos toisi, siihen katkeaisi ainakin kansanedustajan ura.

En oikein ymmärtänyt, mitä Virransivu ja Tuokko vaahtosivat. Eivät ne olleet vaahdonneet monesta paljon arkaluontoisemmastakaan jutusta.

En jaksanut paneutua asiaan. Äkillinen puistatus ravisti minua päästä jalkoihin. Inhotti yhtäkkiä kaikki, koko lehti, koko toimitus.

Mitä minä täällä tein?

Siihen kyllä osasin vastata. Tienasin hyvin ja nautin erinomaisia etuja.

Onko tämä paikka tärkeä?

Ei. Minä olen tärkeä. Pipan luo minun on mentävä kuin vuoren sisään. Hän haluaa musertaa minut alleen, tukehduttaa läskeihinsä, tappaa mykkyyteensä. Mutta minä en anna periksi. Minun muistokseni hän ei pääse kynttilöitään sytyttelemään.

7

Kun Tuokko ylennettiin konsernin toimitusjohtajaksi ja Virransivu hänen tilalleen julkaisujohtajaksi, minut nimitettiin lehden päätoimittajaksi. Ei se oikeastaan ollut yllätys kenellekään, vähiten itselleni, sillä siihen oli tähdännyt. Tiesin, ettei toimituksen sisältä ketään muuta ainakaan olisi voitu valita. Peuhkurin alkoholismi alkoi olla sillä asteella, että minkään vastuun kantajaksi miestä oli mahdotonta ajatella. Kotka ja Korppi olivat hyviä lajissaan, mutta rajoittuneita ja sivistymättömiä, eikä heidän oveluutensa merkinnyt kykyä tajuta lehden journalistista kokonaisuutta saati ajatella vähänkään liiketaloudellisesti. Sitä paitsi konsernissa oltiin sitä mieltä, vaikka ei sitä kabinettien ulkopuolella ääneen sanottu, että nainen sopi kyllä naistenlehden mutta ei yleisaikakauslehden päätoimittajaksi.

Yleisaikakauslehti, jumalauta. Taikka mun lasten pyhäkoululehti.

Sain päätoimittajan ison, tyylikkään huoneen, Susannan sihteerikseni, hyvin nopeasti myös sänky-kumppanikseni, talon luottokortin, työsuhdevolvon ja vähän myöhemmin yhtiön yhdeltä pomolta tyhjäksi jääneen ison rivitaloasunnon Kulosaaresta. Läheltä itäväylää tosin, mutta Kulosaari on Kulosaari, ja kotikatuni oli niitä presidenttien mukaan nimettyjä. Asunto oli vanha, 70-luvun lopun prameaa tyyliä: tummat teak-parketit, isokuvioiset laatat keittiössä ja pesutiloissa, jalopuuovet, tekstiilitapetit ja puuleikkauksin koristellut katot. Vähän nuhraantunutkin se oli, eikä yhtiö katsonut aiheelliseksi tehdä remonttia minun takiani. Yksi yhtiön talouspuolen pikkupomo, jota ei ollut siunattu työsuhdeasunnolla, oli käynyt muka tarkastamassa huoneiston kunnon ja todennut sen erinomaiseksi. Kateuksissaan, arvelin, maksaa varmaan itse valtavaa asuntolainaa jostakin espoolaisesta omakotitalosta. Mutta asunnossa oli tilaa lähes parisataa neliötä, komea saunaosasto, olohuoneessa vuolukivitakka ja olohuoneen lasiovien takana terassimainen, laatoitettu piha, jonka tiilestä ja mustasta takoraudasta rakennettua aitaa pitkin villiviini kiipeili.

Olisinpa voinut raahata rapajuopon isäni niskasta katsomaan sitä läävää. Ja kantaa äitini kultatuolissa samalle asialle. Mutta he olivat kuolleet. Sisariini en pitänyt yhteyttä. Eivätkä he minuun. Eivät kaiketi toisiinsakaan. Tavatessa olisi vain tullut mieleen kurja lapsuus, räyhäävä, pelottava isä, uupunut äiti, jota vain kiukku ja katkeruus parempia ihmisiä kohtaan pitivät pystyssä. Tiuskimiset, selkäsaunat, kaiken puute, häpeä. Kaikki se, mikä ei muuta tuottanut kuin keskinäistä vihaa.

Vanhempi sisareni lähti heti koulunsa lopetettuaan Ruotsiin ja jäi sinne. Nuorempi muutti Helsinkiin ja sieltä muutaman vuoden kuluttua Lappeenrantaan. Isä ja äiti jäivät kahden Tampereelle, samaan ankeaan vuokraluukkuun, jossa olivat lähes koko avioliittonsa eläneet. Minun lähdöstäni Helsinkiin ei ollut kulunut kuin muutama kuukausi, kun äiti soitti isän sairastuneen haimatulehdukseen. Sitä seurasi sokeritauti. Viina oli jätettävä. Ukolle ei jäänyt muuta tekemistä kuin maata sängyssä, kiskoa tupakkaa ja yskiä keuhkonsa pihalle. Keuhkosyöpä hänessä sitten todettiinkin. Ukko heikkeni nopeasti, eikä enää pystynyt purkamaan katkeruuttaan kuin sanallisesti. Isästä on tullut niin kiltti, äiti tiedotti onnellisena, vihdoin.

Heti kuolinpäivänä äiti alkoi kiillottaa ukkoa. Hautajaisissa mies oli jo täysi pyhimys, rakastava aviopuoliso ja huolehtiva perheenisä, joka oli tehnyt kaikkensa saadakseen lapsilleen elämässä paremmat lähtökohdat kuin hänellä itsellään oli ollut. Ukko komeili piirongin päällä leveissä kehyksissä, vieressä tökötti kynttilä korkeassa jalassa. En ollut uskoa korviani äidin puheita kuunnellessa. Ukko oli mätkinyt hänen naamaansa ikuiset arvet, murtanut ranteen kuhmuroille ja järjestänyt hampaisiin sillan. Ja äiti puhui kuin olisi elänyt äijän kanssa ikuista kuherruskuukautta, jonka päivänpaisteeseen vain köyhyys joskus toi pilvisen häivähdyksen. Pisti vihaksi ja olisin väittänyt vastaan, mutta siskot suhahtivat, että antaisin olla. »Äiti raukka on vihdoinkin vapaa ja saa omaksi lohdukseen kuvitella elämästään mitä haluaa.»

Ymmärsin sen. Nyt äiti sai elää sitä avioliittoa, jonka kuvitteli aikoinaan solmineensa. Nyt he olivat taas rakastavaiset, »hulluina toisiinsa» niin kuin äiti kertoi heidän nuorina olleen. Jos siitä oli hänelle elämän loppuvuosiksi lohtua ja apua, mikä minä olin hänen illuusioitaan särkemään.

Ei niitä loppuvuosia sitten niin monta enää ollut.

Äidin hautajaiset eivät meitä sisaruksia lähentäneet yhtään enempää kuin isänkään hautajaiset. Kai meidän yhteytemme ja mahdollisuudetkin keskinäiseen kiintymykseen oli tuhottu peruuttamattomasti jo pieninä, kun joka korpusta ja karamellista joutui taistelemaan siinä pelon ja pettymyksen ilmapiirissä, ainaisesti kummallisella tavalla syyllistettynä perheen kahden aikuisen vastuulle kuuluvista asioista. Äidille oli kertynyt vähän säästöjä; ne jaoimme, tytöt ottivat kotoa muutaman esineen, loput vei ammattimainen kuolinpesien tyhjentäjä. Minä en ottanut mitään, en halunnut ruveta niitä kaappeja ja laatikoita edes penkomaan; ties mitä lapsuuden kauhuja niistä olisi tullut vastaan.

En koskaan puhunut Pipalle lapsuudestani muuta kuin jotain aivan ylimalkaista. Että köyhiä oltiin, Tampereen Tammelassa keittiön ja kahden kamarin vuokra-asunnossa asuttiin, että isä oli muurari ja äiti hoiti kotia. Ei Pippa olisi ymmärtänyt muistojani, tunteitani, katkeruuttani. Ei Pippa, pitsisten ikkunaverhojen takana vaaleanpunaisessa ja valkoisessa tytönkamarissaan kasvanut, hellitty ja rakastettu lapsi, jolta ei koskaan ollut mitään puuttunut.

En minäkään ymmärtänyt Pipan hienoisen ivallista, väheksyvää suhtautumista äitiinsä enkä varsinkaan sitä periaatteellisuutta, jolla hän suhtautui vanhempiensa rehellisellä liiketoiminnalla ansaitsemiin rahoihin. Pipan isä oli suutarin poika, joka oli laajentanut isänsä jalkinekorjaamon nahkakaupaksi ja menestynyt sillä hyvin. Kun isä oli kuollut, äiti piti liikettä, lisäsi laukkujen, hansikkaitten ja hienojen nahkavaatteiden valikoimaa ja varmaan toivoi sekä ääneen että hiljaisessa mielessään, että Pippa opiskelisi kaupallista alaa ja jatkaisi firmaa hänen jälkeensä. Se oli turha toivo. Pippa karisti Vaasan tomut jaloistaan heti, kun ylioppilaaksi pääsi, halusi köyhäillä ja luomuilla ja oli hyvin haluton ottamaan vastaan äitinsä tarjoamaa rahallista avustusta. Aurorankadun asunto oli Pipan mukaan vuokrattu, mutta epäilen, että vuokranantaja oli mamma Birgitta, joka varmasti vähän loukkaantui, kun asunto ei meille yhteiseksi kodiksi kelvannut.

Odotin, että Pippa ilahtuisi päätoimittajuudestani ja uudesta asunnosta. Uskalsin haaveilla jopa elämänmuutoksesta, joka nyt tapahtuisi. Pippa toipuisi, rakentaisi kanssani kotia, vähentäisi hautausmaalla juoksujaan, heräisi henkiin. Mutta Pippa jatkoi surutyötään, joka oli muuttunut lähes pysyväksi vihamieliseksi mykkyydeksi. Hän alkoi lihoa. Näin merkkejä ahmimisesta. Roskiksesta löytyi tyhjiä keksipakkauksia, suklaalevyjen kääreitä, suolapähkinäpusseja ja jättimäisiä sipsipusseja, jopa puurohiutalepaketteja, vaikka meillä ei puuroa keitetty ikinä, koska ilmoitin, että minuun oli survottu puuroa lapsena koko loppuelämän tarpeiksi. En sanonut kääreistä mitään, mutta näin Pipan ilmeestä, että niiden jääminen näkyviin oli vahinko; yleensä roskis oli tyhjä, kun tulin kotiin.

Pippa näytti synkkää naamaa silloinkin, kun vein hänet ensimmäisen kerran katsomaan uutta asuntoamme, esittelin saunaosastot ja kylmiöt, vuolukivitakat, apukeittiöt, terassit. Pippa ei sanonut mihinkään mitään. Mykkyydellään hän nolasi minut perusteellisesti, mitätöi minut ja sen, mitä olin omalla työlläni saavuttanut. Tunsin itseni typeräksi ja lapselliseksi, kun en ollut tajunnut, ettei tämä kaikki voi Pipalle mitään olla, kun hautausmaalla, kaksi metriä mullan alla makaa se, mikä siellä makaa.

Eikä kai olisi ollut muutenkaan, Pippahan oli tottunut parempiin oloihin.

Minä en ollut, mutta päätin tottua.

Teki mieli läimäyttää Pippaa. En läimäyttänyt. Vaivoin raivoni hilliten sanoin edellyttäväni, että Pippa hoitaa osuutensa siitä, minkä olen kokoon raatanut. Että en elätä häntä ilmaiseksi. Että hän saa luvan maksaa taloustöillä ruokansa ja asuntonsa ja koko vetämättömän elämänsä.

Pippa maksoi. Hän ei enää yrittänytkään etsiä töitä, vaan otti minun ja kodin hoitamisen kuin elämäntehtävän. Kuin asepalveluksen. Asunnon sain kalustaa mieleni mukaan. Pippa ei lähtenyt kanssani edes kauppoihin. Otin ison pankkilainan ja ostin, mitä osasin ja irti sain. Halusin kaunista ja kallista. Vaaleita sohvia ja nojatuoleja, paksuja mattoja, pitkiä verhoja. Keräsin sisustuslehtiä kuin jotkut pornoa, piilottelin niitä työpöytäni laatikossa ja luin salaa, ovivalo punaisella. Kolusin Artekit, Skannot, Marimekot, Papagenat, Laura Ashleyt, Kruununhaan antiikkikaupatkin. Yksin. Joskus heräsi hurja halu ottaa Susanna mukaan, mutta enhän minä voinut hänelle tunnustaa, että vaimoni ei ollut pätkääkään kiinnostunut oman kotinsa sisustamisesta. Ostin jopa pianon, mutta ei Pippa sitä ainakaan minun kuulteni soittanut, vaikka oli oman kertomansa mukaan ottanut pianotunteja aina ylioppilaaksi tuloonsa saakka.

Tapahtui jotain, joka sytytti minussa toivon kipinän.

Toimituksessa kävi silloin tällöin taiteilija Uolevi Kauhanen, jolta joskus ostimme pilapiirroksen tapaisen. Ei niitä aina julkaistukaan, kunhan maksettiin, että päästiin tyypistä eroon. Joskus hänellä oli mukana pieniä öljyväritöitä. Kulosaaren asunnon sisustamisen aikaan hän taas tuli ja esitteli minulle kolmen pienen työn sarjan, jolle hän oli antanut nimeksi *Kolme sitaattia Nabokovilta*. Ensimmäisen työn nimi oli *Kreivitär d'X:n muotokuva*. Siinä makasi ilkosen alaston, lihavahko nainen divaanilla sirossa asennossa ja piteli käsissään omaa ilkosen alastonta itseään, täsmälleen samanlaista pullukkaa, mutta nuken kokoisena. Toisessa työssä, jonka nimi oli *Sattuma*, oli vanhanaikainen lyhtypylväs ja siinä erilaisten julisteiden seassa kellastunut ilmoitus kadonneesta timanttikaulakorusta, josta löytäjälle luvattiin palkkio. Katukäytävällä, pylvään juurella lepäsi kimmeltävä timanttikaulakoru, sama jota ilmoituksessa etsittiin. *Syksy* -nimisessä maalauksessa oli musta, päätön ja raajaton räätälin mallinukke, joka makasi kylki auki repäistynä ojassa ympärillään suunnaton määrä kirjavia vaahteranlehtiä.

»Se on lahja», Kauhanen sanoi.

»Siis mitä? Annatko sinä nämä ilmaiseksi?»

»Eikun se kirja. Se Nabokovin kirja on nimeltään Lahja. Nämä, kato, ihan oikeasti ovat sitaatteja Nabokovilta», Kauhanen selitti ja alkoi kertoa pitkää tarinaa siitä, miten hän oli tullut varastaneeksi Nabokovin Lahja-nimisen romaanin Käpylän kirjastosta 60-luvulla. Tai siis ei ollut varastanut vaan lainannut, mutta se oli jäänyt palauttamatta, kun vaimo oli heittänyt hänet ulos eikä hänellä ollut vähään aikaan osoitetta, ja kun taas oli ja hän haki kirjansa eksän luota, Lahja oli ollut niin kauan palauttamatta, ettei hän enää iljennyt sitä viedä. Kuvat hän teki sitten ikään kuin kiitokseksi ja korvaukseksi. Ja niin edelleen.

En jaksanut kuunnella. Maksoin mitä hän pyysi. Minusta kuvat olivat hauskoja.

»Nämä muuten ihan oikeasti ovat sitaatteja Nabokovilta», sanoi Pippa suureksi yllätyksekseni, kun toin kuvat kotiin ja näytin niitä hänelle.

Hänen silmiinsä tuli häviäväksi hetkeksi ilme. Joku sytytti kellariin valot, mutta sammutti ne saman tien. Se järisytti minua niin, että putosin ulvahtaen polvilleni, syleilin hänen jalkojaan ja sopotin itkien anteeksipyyntöjä ja armoa.

»Lopetetaan tämä, lopetetaan tämä, lopetetaan jo tämä, rakas Pippa, rakas ystävä, rakas vaimo, en jaksa enää, lopetetaan tämä ja aletaan elää.»

Valuin kyyneliä ja räkää. Pippa seisoi lihastakaan liikauttamatta eikä sanonut sanaakaan. Kömmin ylös, menin studiooni, niistin nenäni ja pyyhin silmäni ja pysyin oveni takana koko illan.

Seuraavana päivänä ripustin kuvat vierekkäin makuuhuoneeseemme niin, että sängystä oli suora näköala niihin. Mutta Pippa ei puhunut kuvista sen koommin.

Ei hän sanonut mitään silloinkaan, kun siirryin nukkumaan studiooni ja vein taulut mukanani.

Kun asunto oli kalustettu, Pippa ryhtyi puunaamaan ja jynssäämään. Hän täytti terassin isoilla kukkaruukuilla, ja kun syksy tuli, hän tökki happomarjapensaiden, syyshortensioiden ja virpiangervojen alle satamäärin kukkasipuleita. En puuttunut pihapuoleen, hän sai itse suunnitella ja päättää. Siksi hän ehkä viihtyikin paremmin pikku pihalla kuin sisällä huoneissa. Niissä hän ei viihtynyt; hankkimani huonekalut ja tavarat eivät olleet hänen makunsa mukaisia.

Minä viis veisasin. Se joka maksaa, määrää.

Päätoimittajanimityksen jälkeen vaihdoin omaakin tyyliäni. Ei enää sammareita, lenkkareita eikä liehuhiuksia. Tukka leikattiin kuohkeaan amerikkalaistyyliin. Kasvatin itselleni pienen leukaparran. En ollut tyytyväinen sen harmahtavan vaaleaan väriin, mutta ei kai mies sentään voi partaansa värjätä. Joka tapauksessa parta antoi ryhtiä kasvoilleni, leukaa niin sanoakseni. Menestyvällä, dynaamisella miehellä pitää olla jämäkkä leuka. Kaappini alkoivat täyttyä merkkivaatteista, silkkipaidoista ja kalliista kengistä. Pippa hoiti kaiken tunnollisesti. Lisäksi hän teki erinomaista, ravinto-opillisesti oikein tasapainotettua ruokaa, kattoi kaikkien taiteen sääntöjen mukaisesti. Söin aina yksin ja tunsin olevani ainoa vieras autiossa luksusluokan ravintolassa. Pippa toi ruoat pöytään kuin palkattu tarjoilija ja häipyi makuuhuoneeseen. Joskus vihlaisi niin, että tuntui kuin en saisi alas palaakaan. Mutta pakotin itseni olemaan välittämättä.

En voinut muuttaa tilannetta, pakotin siis itseni tottumaan siihen.

Minä totuin siihen.

Vastaukseksi Pipan mielenosoitukseen, harjoitin omaani: lotrasin aamuin illoin perusteellisesti kylpyhuoneessa, jynssäsin ja voitelin nahkaani, hajustin tarkoin valikoiduilla, kalliilla miesten tuotteilla. Olin puhdas ja tuoksuva kuin hääyöhönsä valmistautunut morsian.

Sillä ei tietenkään ollut mitään vaikutusta Pippaan. Tai oli sillä: Pippa lakkasi kokonaan hoitamasta itseään. Pippa söi. Pippa lihoi. Lyhyessä ajassa hän lihoi varmaan kolmekymmentä kiloa. Sitten kymmenen lisää. Ja vielä kymmenen lisää. Hän ei enää ollut mikään pullukka, ei sanan tavanomaisessa mielessä edes lihava. Hän oli muodoton läskipallo, josta ei enää erottanut sen paremmin rintoja kuin takapuoltakaan. Kaikki oli yhtä ja samaa ihramassaa, valtavista leukaheltoista pölkkymäisiin jalkoihin. Kyynärpäissä ja kämmenselissä oli kuopat kuin oikein lihavalla vauvalla, ennen niin sievä pikku nenä katosi poskien väliin, silmät vajosivat otsalla paksunevan ihrakerroksen alle. Miten ihminen voi lihoa otsasta, se on käsittämätöntä. Pippa lihoi korvalehdistäänkin.

Iljetti ajatellakin, mitä hänellä oli niiden telttamaisten mekkojen alla, joihin hän pukeutui.

Ei Pippa minun nähteni syönyt. Mutta kun olin poissa, hän ilmeisesti ahmi koko ajan. Missä hän säilytti varastojaan, sitä en ensin voinut käsittää. Jääkaapissa tai muissa kaapeissa ei ainakaan ollut mitään muuta kuin ravinto-opillisesti oikein valittuja tuotteita: kokolihaleikkeleitä, tuoreita kasviksia, täysjyväriisiä, kuitupastaa. Minä olin tarkka siitä, mitä panin suuhuni. Pippa taas ennemminkin siitä, mitä päästi suustaan ulos. Käytännössä: hän ei päästänyt juuri mitään.

Kropan kunnossa pitämisestä tuli minulle tärkeä asia. Minunhan täytyi jaksaa ja kestää. Rupesin käymään kuntosalilla. Tietysti konsernilla oli oma sali ja sen yhteydessä solarium. Alussa tunsin itseni idiootiksi vehkeitten kanssa äheltäessäni ja varsinkin maatessani solariumissa kuin missäkin valaistussa ruumisarkussa. Mutta kun huomasin peilikuvassani selvää kohentumista, vaivannäkö alkoi tuntua mielekkäältä. Oli tietysti muidenkin kuin minun mielestäni itsestään selvää, että menestyneen miehen, ja naisenkin, piti olla elinvoimaisen ja hyvän näköinen ja terveesti ruskettunut muulloinkin kuin eteläisillä rannoilla vietetyn loman jälkeen. Suorittavassa portaassa saattoi olla Peuhkurin tai Lyytisen näköisiä keltanaamaisia hyypiöitä, mutta johtava asema edellytti edustavaa ulkonäköä.

Oli myös itsestään selvää, ettei kaltaiseni menestynyt, hyvän näköinen mies voinut esiintyä julkisuudessa eikä ylipäätään missään ihmisten ilmoilla Pipan näköisen ja kokoisen naisen kanssa.

Mikä oli se leffa, jossa oli niin lihava äiti, ettei se päässyt alakerrasta yläkertaan eikä ollut vuosiin mennyt talosta ulos? Gilbert Grapen äitihän se oli, se giganttinen syöpäläinen.

Siinä taisi olla Pipankin päämäärä, eikä enää kovin kaukainen.

Kerran kun Taina oli hakenut Pipan luokseen, aloin tutkia paikkoja. Löysin ruokakätkön vuodevaatelaatikosta ja toisen apukeittiön komerosta: suklaata, keksejä, suolapähkinöitä, sipsejä, naksuja, raksuja, pähkinälevitettä, neekerinpusuja, sokerihuurrettuja muroja, muffinseja, toffeekaramellipusseja. Kylmiön peränurkasta hyllyn alta löytyi kannellinen muovilaatikko täynnä pekonipakkauksia, vakuumiin pakattua lenkkimakkaraa, einespitsoja, kaikkea mahdollista paskaa. Minua kammotti ja oksetti. En voinut sanoa Pipalle kätköistä sanaakaan.

Pipan syömisestä tuli yksi niistä asioista, joista molemmat tiesimme kaiken, mutta josta kumpikaan ei kidutettaessakaan olisi ruvennut puhumaan.

Syököhän se yölläkin? mietin studiossani kymppitonnin divaanillani. Olin jopa kuulevinani seinän takaa rapinaa kuin satapäinen rottalauma olisi ahertanut sipsi- ja naksupussien kimpussa. Vältin edes käymästä makuuhuoneessa. Pitäköön rouva yksin parisängyn, jonka se varmasti kokonaan täyttikin.

Siirsin sukupuolielämäni kodin ulkopuolelle, häikäilemättä, omantunnontuskia tuntematta. Jos jostakin joskus syytin itseäni, tästä en. Tämä oli Pipan vika. Hän oli torjunut minut, ja ikään kuin se ei olisi riittänyt, kasvattanut läskipanssarin ympärilleen, turvottanut itsensä hirviöksi, johon ei kukaan mies olisi viimeisessä epätoivossaankaan koskenut.

Minun asemassani ja minun treenatulla kropallani ei naisten iskeminen tuottanut vaikeuksia. Susannasta tuli nopeasti vakinaiseni. Tai vakinaisin. Olihan niitä muitakin, satunnaisia. Susanna oli hämmästyttävän perehtynyt asioihin ollakseen niin kokematon kuin väitti olevansa. Eikä hän ollut niin typerä kuin toivorikkaat mallinalut ja maaseutulavoilla meritoituneet iskelmätähdet, jotka kuvittelivat saavansa vastineeksi imartelevan jutun lehteen ja potkua uralle. Oli mukavaa, kun Susanna rakastui tosissaan. Tai siis ainakin vakuutti rakastuneensa. Minä olin haavoille lyöty mies ja tarvitsin sitä lääkettä. Mutta sitten alkoi naukuminen luvatusta avioerosta ja yhteen muuttamisesta. Ja jos ei nyt aina siitä, niin yhteisistä kesälomista ja viikonlopuista kuitenkin.

Lapsestakin Susanna vihjaisi, höpötti biologisesta kellostaan. Mutta siitä julmistuin niin pahasti, että tyttö pelästyi eikä ottanut asiaa sen koommin puheeksi.

Mietin kyllä avioeroa usein ja hartaasti, mutta aina päädyin siihen, ettei se kannattaisi. Kuka hoitaisi minut ja kotini yhtä hyvin kuin Pippa? Ei ainakaan Susanna, joka osasi pilata pakastetun pitsaviipaleenkin kuumentaessaan sitä toimituksen mikrossa. Ja jaksaisinko kuunnella vuorokaudet läpeensä Susannan kälätystä, kun olen sitä usein kurkkua myöten täynnä jo työpäivän aikana? Pipan puhumattomuus oli ahdistavaa, mutta toisaalta sen tottui ottamaan levon kannalta. Ei selittelyjä, ei anteeksipyyntöjä, ei puolusteluja. Ei uuvuttavia öisiä sielun syväkairauksia. Ne olivat meidän kohdaltamme ohi, iäksi.

Mutta siihen en ole tottunut, että akka on yön poissa. Missä se on?

Soitin kotiin. Kun kuulin oman ääneni, iskin puhelimen kiinni.

Itse asiassa ajattelin avioeroa melkein joka aamu, viimeksi edellisenä aamuna. Katselin keittiöstä muki kourassa löntystävää vaimoani ja ajattelin, että jokin ratkaisu on tehtävä. Nainen on häpeäksi minulle. Joskus tulisi eteen tilaisuus, jonne olisi otettava vaimo mukaan. Ties vaikka kutsuisivat presidentin linnaan, kutsuttiinhan sinne muitakin päätoimittajia. Firman juhlista olin toistaiseksi selvinnyt selityksillä tiedettä tekevän kemistivaimoni matkoista ja halusta pysyä erossa kaikenlaisesta julkisuudesta. Jos jouduin itse isännöimään, Susanna oli toiminut luontevasti emäntänä ikään kuin viran puolesta. Tietysti siinä olivat muutamat kulmakarvat kohoilleet, mutta sen kestin kuin mies. Mutta ikuisesti en pystyisi salaamaan ja peittelemään totuutta avioliitostani ja vaimosta, joka alkaa pursua ulos kaikista ovista ja ikkunoista.

Joinakin aamuina, kun Pippa istui pöydän ääressä ilmeettömänä, paksut sormet mukin kahvassa, mieli harhaillen jossain hautuumaan laidoilla, minussa heräsi niin vimmattu viha, että jouduin tietoisesti rauhoittamaan itseäni. Tuntui, että jos kävisin häneen käsiksi, en osaisi lopettaa ennen kuin hänestä olisi henki pois.

Minä elin! Minä elin ja voin hyvin. Olin nuori, terve, täynnä tarmoa. Näytin hyvältä. Menin eteenpäin. Loin uraa vaikealla ja vaativalla alalla. Oliko minun pakko elää elämäni loppuun asti tuon mykän hirviön kanssa? Vaimoni myrkyttää minun elämäni, minun hyvän elämäni. Tuhoaa sen.

Millä oikeudella? Mitä olen tehnyt ansaitakseni hänen vihansa?

Tunnustan. Minun on tehnyt mieli tappaa Pippa. On tehnyt mieli monta kertaa. Usein iltaisin divaanillani olen kuvitellut kaikenlaista: halkaisen hänet tulta syöksevällä miekalla, räjäytän neutronipommilla, päästän ilmat pihalle ruuvaamalla auki jonkin korkin, joka hänessä täytyy olla.

Teen sen heti aamulla.

Sitten lähden töihin.

Ja kun tulen töistä, kotini on siisti ja tyhjä; hän on kadonnut, kerta kaikkiaan ja lopullisesti, jälkiä jättämättä, kuin tuhka tuuleen.

Eikä minun tarvitse nähdä häntä enää koskaan.

Ei elävänä eikä kuolleena.

8

VIRRANSIVU PYYHÄLSI HUONEESEENI ja alkoi taas kohkata kansanedustajan jutusta. Eduskuntaryhmä ei kuulemma suuremmin välittänyt. Rouvan taipumukset tunnettiin, kiusaksi asti, ja muutenkin se kuulemma alkoi olla rasitukseksi. Liberaaliin dynaamiseen konservatismiin ei sopinut tuommoinen vanhakantainen paasaaminen kristillisten arvojen, kotikurin ja tapakasvatuksen merkityksestä ja niiden laiminlyömisen turmiollisuudesta. Se mikä sopi kansallisten nuorten aatemaailmaan 50-luvulla, ei sopinut modernille oikeistopuolueelle uudella vuosituhannella. Puolueen kannalta oli kiusallisinta, että rouva alkoi olla väistämättä ministerivuorossa, jos vielä tulisi eduskuntaan valituksi, eikä siitä hallituksessa olisi kuin haittaa.

»Kundit ei siitä tykkää yhtään, kun ne ovat itse mielestään parempaa ministeriainesta. Niiden mielestä on väärin, kun ura kärsii jonkun museaalisen mummon takia.»

»Niinpä tietysti.»

Virransivu ei sanonut, kenen kanssa oli keskustellut, mutta olihan sekä puoluetoimistossa että eduskuntaryhmässä niitä, jotka pitivät vapaamielisyyden ja sallivuuden lippua korkealla ja ilmensivät omallakin elämäntyylillään sitä, että jokainen saa elää kuin pellossa, jos on varaa maksaa tai keinot maksattaa muilla.

Mutta jutun sävy oli ollut väärä, Virransivu selitti etusormi pystyssä. Missään tapauksessa ei olisi pitänyt mainita, että kansanedustaja Pakarinen on Viikonpäivien päätoimittajan Simo Pakarisen äiti.

»Pakarinen hautoo kostoa», Virransivu sanoi kulmat kurtussa.

Rupesin ihmettelemään, oliko sillä itsellään jokin synkkä salaisuus, jonka ilmituloa se pelkäsi. En pystynyt kuvittelemaan rattijuoppoutta kummempaa, enkä oikein sitäkään. Ei minulla ainakaan ollut mitään pelättävää. Niin pöhkö ei Simba Pakarinenkaan sentään ollut, että pitäisi sensaation arvoisena sitä, että jonkun kollegan vaimo on norsu. Varsinkin, kun se oli aikamoinen kaappi itsekin. Itse asiassa oli vaikea kuvitella, että hieno kokoomusleidi oli saattanut maailmaan moisen sänkileukaisen ja poimuniskaisen miehenjuntturan.

Asiakastuolini nahka naukaisi, kun Virransivu tempautui ylös ja marssi ovelle.

»Simba kostaa!» hän huusi. Selkä päin, jo menossa, hän tuntui huutaneen sen koko toimitukselle.

Yritin olla Susannaa kohtaan kohteliaan torjuva ja pidättyväinen, mutta hän ei ollut niitä naisia, joihin moiset keinot tehoavat. Pakenin kahvihuoneeseen, josta kuuluivat Kotkan ja Korpin äänet. Mutta Susanna tuli perässä ja istui viereen. Tunsin hänen kätensä reidelläni. Kotka ja Korppi näyttivät niin välinpitämättömiltä, että tiesin heidän tarkkaavan herkeämättä ja aloittavan kälätyksen heti, kun olin poistunut. Poistuin silti, Susanna kintereilläni kipittäen.

»Onko sulla kuukautiset tulossa tai menossa tai muuten vaikeat ajat?» sanoin, kun olimme kahden.

Susanna pullautti kyyneleet silmistään ja henkeä sisäänpäin vetäen vingahti, että hänellä olisi ollut erittäin tärkeää asiaa, mutta ei hän sitä nyt voi kertoa, kun minä olen niin tylsä ja tyly.

Se lähti niskojaan nakellen. Tiesin, ettei kauan kestäisi ennen kuin se olisi taas siinä kiehnäämässä. Oliko se vain lapsellinen vai tosissaan rakastunut? Kai minäkin olin sanonut rakastavani sitä, ainakin kännipäissäni. Tai ainakin vastannut myöntävästi, kun se oli sitä kysynyt. Kuka se nyt ilman rakkautta toista edes suutelisi, baby? Saati menisi sänkyyn, vauva pieni? Rakkaudesta puhuminen kuului pelin henkeen, sen pelin, jonka olin kunnolla oppinut vasta sitten, kun rakkaus elämästäni oli kadonnut kuin sitä ei olisi koskaan ollutkaan.

Panin liikennevaloni punaiselle, renksuttelin kumilenkkejä ja punoin klemmareista ketjuja lopun päivää. Noin puolen tunnin välein soitin kotinumeroon. Neljältä hyppäsin pystyyn ja päätin lähteä vetämään pääni täyteen, mennä oikein rähinäkännissä kotiin Pipan kiusaksi. Panisin sen selittämään, sillä olihan se selityksen velkaa. Oli pannut minulta kokonaisen työpäivän sekaisin temppuilunsa takia.

Niin kuin minulla ei olisi tärkeämpääkin tekemistä kuin miettiä pääni puhki, mitä kamalaa hänelle on voinut tapahtua. Vaikka olisi ryöstetty, raiskattu ja tapettu. Istuisi panttivankina jossakin huumeluolassa. Olisi kannettu kilon paloina jollekin kaatopaikalle. Kaikenlaisia saatananpalvojiahan sitä on, paistavat ihmisen lihaa uunissa ja syövät. Oli meidänkin lehdessä niistä kirjoitettu.

Tai sitten Pippa vain istuu kotona eikä vastaa puhelimeen.

Ja niin se tietysti tekeekin.

Ajoin suorinta tietä Kulosaareen ja panin auton katoksen alle. Huomasin käsieni vähän tärisevän, kun sovitin avainta kotioven lukkoon. Sydän takoi. Se tuntui ohimoissa asti.

Posti lojui eteisen lattialla. Potkaisin sen sivuun. »Pippa», sanoin melkein kuiskaamalla. »Pippa», kutsuin ääneen. »Pippa perkele!» huusin, että seinät kajahtelivat. Jos se olisi ollut kotona, se olisi pudonnut tuolilta.

Mutta Pippa ei ollut kotona.

Eikä ollut käynytkään. Ruokapöydällä oli aamulla tyhjentämäni vesilasi ja Hesari auki premiäärin kohdalta. Olohuoneessa olivat iltaiset jäljet, omat jälkeni. Katsoin jääkaappiin. Sen sisältö ei ollut lisääntynyt eikä vähentynyt.

Missä helvetissä se nainen piileksi?

Nyt tästä ei hyvää seuraa.

Ja minä olen tosissani.

Tosissani, kuule Pippa.

Menin eteisen vaatenaulakolle ja tutkin kamppeet. Pipan maihari roikkui vaatepuulla haalistuneen harmaanvihreänä. Kenkätelineessä oli sen mustat, nauhalliset eccot, naulassa sen musta tekonahkainen olkalaukku, läppä kulmistaan käppyrässä, ruma, halvan näköinen kapine. Niin kuin meillä ei olisi ollut varaa parempaan. Kurkistin laukkuun. Siellä oli ruskea nahkalompakko, avaimet tekonahkaisessa kotelossa, taskupakkaus paperinenäliinoja, elokuvalippu, lähes tyhjä aski ranskalaisia pastilleja, lakritsipatukan käärepaperi, puolillaan oleva savukeaski, pohjalla muutama kolikko ja tahmea sininen irtopastilli.

Savukeaski ärsytti minua. Olin itse lopettanut tupakoinnin Pipan pyynnöstä heti, kun Pipan raskaus oli todettu, enkä ollut aloittanut sitä uudestaan.

Savuke ei sopinut menestyvän miehen urheilulliseen imagoon, ja vanhensihan se ihan oikeasti, harmaannutti hipiää. Röökiä sopi vetää sillä sontaluukkutasolla, millä joku Peuhkuri eli ja yski karmeaa kroonista bronkitistaan, ikuinen punainen nortti kellahtavien sormien välissä käryten tai sinertävältä alahuulelta roikkuen. Mutta päätoimittajan pitää haista hyvältä ja päätoimittajan huoneessa pitää olla raikas ilma. Kalliin sikarin tai hienon piipputupakan tuoksu olisi tietysti sopinut, mutta en ollut välittänyt totutella kumpaankaan, kun kerran olin tupakasta eroon päässyt.

Poltiko Pippa liesituulettimen alla? Vai värjöttikö ulkona terassin oven pielessä? Kiskoi kessun nopeasti kuin alkoholisti nurkantakuisryyppynsä? Ei se sisällä huoneissa ainakaan olisi uskaltanut röökiä vetää, olisin haistanut sen heti. Ajan henki on semmoinen, että tupakointi on hävettävämpää kuin salapullolla käyminen. Hienoimpien piirien kutsuissa isäntäväki varmaan antaisi vieraansa mieluummin vetää kokaiinia suoraan sohvapöydän lasipinnalta kuin sytyttää savukkeen kahviin ja konjakkiin päästyä.

Ehkä Pipalla oli jossain salapullokin.

Yritin lietsoa kiukkuani, mutta en pystynyt olemaan edes kunnolla närkästynyt. Olkalaukku sai minut tuntemaan kylmiä väreitä. Avasin lompakon: viisikymppinen, kolme kaksikymppistä, kolme kymppiä, vitonen. Aika paljon käteistä ihmisellä, joka ei itse tienannut latin latia. Pankkikortti, kelakortti, henkilökortti, kahden kauppaketjun etukortit – joka lankaan sekin lentää, naisparka – kirjastokortti, vanhentunut pressikortti, hammaslääkärin vastaanottokortti, jossa ammoinen vastaanottoaika. Pengoin laukkua. Sivutaskusta vetoketjun takaa löytyi passi, voimassa oleva. Mihin tarkoitukseen se passin oli hankkinut, ei se ollut ulkomailla käynyt ikuisuuksiin? Näytti myönnetyn jo neljä vuotta sitten.

Mitä erikoista oli tapahtunut neljä vuotta sitten, mitä sellaista, mikä oli saanut Pipan hankkimaan passin?

En jaksanut muistaa.

Minusta meillä oli ollut sata vuotta samanlaista.

Tutkin lompakon saumoja myöten. Apteekkikuitteja käsikauppalääkkeistä. Eivät kerro mitään. Lottokupongin kantoja. Se lottosikin. Sitäkään en ollut tiennyt. Säälitti vähän. Mitä se haaveili lottovoitolla tekevänsä? Mikä unelma sitä ajoi?

Vaikka olkalaukun roju oli ihan tavallista, tunsin penkoneeni toisen salaisuuksia. Saman epämukavan tunteen vallassa menin makuuhuoneen vaatekaapille. En edes tiennyt, mitä etsisin tai minkä puuttumisen huomaisin. Mistä minä tiesin, mitä se piti päällään, paitsi niitä Marimekon kaapuja? Kolme sellaista roikkui vaatepuulla. Kirkasväriset tilkkutaskut näyttivät vilkuttavan pirullisesti. Vilkutan tilkulla. Jossain romaanissa oli nainen, joka sanoi vähäpätöisiksi kokemistaan asioista: Sille minä vilkutan tilkulla.

Normaali ihminen viittaa kintaalla. Temmoin mekkoja tangolla edestakaisin.

Saatanan halaatit, niin!

Komerossa oli myös parit laajat samettihousut, muutama valtava flanellipaita, pari saman kaliiperin villapaitaa.

Mistä minä tiesin, puuttuiko jotain?

Vedin samettihousun lahkeesta ja tutkin taskutkin, ikään kuin sieltä voisi löytyä jokin viesti.

Muistin äkkiä sen yön. Sen ainoan, jona olin erehtynyt tuomaan Susannan meille.

Pippa oli äitinsä luona Vaasassa, mamma oli vongannut puhelimessa niin kauan, että lopulta se oli suostunut lähtemään.

Minä olin turhamainen. Sitä se vain oli, turhamaisuutta. En kerta kaikkiaan voinut vastustaa kiusausta esitellä Susannalle komeaa kotiani, jonne en koskaan voinut kutsua ketään. Halusin jonkun ihastelemaan huonekalujani, kirjojani, taulujani, muutamaa antiikkiesinettäni, joiden annoin ymmärtää olevan perittyjä – vaimon perimää sälää, käteni huitaisi suurpiirteisesti – vaikka olin ostanut ne Krunikan putiikeista. Susanna ihaili kaikkea kohteliaasti. Minä olin iloinen ja ylpeä, kun rinta kaarella johdatin Susannan makuuhuoneeseen. Mitä minä olisin pelännyt? Vaimostani ei näkynyt jälkeäkään; hän ei koskaan jättänyt vaatteitaan eikä tavaroitaan lojumaan.

Oli sitten kuitenkin jättänyt. Tuolilla lojuivat Pipan valtavat farkut. Susanna äkkäsi ne aamulla, nappasi käsiinsä ja levitti koko laajuuteensa. Hän henkäisi: »Voi Luoja, kenen nää on? Sun vaimosko?»

Se rupesi kikattamaan.

Tempaisin vaatekappaleen sen käsistä ja heitin komeron ovesta sisään.

»Ei tietenkään. Ne liittyy yhteen... yhteen näytelmään, jossa yksi vaimon sukulaistyttö on mukana. Se oli meillä yötä ja unohti ne tänne.»

Susanna hihitti.

»Vittuako se sulle kuuluu, vaikka olisivat kenen housut?»

Olin niin kolea, että Susannalta loppui kikatus kuin leikkaamalla.

Miksi en läimäissyt sitä? Se olisi ansainnut sen.

Pipan vaatteiden taskuissa ei ollut mitään.

Selkärankaani pitkin juoksi jotain. Hikipisara. Torakka. Hiiri. Kymmenen hiirtä.

Rupesin tutkimaan taloa järjestelmällisesti ja huolellisesti. Avasin saunan löylyhuoneen oven, kurkistin lauteiden alle. Pukuhuoneen komerossa ruskeassa pahvilaatikossa oli keksi- ja perunalastuvarasto, arkkupenkin kannen alla muovikassissa kahdeksan

Fazerin sinistä suklaalevyä ja kolme jättipussia vaahtokarkkeja. Järjetön paikka viileässä ja kuivassa pidettäville ruoka-aineille, kävi mielessäni, mutta ehkä varastojen vaihtuvuus on suuri.

Menin pihaovesta ulos. Katselin pitkään lehdettömiä pensaita ja perennapenkkiä. Maa oli huolellisesti muokattu.

Pippa oli istuttanut kukkasipuleja, paljon, sadoittain.

Jos ihminen istuttaa syksyllä kukkasipuleja, hän varmaan odottaa keväällä näkevänsä niiden kasvavan vartta ja lehteä ja puhkeavan kukkaan.

Tuijotin tyhjiä puisia kukkalaatikoita ja suuria saviruukkuja kuin näkisin ne ensimmäistä kertaa. Ehkä näinkin.

Tulin sisään ja tutkin jokaisen komeron. Omanikin. Joku oli joskus löytynyt hirttäytyneenä vaatekomerosta, siitä oli ollut meilläkin juttu. Toimittaja ja valokuvaaja olivat onnistuneet tunkeutumaan järkyttyneen perheen kotiin tuoreeltaan. Ne olivat olleet niin sokissa, että olivat esitelleet ja selittäneet kaiken, kuuliaisesti kuin viranomaisille. Kuvaaja otti kuvan komeron avonaisesta ovesta. Kaikki yksityiskohdat kerrottiin tietysti jutussa ja vielä kerrattiin kuvateksteissä.

Mielenterveyshäiriöistä kärsinyt nuorehko mies. Juttu jäi mieleen. Olin uusi talossa, ja tapauksesta tuli paha olo. Muistan ihmetelleeni, ettei kukaan ollut vienyt juttua Julkisen sanan neuvostoon. »Ai kuka kukaan?» Virransivu oli kysynyt. »No vaikka asianosaiset.» »Olisitko itse vienyt, jos olisit asianosainen?» oli Virransivu kysynyt, napsauttanut sormiaan kuin telkkarin vanhassa tietoiskussa: »Bäng! Taas opit jotain, poika!»

Olinko minä nyt asianosainen?

Mihin?

Pengoin raivokkaasti komeroita, vaikka järki sanoi, ettei Pippa niihin mahtuisi hirttäytymään, vaikka niissä ei olisi yhtään vaatetta. Mutta meidän komeroissamme oli vaatteita, pääasiassa minun, eikä sitten muuta.

Tutkin keittiön kaapit ylähyllyjä myöten, katsoin sängyn ja sohvan aluset. Kylmiön suuren arkkupakastimen kantta nostaessani tunsin itseni hulluksi. Menin olohuoneeseen ja kurkkasin kipinäsermin taakse takkaan, yritin pää kenossa katsoa savuhormiinkin. Menin studiooni, seisoin keskellä lattiaa ja harkitsin vakavasti, olisiko minun tutkittava hyllyt kirja kirjalta. Vedin muutamia ulos ja haroin käsilläni kirjarivien taustaa niin pitkälle kuin yletyin.

Mitä minä oikein etsin?

Kiukustuin itseeni ja menin keittiöön, otin jääkaapista olutpullon, korkkasin sen ja menin olohuoneeseen. Istuin sohvalle varovasti kuin Pippa olisi ollut piilossa istuintyynyjen ja rungon välissä.

Tai ehkä siellä oli piilossa jotain muuta.

Vaikka pommi.

Avasin telkkarin ja tuijotin uutistenlukijaa, joka tuntui puhuvan jotain vierasta kieltä, vaikka intonaatio nousi ja laski tutusti.

Ei tullut selväksi, mitä maailmalla tapahtui.

Siihen olin kyllä tottunut.

Päätoimittajavuosinani olin liukunut yhä kauemmas maailman tapahtumista, politiikasta, todellisuudesta, josta uutiset kertoivat. Ei se tuntunut tärkeältä, eivät siinä toimivat ihmiset. Paitsi jos ne töppäsivät jotenkin yksityiselämässään, jäivät kiinni rysän päältä huoran sängystä tai huumeista tai valtion kassan kavaltamisesta. Minun maailmassani yökerhossa bailaava prinsessa oli tärkeämpi kuin pääministeri, valtiovarainministeriä tärkeämpi joku pallopää, joka oli tullut miljonääriksi ajamalla ympyrää.

»Jokaisella on tämänsä», kirjoitti yksi runoilijakin. Missit ja mallit, kapakkaluudat ja baarikärpäset, alkoholisoituneet urheilutähdet, seurapiirihörhöt ja tusinataiteella rikastuneet maalarit, joiden paksusti maalatut vaihtuvat vaimot näyttivät astuneen ulos suoraan miestensä tauluista, ufotutkijat ja muut sekopäät, koko tuo tunnettujen naamojen turha joukko, joka pariutui ja erosi keskenään aina uusin kuvioin – se oli minun »tämäni», minun maailmaani, jonka tapahtumat olivat minulle tärkeämpiä kuin kaasuräjähdys Tokion metrossa tai terroristien hyökkäys Valkoiseen taloon. Vähemmän raflaavista poliittisista puuhasteluista nyt puhumattakaan.

Maailmanpolitiikan arkipäivä – mitä se on tämän ympärivuorokautisen bailauksen, julkisen naimisen, dokaamisen, tyrimisen ja tappelemisen rinnalla, tämän sählingin, jossa verissäpäin tapellaan naamakuvasta lehdessä? Tämä itserakkaus on se rakkaus, joka todella »liikuttaa aurinkoa ja muita tähtiä».

Minun maailmankaikkeudessani.

Siitä kansanedustajastakaan en ollut tiennyt muuta kuin nimen, ennen kuin se jäi kiinni myymälävarkaudesta. Kai se jotain muutakin oli tehnyt, saanut jotakin asiallista aikaan pitkällä urallaan.

Telkkari ei tarjonnut tietoa, joka minulle nyt juuri oli ainoa tärkeä.

Missä on vaimoni Pippa?

9

PITÄISIKÖ PIPASTA TEHDÄ KATOAMISILMOITUS?
Ei. Jos sen tekisin, siitä tulisi uutinen
lehteen. Pieni tosin, mutta niin pieni se ei
voisi ollakaan, ettei Simba Pakarisen käärmeensilmä
sitä havaitsisi. Ettei sen käärmeenmieli rupeaisi sitä
penkomaan.

»Tunnetun viikkolehden päätoimittajan vaimo
kadonnut.»

Ei se niin hienotunteinen olisi. Kyllä se panisi heti
nimet tiskiin. Se panisi tiiminsä tutkimaan taustoja
ja levittäisi lehteensä kaiken, onnetonta Birgittaa
myöten. Se ryvettäisi minut niin perusteellisesti kuin
ikinä kykenisi.

Ryvettäisi?

Voisiko sillä pienellä, hädin tuskin maailmassa
käyneellä olentoparalla ryvettää minut?

Ei, se ryvettäisi minut minulla itselläni.

Sillä, etten ollut sitä, mitä esitin olevani.

Mitä minä oikein hourin?

Pippa on ollut yhden yön poissa. Ei tässä mitään

katoamisilmoituksia tarvita. Poliisi ei edes ottaisi semmoista vastaan. Täysi-ikäinen ja täyspäisen kirjoissa kulkeva ihminen saa poistua kotoaan ja olla missä lystää niin kauan kuin huvittaa. Ei se ole poliisiasia. Eikä lapsen vammaisuus ollut minut syytäni. Ja Pippa oli itse lihottanut itseään kuin sikaa jouluksi. Minä vain maksoin nekin rehut. Olin kyllä syöttänyt vähän pajunköyttä itsestäni ja vaimostani, imagosyistä, mutta ei se ketään vahingoittanut.

Mitä siis häpesin?

En osannut vastata siihen, mutta tiesin, etten mistään hinnasta halunnut vaimoni, avioliittoni, epäonnistuneen isyyteni ja vaimoni katoamisen saavan julkisuutta rivin vertaa.

Hain toisen kaljan. Yritin päästä sohvalla rennompaan asentoon. En onnistunut; kuulin itsekin, miten hengitykseni kulki puhisten. Säätieteilijä, se niistä, joka tuntuu olevan sitä aurinkoisempi, mitä kurjempia ilmoja on tiedossa, lupasi enimmäkseen luoteen puoleista tuulta ja jatkuvan puoleista vesisadetta ja toivotteli hauskaa illanjatkoa. Kiitos, kiitos, sanoin ääneen. Suljin television.

Tuijotin sammunutta ruutua ja revin pullosta etikettiä.

Ainakin satakolmekymmentä kiloa ihmislihaa.

Mihin ihmeen koloon semmoinen möhkäle on voitu piilottaa?

Ei kovin pieneen, ei elävänä eikä kuolleena.

Kun puhelin soi, olin varma, että se on Pippa. Vedin jo henkeä ärjäistäkseni heti, mutta siellä olikin Taina.

»Onks Pippa?»

Taina ei koskaan tervehtinyt eikä esitellyt itseään puhelimessa, ei tosin ollut tarpeenkaan, sillä tunnistin kyllä sen tupakansyömän äänen. Ymmärsin, ettei se halunnut olla minulle tervehdyksen vertaa kohtelias. Se oli päättänyt, että olen hänenkin vihollisensa. Miessika. Roisto. Naisennitistäjä. Vaimonhakkaajapaska.

Selitin asiallisella äänellä, ettei Pippa ole nyt juuri kotona. Taina rupesi ärtyneenä tenttaamaan, missä se voi olla.

»Meidän piti tavata tänään ja mennä leffaan, mutta minä en pääse ja siksi soitinkin.»

Sain kysytyksi, mitä väliä Pipan olemisilla on, kun Taina ei kuitenkaan pääse häntä tapaamaan.

»Kyllä mun pitäisi tietää, missä se on, jos se jossakin on.»

»Taisi vain mennä käymään kirjastossa.»

»Aijaa, no, käske sen soittaa, kun tulee. Kännyyn. En ole kotona.»

Puhelin napsahti kiinni.

Enkä käske.

»Kännyyn. En ole kotona.» Komentelee kuin keisarinna. Kunpa Pipallakin olisi matkapuhelin, mutta se ei ollut koskaan sitä huolinut. »En tarvitse enkä halua», Pippa sanoi. Oli varaa elää ilman, kun taas toisten on elettävä känny korvalla vuorokaudet läpeensä. Ikinä Pippa ei ollut kännyyni soittanut, ei varmaan tiennyt numeroakaan.

Pippa ei siis ollut ainakaan Tainan kanssa. Tietysti. Sehän oli tietysti lähtenyt jostakin päähänpistosta äitinsä luo Vaasaan. Aloin rauhoittua. Vaasaanhan se tietysti oli lähtenyt.

Jokin kimmoke sille nyt oli tullut, vaikka se kävi siellä ylen harvoin. En tiedä miksi, mutta luulen, että äiti kidutti sitä jauhamalla laihduttamisen ja itsensä hoitamisen välttämättömyydestä. Piristi sitä viemällä sen väkisin vaateostoksille, vaikka vaasalaisista kaupoista tuskin Pipalle löytyi muuta sopivaa kuin nenäliinat. Ei Pippa minulle tietenkään äitinsä manöövereista kertonut, mutta jonkinlaisen käsityksen sai heidän puhelinkeskusteluistaan, vaikka ne sujuivatkin enimmäkseen niin, että mamma keskusteli ja Pippa vastaili joojoota. Leskirouvalla oli kyllä kanttia marmattaa, sillä hän piti itsensä vetreässä ja hoikassa kunnossa; ulkonäkö oli anopilleni maailman tärkeimpiä asioita. Oli tietysti noloa, kun nuorekkaalla ja tyylikkäällä muutamaa vuotta vaille seitsenkymppisellä oli tytär kuin mammutti.

Menin vaatehuoneeseen, vaikka olin sen jo kerran kolunnut, ja tarkistin matkalaukut. Kaikki näyttivät olevan siellä, mutta Pippahan oli voinut ostaa uuden.

Niin kuin uuden takinkin.

Ja uudet kengät.

Ja lompakon.

Ja pankkikortin.

Ei saatana.

Sydän rupesi hakkaamaan. Menin baarikaapille ja kaadoin tärisevin käsin ison konjakkipaukun.

Ryyppäämään en kyllä rupea.

Yöllä pyöriskelin sängyssäni, kunnes muistin, että kylppärin lääkekaapissa oli liuska unilääkettä. Otin varmuuden vuoksi kaksi nappia. Heräsin herätyskellon soittoon pää pöpperöisenä ja karvas maku suussa. En ollut nähnyt edes unia. Nukuin niin sikeästi, että Pippa olisi voinut yön aikana tulla sisään vaikka minkälaisella ryminällä minun sitä kuulematta.

Kurkkasin makuuhuoneeseen.

Pippa ei ollut tullut.

Nostin puhelimen. Ei viestejä.

Join lasin vettä, kävin suihkussa, join toisen lasin vettä ja lähdin töihin. Aamu oli kylmä, hämärä, sumuinen. Kun ajoin Kulosaaren siltaa, Sörnäinen sukelsi eteeni paksun sumun seasta isoina synkkinä, märkinä lohkareina, palasina kuin pommitettu Berliini.

Päivä ei tuonut asioihin selkoa. Soittelin tunnin välein kotiin, kunnes hermostuin kotivastaajaan kerta kaikkiaan. Se palvelu on sanottava irti, välittömästi.

Kirjoitin siitä itselleni oikein muistilapun. Soittaisin siitä tuonnempana, heti kun Pippa oli palannut.

Yritin pysytellä huoneessani, erossa muista, mutta sille en mitään voinut, että Susanna pyrähteli vähän väliä ulos ja sisään kuin törmäpääsky. Iltapäivällä hän istui asiakastuoliini, jalka toisen päällä, punainen piikkikorkokenkä varpaiden varassa keikkuen. Hän näytti olevan mietteissään, erikoista sinänsä. Tuijotus rupesi hermostuttamaan.

»Mitä mulkoilet?»

»Vaivaako sinua jokin?»

»Ei, miten niin?»

»Onko tapahtunut jotain?»

»Ei, miten niin?»

»Onko kaikki ookoo?»

»Ei, miten... anna olla. Minulla on miettimistä. Työasioita.»

»Minullakin on miettimistä. Työasioita. Ja yksityisiä asioitani. Ja vähän sinunkin.»

Tein sormistani pyssyn ja ammuin Susannaa selkään, kun hän meni ovesta ulos. Äänenvaimentimella: Zot! Olet vainaa.

Virransivu kävi taas veisaamassa säkeistön vanhaa virttä. Hän kertoi, että Tuokko oli lounastanut puolueen jonkun napamiehen kanssa. Napamiehen piikkiin. Juttu oli niin kuin oli arveltukin. Napamies oli sanonut, ettei puolue jutusta ollut hermostunut, vaikka tietysti alkuun oli pitänyt reagoida närkästyneesti, kun rouva itse oli sitä parkuen vaatinut. Mutta eukosta oli tullut riippa, aika oli ajanut sen ohi. Kleptomania oli vielä ylimääräinen riesa. Eduskuntaryhmän naiset saivat koko ajan vahtia korujaan ja lukulasejaan ja puuterirasioitaan sen näpeiltä.

»Miten joku puolueen napamies voi sulle niin avomielisesti tilittää?»

»No mutta. Mehän ollaan vanhat tutut.»

»Jännät kierteet tällä jutulla. Mistä se vinkki alun perin toimitukseen tulikaan?»

»Sinä kysyt tuollaista minulta. Se on aivan sopimaton kysymys.»

»Aivan. Anteeksi, että pääsi unohtumaan.»

Virransivu meni, mutta kääntyi vielä ovella.

»Simba Pakarinen hautoo kyllä kostoa», se sanoi, rummutti nyrkeillä rintaansa, korskahti pari kertaa ja räjähti nauramaan.

Tosi huvittavaa. Millä Pakarinen kostaisi?

Olisi pitänyt käydä kuntosalilla, mutta en kestänyt ajatella sitä ähellystä, enkä kestänyt ajatella kenenkään seuraakaan. En edes Susannan, joka ehdotti paukuilla pistäytymistä. En varsinkaan Susannan. Vetosin autoon, kotiin vietäviin töihin, väsymykseen, päänsärkyyn.

»Mun mielestäni sun pitäisi voida puhua jollekin», Susanna piipautti.

»Jaa mistä?»

»Sulla on paha olla.»

»Niin on, jumalauta, ja sitä pahempi tulee, mitä pitempään pitää jauhaa tällaista paskaa. Kohta on ykät matolla.»

Susanna käännähti nopeasti, mutta ehdin nähdä, miten olin satuttanut.

Mitäs liimautuu. Oma vika.

Harpoin taakseni katsomatta hissiin. Sen terässeinät ja peilit moninkertaistivat minut.

Missään ei saa olla yksin.

Kotona sain. Ei Pippaa. Ei ruokaa. Sänky petaamatta. Posti setvimättä. Laseja ja kaljapulloja oli alkanut kertyä tiskipöydälle. Puhtaitten paitojen rivistö komerossa lyheni. Onko tässä ruvettava vielä pyykillekin?

Illalla istuin avatun telkkarin ääressä tuntikausia, imin olutta suoraan pullosta ja mietin, uskaltaisinko soittaa anopille Vaasaan. En ollut sinne juuri soitellut, itse asiassa en kai ikinä. Mitä minä sitten sanon, jos Pippa ei ole siellä? Anoppi nostaa rähäkän siitä, etten tiedä, missä vaimoni on. Ja sitten alkaa tulla sitä totuttua: en välitä Pippa-parasta, kyllä se tiedetään ja on nähty, niin yksin olen jättänyt tyttöpolon raskaaseen suruun, en muuta kuin kiviä kuormaan lisännyt, että voin ollakin niin kylmä ja tunteeton, säälimätön kerrassaan. Min stackars lilla flicka, min sköna, rara...ja sitten anoppi alkaisi ulvoa.

Hain baarikaapista viskipullon ja join kolme tukevaa paukkua niin nopeassa tahdissa, että päässä humahteli. Soitin Vaasaan. Anoppi vastasi heleästi. »Birgitta tässä hej. Olen mennyt viikoksi Rhodokselle, kotona taas lokakuun kuudes päivä. Voit jättää viestin äänimerkin jälkeen. Heippa!»

Och samma på svenska.

Vaasassa saattoi näköjään vielä jokaiselle ilmoittaa, että kämppä on viikon tyhjänä, tervetuloa vaan roistot ja ryövärit.

Heippa vaan ja haista paska!

Pippa on siis mennyt äitinsä kanssa Rhodokselle. Tottakai, sehän on ilmeistä. Toisaalta se on kyllä maailman kahdeksas ihme, mutta juuri sen takia Pippa ei minulle siitä etukäteen kertonutkaan. Pelkäsi minun vinoilevan. Niin kuin olisin vinoillutkin. Kenties pelkäsi minun suorastaan kieltävän lähtemästä. Niin kuin olisin kieltänytkin.

Lokakuun kuudes. Nyt on neljäs. Ylihuomenna Pippa on kotona.

Join viskipullon puolilleen ja hoipertelin kaapille hakemaan jotain muuta. Ouzoa, sitä pitäisi olla. Ja olikin. Sen kunniaksi, että vaimo pääsi mamman kanssa Kreikkaan. Korkkasin ouzon ja join suoraan pullonsuusta. Kuin pontikkaa, johon on tipautettu muutama anispastilli. Vettä, vettä! En jaksanut lähteä hakemaan vettä.

Lojuin pullo kourassa sohvalla. Ja muistelin.
Muistin.

Meidän laseissamme oli vettä, kun me Pipan kanssa
joimme ouzoa Kreetalla joskus kauan sitten, jossain
toisessa maailmassa, jossain toisessa elämässä. Jon-
kun toisen elämässä, ei sen, joka olen nyt, ei sen joka
Pippa nyt on. Jumalauta, että meidän laseissamme
oli vettä, lasit olivat korkeita ja juomat pitkiä, opaa-
linvärisiä, ja vain lasin pohjalle oli lorautettu tilkka
polttavaa, aniksen makuista viinaa. Sitten vettä ja
jäitä. Kaupunki oli pieni, se oli Kreetalla, se oli uusi
turistikohde, enimmäkseen siellä oli vanhoja saksa-
laispariskuntia. Toisaalta: joka paikassahan niitä oli
enimmäkseen. Turistirysät olivat rannalla vieri vie-
ressä, jokaisessa samanlainen terassi, sisäänkäynnin
vieressä samanlainen kuvallinen ruokalista ja listan
vieressä samanlainen sisäänheittäjä, mustakulmainen
miehenruipelo, jonka suu hymyili, mutta silmät kat-
soivat vihaisesti.

Pitkin loivaa rinnettä nousi vanha kreikkalainen
pikkukaupunki valkoisine taloineen, kapeine kuji-
neen, ruuhkaisine liikekatuineen, karusti sisustettui-
ne kuppiloineen, joissa palvelu oli ystävällistä mutta
makeilematonta ja salaatit suuria, halpoja ja raik-
kaita. Tori täyttyi kauppiaista kaksi kertaa viikossa,
torin takana oli puisto, puistossa pieni eläintarha,
muutama häkki, häkeissä muutama pieni apina. Kä-

velimme puiston eläintarhaan joka päivä, sillä Pippa halusi nähdä ne apinat, syöttää niille maapähkinöitä, lirkutella noille söpöille elukoille, jotka olivat vilkkaita ja hilpeitä, vaikka vankeja.

Sitten istuimme tavallisen karusti sisustetun kuppilan ulkopöydässä, muovipunostuoleissa. Kuppila oli kapeassa vihreässä saarekkeessa kahden liikekadun välissä, kuin pikkuruinen keidas. Piha-aluetta ympäröi matala muuri, jolla oli monenkokoisia kukkaruukkuja sikin sokin, niissä viherkasveja, jotka näyttivät siltä, että niitä hoidettiin, kun muistettiin. Sekin tuntui kodikkaalta, niin kuin myös tukevan vaalean emännän punaruskea pulska kissa, joka istui kynnyksellä pesemässä naamaansa tai kierteli ulkopöytien välissä kerjuulla ja yritti esittää välinpitämätöntä.

Joimme sitä ouzoa, veteen sekoitettua, varovasti, ettei menisi heti päähän. Se meni, vähän, ja se nuori, sievä, nainen, jolla oli kiiltävä vaalea polkkatukka ja joka istui vieressäni, nauroi niin, että nenänvarteen nousivat pienet rypyt. Se painoi kasvonsa kaulaani vasten, nenänpää tuntui kylmältä. Se nainen sanoi, että piti minun tuoksustani, erityisesti piti siitä, miltä tuoksuin, että minun ominaishajuni on harmoniassa hänen ominaishajunsa kanssa ja että me siksi olimme rakastuneet toisiimme ja että siksi meidän rakkautemme myös kestäisi.

Minä kiedoin käsivarteni naisen vyötärölle ja

puristin. Sillä naisella oli vyötärö. Ja se nainen oli Pippa.

Ominaishajujen harmonia. Ja mikä löyhkä meistä nyt lähtee?

Nukahdin sohvalle vaatteet päällä.

Aamulla oli kauhea olo. En tuntenut valehtelevani, kun soitin töihin ja sanoin Susannalle, että olen kipeä. Kurkku, keuhkoputki, taitaa olla kuumettakin, kähisin. Kähinä oli aitoa, olin polttanut kurkkuni ouzolla ja viskillä.

Kuinka paljon olin latkinut? Herrajumala. Itseni tainnoksiin. Komppania sotilaita olisi voinut marssia ylitseni enkä olisi herännyt.

Laahauduin makuuhuoneen ovelle ja raotin varovasti. Varovaisuus oli turhaa. Huone oli tyhjä. Hain lehden postiluukun alta ja menin keittiöön. Avasin jääkaapin. Näin siellä kolme kaljaa. Otin yhden, istuin pöydän ääreen, korkkasin kaljan ja join. Levitin lehden pöydälle, selasin sivuja, en ymmärtänyt mitään. Mitä helvetin järkeä on siinä, että maailmasta laaditaan paksuja raportteja joka päivä, tungetaan niitä ihmisten postiluukuista jo ennen kuin aamu on valjennut, ruvetaan vaatimaan asennoitumista ties mihin, ihmisiltä, jotka ovat vielä puoleksi unessa?

Olut helpotti oloa. Menin baarikaapille ja otin sieltä konjakkipullon. Päätin keittää kahvit, oikein myrkynvahvat kahvit. Jos jokin auttaa, niin myrkynvahva kahvi ja kunnon tujaus konjakkia.

Avasin konjakkipullon.

Kahvia en sitten tullut keittäneeksi.

Nukahdin sohvalle. Heräsin. Kello oli yksitoista tai sata, saattoi olla miljoonakin.

Ryömin studioon, riisuin itseni alasti, hautauduin peittoni alle.

Rotkoni rauhaan kuin peto kuoleva hiivin.

Että Pippa saattoi tehdä tämän minulle.

Mitä siltä puuttui?

Anopille ei enää tarvinnut soittaa. Seuraavana päivänä aamulehteä nostaessani huomasin ovien väliin nurkkaan lennähtäneen vaalean pahvinpalasen. Kuvapuoli oli sinivalkoinen: merta, taivasta, valkeita talokuutioita. Se oli Pipalle osoitettu kortti Rhodokselta. »Hejsan Pippa! Täällä on vielä kesä ihanimmillaan. Olen uinut ja tanssinut niin, että paino on varmaan pudonnut viisi kiloa. Varmt! Skönt! Underbart! Kyss! Mamma B.»

Saatoin nähdä mamma B:n jossakin suomalaisten kantapaikassa kukkamekossaan ketkuttamassa luista takamustaan jollekin paikalliselle gigololle ja ryyppämässä sateenkaarenvärisiä drinkkejä pillin läpi. Harmaa pää täynnä tiukkoja kiharoita, yksi putoamassa harkitusti korkkiruuvina ohimolle. Shirley Temple satavuotiaana. Shirleyltä se oli halunnut Pipankin pienenä näyttävän. Sellainen valokuva oli olemassa. Pippa näytti sen kerran, kun lupasin, etten naura. Nauroin silti, hellyydestä, sillä pieni Pippa oli kuin nukke, hymykuopat ja kaikki. Just precis som Shööli, matki Pippa äitiään.

Pippaa ei Rhodoksen suomalaispaikkoihin olisi saanut kuin köysissä. Jos se olisi ollut siis mukana. Mutta ei ollut. Eikä olisi voinut ollakaan, huomasin vasta nyt. Ellei olisi matkustanut sinne äitinsä perässä.

Mikä päivä tänään on?

Oli mikä hyvänsä, töihin en menisi.

En saanut Susannaa kiinni työnumerosta. Soitin kännykkään. Susanna tuntui kumman epäluuloiselta. Vai varautuneelta? Oliko se jossain jonkun miehen kanssa? Näinkö minulta viedään kaikki?

»Eikö sinun pitäisi mennä lääkäriin?» Susanna kysyi.

»Olen menossa iltapäivällä.»

»Ai työterveysasemalle pääsee tänäänkin?»

»Miten niin, tottakai pääsee, ja huomenna saatan hyvinkin jo päästä töihin.»

»Huomenna on sunnuntai», Susanna sanoi. »Tänään on lauantai. Minä ja mun kännykkä ollaan kotona. Mitähän sulla oikein on menossa?»

Se katkaisi puhelun odottamatta vastausta. Vai katkaisiko sen joku muu? Joku viikonloppuvieras?

Rupesin tyhjentämään baarikaappia, päättäväisesti ja järjestelmällisesti.

Urakka tuntui toivottoman suurelta.
Nukuin.

Olin nukkunut, koska heräsin. Vieläpä omasta
studiostani omasta sängystäni. Heräsin siihen, että
puhelin soi. Ryntäsin vastaamaan. Olin kompastua
olohuoneen matolla vieriskelevään tyhjään grappa-
pulloon. Tartuin luuriin, sain mongerretuksi:»Pippa,
hyvä ihminen...»

»Missä on? Missä on?» huuteli naisen ääni.
Se oli anoppi.

Ryiskeltyäni sain selitetyksi, että olin luullut Pi-
pan soittavan Italiasta, jonne hän oli Tainan kanssa
matkustanut. Garda-järvelle, juu, pariksi viikoksi.
Käyvät varmaan Venetsiassakin.

Anoppi ilahtui korvin kuullen. Hänestä oli upeaa,
että Pippa sai lähdetyksi. Och Veneetsia, tänk det!
Taina varmaan osaa pitää hänestä huolen ja järjestää
kaikenlaista mukavaa. Tällainen matka on Pipalle
oikein terapiaa. Eikö jo lähteminen todista, että toi-
puminen on vihdoin toden teolla alkanut?

»Tee nyt sinäkin, kuule, parhaasi. Aviomiehenä se
on sinun velvollisuutesi...»

»Joo, joo. Joojoojoojoojoo. Samat sulle. Moi
då.»

Horjuin tärisevin polvin vessaan, työnsin sormet
kurkkuuni ja sain syljeskellyksi jotain vihertävää
limaa. Olin ryypännyt kaksi täyttä päivää. Miten se

oli mahdollista? Eihän se kuulunut minun tapoihini ollenkaan.

Tajusin, etten ollut pariin päivään syönyt. Onko talossa jotain syötävää? Vai onko minun mentävä Pipan naksu- ja raksukätköille? Ei hitossa. Nyt on päästävä kuntoon. Tai siis kohta. Nukun ensin vähän. Otin kaksi unilääkenappia ja menin takaisin sänkyyn.

Nukuin seuraavaan aamuun asti.

Aamulla pääni oli kirkas unilääkkeestä huolimatta. Päätin ottaa itseäni niskasta kiinni. Ensin oli saatava kahvia. Panin keittimen päälle, kaivelin kaappeja ja löysin paketin voileipäkeksejä. Jääkaapissa oli tuorejuustorasia ja vihanneslokerossa pätkä kurkkua. Vähän nahistumaan päin, mutta sai kelvata. Voitelin itselleni pienen lautasellisen keksejä. Kurkkuviipaleineen ne tuoksuivat raikkailta, terveen, normaalin elämän alulta. Panin kahviin paljon sokeria. Ennen toista kupillista hain Hesarin ja levitin sen pöydälle. Maailmassa tapahtui, media kertoi siitä joka-aamuisessa paketissaan. Se alkoi tuntua normaalilta. Lehdestä näin, että oli maanantai lokakuun seitsemäs päivä.

Pippa oli lähtenyt keskiviikkona. Hän oli poissa kuudetta päivää.

Mutta nyt puhelin soi, ja se oli varmasti, lopultakin Pippa, jonka viikonloppu vain oli alkanut vähän liian aikaisin ja venähtänyt turhan pitkäksi. Sattuihan sitä; oli sattunut minullekin. Päätin puhua hänelle oikein ystävällisesti. Pippa, en ole sinulle vihainen, mutta tule kotiin. Heti.

Soittaja ei ollut Pippa. Se oli anoppi. Ja hän oli vihainen. Hän sanoi soittaneensa Tainan numeroon jättääkseen vastaajaan viestin siitä, miten iloinen oli Tainan ja Pipan yhteisestä Italian matkasta. Vastaajan sijasta oli soittoon vastannut Taina. Taina oli sanonut, ettei mitään Italian matkaa ollut suunnitelmissakaan ja ettei hänellä ollut aavistustakaan, missä Pippa on. Hän kertoi itsekin soittaneensa ja tavoitelleensa Pippaa monta kertaa. Tainan mielestä minä olin vaikuttanut kummalliselta, vielä tavallistakin torjuvammalta ja töykeämmältä.

»Niin että sanopas nyt, missä Pippa on. Tässä alkaa olla tosi kysymyksessä.»

Yritin vetkuttaa itselleni miettimisaikaa.

»En minä oikein voi.»

»Et voi? Ja mikset voi? Minä olen Pipan äiti, jos on päässyt unohtumaan.»

»Tämä on kuule vaikeata…»

»Ja vaikeammaksi käy, jos et kerro, mitä tiedät.»

»Pippa on kieltänyt kertomasta.»

»Pippa kieltänyt kertomasta omalle äidilleen? Älä kuule yritä. Sano heti, missä Pippa on. Miten teidän asiat oikein ovat?»

»Meidän asiat ovat niin hyvin kuin olla voivat.»

Keksin mikä tehoaisi. Sanoin ääntäni alentaen,

että Pippa on sairaalassa lapsettomuustutkimuksissa. Selitin anopille kaunopuheisesti, miten kiihkeästi olimme yrittäneet lasta kaikki nämä vuodet. Pippa halusi kyllä lapsen, mutta hän ei olisi millään suostunut menemään tutkimuksiin. Minut kyllä oli tutkittu, spermani siis, leuhkaisin. Lopulta olin saanut Pipan ylipuhutuksi, mutta vain sillä ehdolla, etten hiiskahtaisi kenellekään. Nimenomaan Pippa halusi, ettei äiti saisi tietää, halusi välttää turhia tunnemyrskyjä. Siksi en voi sanoa edes sairaalaa, jossa Pippa on.

»Kyllä ne lapsettomuusklinikat on äkkiä läpikäyty», anoppi pisti väliin happamasti.

En ollut kuulevinani.

»Tainakaan en tiedä tästä mitään. Pippa loukkaantuisi syvästi ja suuttuisi minuun loppuiäkseen, jos paljastuisi, että olen kertonut. Olet nyt pakottanut minut kertomaan. Älä nyt ainakaan heti Tainalle soita. Tämä on meidän asia, eikä kuulu sille ollenkaan. Eikä kuulu sen puoleen sinullekaan.»

Anoppi murisi kuin Homer Simpsonin vaimo, kun suljin puhelimen.

Soitin Susannalle töihin ja sanoin, että tulisin vasta ylihuomenna. Terveyskeskuksen lääkärin määräys. Toisin lääkärintodistuksen tullessani. Susanna sanoi, että oikeastaan minun olisi pitänyt käydä omalla työterveysasemalla, semmoiset ovat säännöt. Esitin suuttunutta. Että minun, kuumeisen ja tukkoisen ihmisen olisi pitänyt rahtautua toiselle puolelle kaupunkia parin päivän sairasloman takia. »En minä niitä sääntöjä keksi», Susanna sanoi. Sanoin, että minulla on keuhkoputkentulehdus ja antibioottikuuri ja että olen hyvin väsynyt. Sanoin meneväni nukkumaan ja toivovani, ettei minua häirittäisi.

»Lepää rauhassa vaikka tuomiopäivään asti», Susanna tiuskaisi ja iski luurin korvaani.

Keräsin tyhjät pullot, panin tiskipöydän kaappiin ne, mitkä mahtuivat ja loput tiskipöydälle. Näytti aika pahalta, mutta tyhjien pullojen kanssa en viinakauppaan kolistelisi. Puin lenkkeilyvaatteet ja menin ulos. Otin pyöräni varastosta ja ajoin Herttoniemen viinakauppaan ja sitten Kulosaaren ostariin. Palasin täysien kassien kanssa kotiin. Korkkasin kaljan. Otin esiin nakkipakkauksen ja pussin pakastettua perunamuusia. Nyt tarvittiin lohdutusruokaa: nakkeja ja perunamuusia. Lapsena olisin syönyt sitä herkkua aina. Mutta harvoin sitä sai. Nakit olivat kalliita, kalliimpia kuin se lenkkimakkara, josta äiti teki makkarakastiketta. Vähän makkaranpaloja, paljon vettä ja margariinissa käristettyjä jauhoja. Kuusi makkaranpalaa per naama. Ei yhtään enempää, että kaikille riittää.

Ja sitten tuli kotiin isä, puolijuovuksissa ja pahalla päällä, potkaisi kengät ovensuunurkkaan, rojahti tuolilleen pöydän päähän ja kahmaisi kattilan pohjia myöten: kukkurakauhallinen makkaranpaloja läiskähti hänen lautaselleen.

Eikä kukaan uskaltanut sanoa mitään.

Kukaan ei uskaltanut edes katsoa kehenkään.

Äiti otti perunoittensa päälle pelkkää kastiketta.

Nakkini repesivät nauraviksi nakeiksi, sillä ensin soitti Taina, sitten anoppi ja sitten taas Taina.

Taina jäkätti kylmällä äänellä. Anoppi itki.

Minun tarinani Pipan lapsettomuustutkimuksista oli pelkkää soopaa, miten hitossa olin kehdannut syöttää semmoista anopilleni? Pippa oli moneen kertaan sanonut sekä äidilleen että Tainalle, ettei hän koskaan, ei ikinä enää yrittäisi saada lasta. Ja olinko minä todella niin taivaallinen hölmö, että luulin Tainan olevan tietämätön siitä, missä jamassa meidän avioliittomme oli? Jos anopilla jotain haaveita tai toiveita sen suhteen vielä olikin, niin keskenään Taina ja Pippa olivat käsitelleet asiat juuria myöten. Pippa olisi aivan toinen nainen, kokonaan toinen ihminen, jos meillä jonkinlaista avioelämää vielä olisi, Taina paasasi.

»Se sanakin on liian hieno kuvaamaan teidän irvokasta sidostanne.»

»Niinpä niin, joopa joo.»

»Ja nyt sanot heti, missä Pippa on? Mitä sinä olet sille tehnyt?»

Minun oli pakko tunnustaa, ettei minulla ollut

aavistustakaan, missä Pippa on ja että kyllä, kyllä, kyllä minä olin huolissani, itse asiassa olin huolesta puolikuollut niin, etten ollut töihinkään kyennyt. Taina sanoi, että huomiseen odotetaan. Sitten minun on mentävä poliisiasemalle ja tehtävä katoamisilmoitus. Jos minä en sitä tekisi, sen tekisi hän.

»Ja sehän vaikuttaisi aika oudolta, kun aviomieskin on olemassa, vai mitä?»

Hän iski puhelimen kiinni kuuntelematta vastaustani.

Eipä minulla olisi vastausta ollutkaan.

Söin repeilleet nakkini ja pistelin lusikalla vetelän muusin. Join kylmän oluen. Pääni oli kirkas ja päätin ottaa viinaa vain hyvin varovasti. Pari paukkua telkkaria katsellessa, ihan vain pysyäkseni rauhallisena.

Nyt pitää koota itsensä. Ei hätä ole tämän näköinen.

Olisin ottanut puhelimen irti seinästä, mutta en voinut. Pippahan saattoi soittaa. Panin vastaajan päälle. Viesteistä ainakin tietäisin, mistä numerosta on soitettu, vaikka soittaja ei sanoisi mitään.

Istuin telkkarin ääressä pitkän illan. Jotain sieltä tuli, mutta mitä, siitä ei jäänyt mitään mieleen. Ainakaan uutisissa ei kerrottu löydetystä tunnistamattomasta naisen ruumiista. Lihavasta naisesta, joka ilmeisesti on joutunut onnettomuuden tai rikoksen uhriksi.

Join kaksi konjakkia.

Päässäni alkoivat takoa riimit, joita yksi kollega työväenlehdessä oli usein hokenut, väitti niiden olevan jonkin intiaaniheimon laulutraditiosta. Miehet olivat laulaneet säkeitä sotatanssia tanssiessaan. Suomeksi ne oli julkaistu Ylioppilaslehdessä joskus 60-luvun alussa, ja sieltä ne olivat päähän tarttuneet, kollega muisteli. Nyt ne olivat ampaisseet minun päähäni ja takertuivat sinne.

Katsotaan, onko tämä totta.
Katsotaan, onko tämä totta.
Katsotaan, onko tämä totta.
Tämä elämä, jota elän.

Runo jyski päässäni vielä, kun unipillerin otettuani menin nukkumaan makuuhuoneeseen, Pipan ja minun aviovuoteeseen. Menin Pipan puolelle, ryömin Pipan peiton alle. Panin toisen tyynyn pääni alle ja toisen jalkojeni väliin. Otin syliini Pipan yöpaidan. Se ei ollut ihan puhdas.

Sen parempi.

Makasin kyljelläni kippurassa yöpaita uniriepuna posken alla. Puristin silmät kiinni.

Minulla oli vaimoani hirveä ikävä.

10

HERÄSIN PUHELINSOITTOON. Kello näytti varttia vaille kahdeksaa. Soittaja oli Taina.

»Sinä vai minä?» Taina kysyi.

»Minä.»

»Hoidat sitten sen kanssa.»

»Joojoo.»

»Aion tsekata, oletko hoitanut.»

»Joojoo.»

»Ei mitään joojoo, kun hoidat sen niin kuin olisi jo.»

»Älä mäkätä.»

Ajoin Pasilaan vasta iltapäivällä kahden jälkeen. Tunsin oloni hankalaksi; kuin olisi pitänyt mennä tunnustamaan jotakin. Talo näytti umpimieliseltä, mutta nielaisi minut sujuvasti. Älysin, etten ollut koskaan elämässäni käynyt poliisitalossa, en minkään kaupungin minkäänlaisessa poliisitalossa. En edes ollessani uutistoimittajana työväenlehdessä. Sellainen tuuri minulla oli käynyt.

Pasilassa minulla olisi ollut paljonkin katseltavaa, mutta olin niin jännittynyt, etten nähnyt kuin tiskin takana istuvan tummansinipuseroisen miehen. Hän oli ilmeisesti päivystäjä. Lähestyin häntä kuin aamunavauksesta myöhästynyt koululainen pahantuulista opettajaa.

Ilmoittauduin päivystäjälle. Hänellä oli haaleansiniset silmät ja ohut vaalea tukka, pitkät paljaat ohimolahdekkeet. Hän oli asiallinen.

»Ihmisiä katoaa satoja vuosittain, tai siis poistuu kotoaan.»

»Joo, tiedän.»

»Suurin osa tulee takaisin omia aikojaan, yhtä vapaaehtoisesti kuin on lähtenytkin.»

»Joo, niin olen kuullut.»

Päivystäjä huokaisi ja kysyi, oliko vaimoni ollut viime aikoina normaalissa mielentilassa, siis, tuota terve, ettei siis ollut mitään mielenterveydellisiä häiriöitä. Vastasin, ettei tietääkseni, siis ettei tuota ollut häiriöitä tai siis ei ollut hoidossa eikä koskaan ollut mitenkään henkisesti sairaaksi todettu. Siis virallisesti. Siis ei ollut semmoista diagnoosia.

»Entä epävirallisesti? Ilman diagnoosia?»

»Hän oli kyllä vähän alamaissa. Hän oli kokenut menetyksen. Tai siis me. Meiltä kuoli lapsi...»

»Aivan äskettäin?»

»Ei kun siitä on monta vuotta. Todella monta. Kymmenkunta.»

»No eihän semmoinen... En halua vähätellä, mutta kai hänen käytöksessään olisi ollut jotain outoa jo siihen aikaan. Onko hän häipp... lähtenyt kotoa aikaisemmin?»

»Ei. Ennemminkin päinvastoin.»

»Nyt en ymmärrä.»

»Hän oli koti-ihminen, niin kuin sillä tavalla sitoutunut. Ei käynyt juuri missään.»

Päivystäjä huokasi ison mahansa pohjasta asti.

»Asiahan on niin, että täysjärkiset, terveet, aikuiset ihmiset saavat tulla ja mennä ja olla missä haluavat, ei poliisi voi siitä heitä jahtaamaan ruveta», päivystäjä sanoi.

»Kyllä minä sen ymmärrän.»

»Eikä poliisi varsinkaan voi vaatia heitä palaamaan kotiin, saati ruveta pakolla viemään. Ei edes vaatia heitä ilmoittamaan omaisilleen, että ovat hengissä ja kunnossa.»

»Eipä tietenkään.»

»Jos me semmoiseen kyöräämiseen ruvettaisiin, ei muuta ehdittäisi tehdäkään.»

»Niin.»

»No niin.»

Selitin, että Pipan lähdössä oli jotain outoa, kun hän ei näyttänyt ottaneen mitään mukaansa, ei edes pankkikorttia.

Päivystäjä huokasi, otti lomakkeen ja alkoi kysellä henkilötietoja ja tuntomerkkejä. 39-vuotias, 170 senttiä, vartalo tanakka, hiukset puolipitkät, vaaleahkot, silmät harmaanvihreät, pukeutunut...?

»Kun en minä tiedä. Kun takki ja kengät ja kaikki näyttivät olevan kotona. Siis ne, joita hän yleensä käytti.»

Päivystäjä jäi tuijottamaan paperiaan.

»Mites tämä nimi tuntuu niin tutulta? Pirjo Arjosto? Ihan kuin...»

Hän näpytteli tietokonettaan.

»Joo. Tästä henkilöstä on jo tehty katoamisilmoitus. Aamulla. Ilmoituksen tekijä Taina Lindén. Jäi mieleen, kun se ei ollut mikään omainen, läheinen ystävä sanoi olevansa. Joo, ihan samat tuntomerkit. Paitsi, että Taina Lindénin mukaan kadonnut on vartaloltaan erittäin lihava. Te sanoitte tanakka.»

Tunsin punastuvani.

»Sillä on kuulkaa merkitystä. On ihan eri asia olla tanakka kuin erittäin lihava.»

Niin kuin minä en sitä tietäisi.

Päivystäjä raaputti kynällä leukaansa ja tuijotti näyttöä.

»Tämä Lindén tiesi jotain pukeutumisestakin. Todennäköisesti vihertävä maihinnousutakki, mustat tai ruskeat samettihousut, matalakantaiset kävelykengät, musta keinonahkainen olkalaukku...»

»No niin se yleensä pukeutui... pukeutuu. Mutta juuri nuo kamppeet ovat kotona.»

Päivystäjä pani kätensä ristiin kuin aameneksi ja

katseli minua ystävällisin ilmein.

»Nyt on katoamisilmoitus sekä tehty että varmistettu. Kyllä se siitä selviää. Naiset yleensä huolestuu herkemmin, tämäkin Lindén sanoi jo soittaneensa läpi kaikki sairaalat. Sanoi, että hänen täytyy hoitaa asiat, kun te vain olla möllötätte.»

»Minä en vain olla möllötä.»

»Minä uskon sen. Kai te vaimonne tunnette.»

»Luulisin tuntevani.»

»Niinhän sitä luulisi.»

Lähdin poliisitalolta hikeä pyyhkien ja kiukuissani. Tietysti Tainan piti potkaista minua persuuksiin tässäkin asiassa. Tietysti sen piti päästä sanomaan, että minä en välitä, että minä vain olla möllötän, että minut piti pakottaa tekemään katoamisilmoitus. Ja vaikka lupasin, se ei siihen luottanut, vaan kiirehti itse edelle. Ei minkään muun takia kuin saadakseen minut nolatuksi.

Päivystäjä oli tietokonettaan näpytellessään rupatellut minuun katsomatta. »Vähänkös niitä vaimoja katoaa? Yleensä ne ennemmin tai myöhemmin palaavat tai ainakin ilmoittautuvat kertoakseen, että eivät palaa. Teidän vaimonne on ollut kadoksissa vasta viikon verran. Se ei ole pitkä aika, jos on mennyt vaikka seuramatkalle...»

»Passi on kotona.»

»Ei EU-maihin tarvita enää passia.»

»Henkilötodistuskin on kotona. Ja pankkikortti, kuten sanoin.»

Päivystäjä naputteli kynällä hampaitaan.

»No joo, me pannaan tämä tästä eteenpäin.»

Sitten vasta se kääntyi minua kohti ja risti kätensä.

He panivat sen siitä eteenpäin. Hesarissa oli jo seuraavana päivänä muutaman rivin uutinen. Luin sen aamukahvini ääressä. Ajattelin, että livahdan töissä heti huoneeseeni ja panen punaisen ovivalon päälle. Ei onnistunut. Kotka ja Korppi hyökkäsivät kimppuuni heti käytävällä.

»Se katoamisuutinen, kuule. Onko se sun vaimosi? Eiks sun vaimosi nimi oikeasti olekin Pirjo? Ja siinä sanottiin, että poistui kotoaan Helsingin Kulosaaresta...»

Olin murtunutta miestä.

»Joo, minun vaimoni se on.»

»Mutta sinähän sanoit, että vaimosi on kemisti.»

»Kai kemistikin voi kadota, saatana.»

Ne väänsivät verenpunaisia suitaan. Tönäisin ne sivuun ja pakenin huoneeseeni. Susanna säntäsi sinne heti, summeria soittamatta. Olin vasta ripustamassa takkiani naulakkoon. Susanna syöksyi heti halaamaan.

»Kamalaa, minä luin... Voi kulta raukka, nyt minä ymmärrän, miksi olet ollut niin outo koko viikon. Olisit kertonut, kyllähän sinä mulle olisit voinut. Enhän minä voinut aavistaakaan, että teillä meni noin kauhean huonosti...»

Työnsin naista kaksin käsin kauemmas. Sen oli vaikea peittää innostustaan. Vaimo lähtenyt lätkimään, mikäs sen mukavampaa hänen kannaltaan. Kai se jo näki itsensä morsiushunnuissa. Ja jo sitä ennen asumassa minun kanssani Kulosaaren lukaalissa.

Se yritti taas tulla halaamaan, mutta väistin, menin pöytäni taakse, istuin raskaasti ja painoin kädet kasvoilleni.

»Älä puhu siitä, älä. Tämä on kamalampaa kuin tiedätkään. Entä jos Pippa on saanut tietää meistä ja tehnyt jotain...jotain harkitsematonta?»

Nostin murheellisen katseeni. Susannan kasvoille ja kaulalle oli levinnyt läikikäs puna.

»Mutta sinähän olet aina sanonut, että Pippa tiesi kyllä, mutta ei välittänyt. Että teidän avioliittonne on jo pitkään ollut pelkkä muodollisuus.»

»Ennemminkin muodottomuus.»

»Mitä?»

»Ei mitään. Asiat eivät ole niin yksinkertaisia.»

»Mutta minä olen vai?»

Näin, että Susanna aikoi suuttua. Pyysin, että hän antaisi minun olla hetken yksin. Hänen, minun läheisimpänä ihmisenäni, piti ymmärtää, miten tuskallista tämä kaikki minulle oli. Hän ymmärsi. Hän tietysti tunsi olevansa nyt niin vahvoilla, että hänellä oli varaa ymmärtää mitä tahansa. Hän suuteli varovasti poskeani ja meni.

Pysyttelin huoneessani koko päivän, ja minun annettiin olla rauhassa. Omat toimittajani eivät pyrkineet puheille ja ulkopuoliset pyrkijät Susanna käännytti kohteliaasti mutta päättäväisesti Lyytisen luo tai tiehensä. Itse se kävi pari kertaa myötätuntoinen ilme naamallaan raportoimassa ja kysymässä, halusinko kahvia tai jotain. Ei, en halunnut kahvia. Enkä varsinkaan sitä jotain.

»Kaikki muuttuu hyväksi, usko pois, et edes tiedä, kuinka hyväksi», Susanna kuiskutteli, työnsi kätensä hiuksiini, pörrötti.

Äkkiä se tuntui hyvältä, herätti jonkin muiston, Susannaa etäisemmän, Pippaakin etäisemmän.

Kai minunkin äitini joskus oli pörröttänyt pienen poikansa hiuksia.

Työnsin Susannan pois. En sanonut mitään. Minulla oli pala kurkussa.

Kotiin lähtiessäni tuli Virransivu käytävässä vastaan, kumarsi niukasti kuin vainajan lähiomaiselle ja lausahti: »Todella ikävää, toivottavasti kaikki selviää...»

»Mitä helvettiä!» Virransivu huusi seuraavalla viikolla ja viuhtoi kädessään olevalla *Viikonpäivien* uunituoreella numerolla, johon Simba Pakarisen esikunta oli laatinut kahden aukeaman jutun.

Olin osannut odottaa sitä, olin pelännyt sitä, mutta juttu ylitti kaikki pelot ja odotukset. Ensimmäisen aukeaman yli oli vedetty otsikko: MISSÄ ON PIRJO »PIPPA» ARJOSTO? Tunnetun lehtimiehen vaimo kadonnut mystisellä tavalla. Kaikki väliotsikot oli varustettu kysymysmerkillä. Poliisi epäilee aviomiestä? Tuhoon tuomittu avioliitto? Pikku Birgitan traaginen kohtaloko syynä? Vaimo vankina kotonaan? Mitä mustelmat kertovat?

Juttu oli niin taitavaa työtä, että jos minun toimitukseni olisi saanut aikaan jotain vastaavaa, olisin ollut oikein ylpeä. Kirjoittajaksi oli tietenkin merkitty *Viikonpäivien* työryhmä, eikä jutussa vahingossakaan väitetty mitään, kyseltiin vain ja vedottiin kadonneen Pirjo »Pippa» Arjoston lähipiirin aavisteluihin, epäilyihin ja aitoon huoleen naisraukan kovasta kohtalosta minun vaimonani. »Päätoimittaja Pertti »Pete» Arjosto tunnetaan räväkkänä journalistina, joka ei kaihda koviakaan otteita luotsatessaan *Tässä ja nyt* -lehteä yhä sensaatiohakuisempaan suuntaan».

Tiesin tietysti, mihin sylttytehtaaseen jäljet johtavat, mutta tiesin senkin, että Simba Pakarinen ei kidutettaessakaan paljastaisi lähdettään. Ja kukapa häntä olisi kiduttanut? Laki oli hänen puolellaan, sen olin henkilökohtaisesti omassa lehdessäni monta kertaa käytännössä testannut.

Pahinta jutussa kuitenkin oli ensimmäiseksi silmille hyökkäävä yli puolen sivun kuva. Käsittämätöntä, että sellainen oli yleensä olemassa. Pippa ei ollut vuosikausiin suostunut minkäänlaisiin valokuviin, vaikka mamma Birgitta joka käynnillään riehuikin kameransa kanssa ja löysi koko ajan toinen toistaan hienompia »motiiveja». Pipan passikuvakin oli monta vuotta vanha. Niinpä minullakaan ei ollut antaa poliisille kuvaa Pipasta katoamisilmoituksen yhteydessä. Poliisi pyöritteli kummastuneena päätään, kun selitin jotain kamerakammosta.

Mutta tässä Pippa nyt komeili, koko valtavuudessaan, seisoi jonkin korkean puskan edessä päällään hihaton vaalea teepaita ja pohkeisiin ulottuva laaja hame, ryntäät kuin kaksi emakon persettä, käsivarret kuin koivutukit, jalat kuin petäjäpölkyt, jalassa korottomat vankkatekoiset sandaalit, koko nainen kuin takajaloilleen noussut norsu.

Ja hymyili poskilihat pingollaan.

Hymyili!

Kuva ei voinut olla kovin vanha, varmaan jostain tämän vuoden loppukesältä. Millä ihmeen juonella Taina oli saanut houkutelluksi Pipan valokuvaan? Salaa sitä ei ollut otettu. Pippa seisoi siinä vapautuneesti kuin olisi oikein ilokseen esitellyt ulottuvuuksiaan.

Kuvan kylkeä pitkin juoksi pikkuruinen teksti. Käänsin lehteä. Kuva: J. Lehtinen.

Jussin perkele. Tämän se vielä maksaa. Ikinä ei tähän lehteen osteta kuvan kuvaa siltä niljakkeelta.

Virransivu oli heittänyt lehden eteeni ja istui asiakastuolissani sen käsinojia sormenpäillään naputellen, kunnes olin lukenut jutun. Minulla ei ollut Virransivulle sanaakaan sanottavana. Huokasin pitkään, käänsin katseeni ikkunaan ja rupesin tuijottamaan ulos. Virransivu nappasi lehden ja jäi puolestaan tuijottamaan Pipan kuvaa, suu vähän auki.

»Sinähän sanoit, että vaimosi on kemisti.»

Olin vastaamaisillani, ettei kemisteillä tietääkseni ole mitään painorajoituksia, mutta muistin sitten, että jutussa oli mainittu, mikä Pippa on: vuosia sitten lakkautetun pienen naistenlehden entinen toimittaja, nykyinen kotirouva.

Voi se silti olla koulutukseltaan kemisti.

Voisi olla, ainakin teoriassa.

En sanonut mitään.

Virransivu lätki kämmenellään lehteä ja kysyi: »Onko mahdollista, että tätä tulee vielä lisää?»

»Mistä minä tiedän? Ei se mahdotonta ole. Tunnethan sinä alan. Ja Pakarisen.»

»Tämä saatana tuli siitä kleptomaanijutusta. Tämä kosto tuli sille kuin taivaan lahja. Ja jessus, tämä käy kaupaksi. Paremmin tämä myy kuin se pariskunta, joka katosi velkojiaan karkuun ja jota seurattiin läpi puolen Euroopan, vaikka ne eivät olleet ketään eivätkä mitään, kukaan ei niistä tiennyt mitään eikä välittänyt pätkääkään ennen kuin lehdet tekivät niistä julkkiksia. Eikä ne nytkään ole mitään, minä en muista niitten nimeäkään, enkä tunnistaisi vaikka päin kävelisivät.»

»Eiköhän tämä ole vähän eri asia?»

»Älä älä älä, sinä, kuule, senkin julkkis! Sinä pyörit tuolla baareissa ja pippaloissa ja olet merkittävän julkaisun päätoimittaja. Tottakai tätä tulee lisää, tämähän on kuin mikä Kyllikki Saari -stoori. Tätähän seurataan kuin jännityskertomusta, kunnes sinun vaimosi kohtalo selviää. Ja mikä sekin mahtaa olla? Mistä minä tiedän, mitä sinä siitä tiedät? Mitä tämäkin on, että poliisi epäilee aviomiestä?»

»Sen ne ovat vetäisseet hatusta. Eihän siinä väliotsikon alla sanota muuta kuin, että poliisi pitää tapausta hyvin outona. Kaikkia katoamistapauksiahan poliisi outona pitää, on pidettävä. Outoa olisi, jos ei edes poliisi oudoksuisi.»

»Älä viisastele. Tämä on meille ihan perkeleellinen juttu. Eihän me voida tätä edes käsitellä. Eihän me sinua voida ruveta valkoiseksi pesemään, kun ei tiedetä, miten asiat ovat. Me voidaan olla vain hiljaa kuin kusi sukassa, ainakin niin kauan kun sinä istut tuolla pallilla. Koko yhtiön maine tästä kärsii. Että me pidetään johtavassa asemassa jotain vaimonhakkaajaa ja ties mitä murh...»

»Varo kuule sentään sanojasi.»

»Varo sinä jätkä tekojasi. Sinä olet kusettanut meitä yhdessä ja toisessa asiassa, tiedä missä kaikessa. Tästä lähtien olet virkavapaa, kunnes tämä juttu on selvinnyt. Älä näyttäydy tässä talossa. Palkan saat.»

»Kiitos siitä.»

»Haista itte!»

Virransivu lähti ovet paukkuen. Odotin muutaman minuutin. En halunnut nähdä häntä enää hortoilemassa käytävässä, kenties menossa Peuhkurin tai petolintuparin huoneeseen tai tulossa niistä. Kyllä siellä nyt kälinä kävi.

Peuhkuri tosin saattoi tuntea sympatian tapaistakin, kovia kokenut mies. Tai sitten ei.

Kun ovien paukuttelua ei enää kuulunut, tulin ulos huoneestani. Susanna istui pöytänsä ääressä, nojasi kyynärpäihinsä, edessään *Viikonpäivät* jutun kuva-aukeamalta avattuna, naamalla tuumiva ilme. Hän nosti katseensa minuun.

»Ne oli siis kuitenkin sinun vaimosi farkut.»

»Tä?»

Hän tapitti minua silmiin.

Tapitin takaisin, kunnes hän laski katseensa.

»Olet näköjään valinnut puolesi sinäkin», sanoin.

Menin viinakaupan kautta kotiin.

Ryyppäsin kaksi päivää.

Menin konjakkipullon kanssa sänkyyn ja join, kunnes sammuin. Kun heräsin, otin sängyn vierestä lattialta pullon ja join, kunnes sammuin. Kun konjakki loppui, join votkaa. Kun votka loppui, join viskiä. Kun se loppui, huippuroin seinistä ja huonekaluista kiinni pidellen baarikaapille ja rupesin tyhjentämään sitä kaikesta, mitä olin matkoilta tuonut. Paljon mahtuikin vakavaraisen matkalaisen peiliseinäiseen baarikaappiin, jota on hartaasti täytetty: palinkaa Budapestista, calvadosta Brysselistä, metaxaa Kreetalta, Becherovkaa Prahasta, lentokenttien tax free- kauppojen valikoimaa: pernod'ta, Cutty Sarkia, Irish Creamia...

En pystynyt juomaan kaappia tyhjäksi. Oli lopetettava, kun mikään ei enää pysynyt sisällä eikä vessaan kompuroidessaan enää tiennyt, kumpi oli kiireemmin tehtävä, istuttava pytylle vai työnnettävä siihen päänsä.

Toisena yönä heräsin siihen, että olin ripuloinut sänkyyni. Se oli totuuden hetki. Inhosin itseäni, että mahasta kouristi.

Muistin Peuhkurin esitelmät pehmeästä laskusta, tosi alan miesten taidosta sammutella hitaasti niin, ettei krapulaa ollenkaan tulisi. Äijä oli oivallinen omien oppiensa mannekiini, sammuttelupuuhissa varmaan, kunnes kaatuisi hautaan.

Minä päätin sammuttaa kerralla.

Kaappasin lakanat sängystä ja työnsin ne pesukoneeseen. Raapaisin kalsarit jalasta ja heitin perään. Menin suihkuun. Jynssäsin karkealla sienellä, kunnes iho punoitti. Menin makuuhuoneeseen. Käänsin patjan, petasin sänkyyn puhtaat lakanat. Kannoin pullot sängyn vierestä keittiön tiskipöydälle ja vannoin itselleni, että siivoan kaiken huomenna.

Meitä lannista, ei...ei lannista...henkivallatkaan, nykyiset ei tulevaiset, elo eikä kuolokaan.

Se taisikin olla virsi.

Tunsin olevani niin selvä, että uskalsin ottaa kaksi nappia unilääkettä.

Putosin kuin kaivoon.

11

KUN OVIKELLO SOI, MAHAANI JYMÄHTI KIVI. Se on varmasti Pippa. Pippa soittaa ovikelloa, koska jätti avaimensa kotiin.

Sipaisin hiuksiani, katsoin, että paita on kunnolla housuissa. Ovelle kävellessäni vannotin itseäni olemaan ystävällinen, vain viileän ystävällinen. Ei räyhäämistä, mutta ei myöskään ylipursuavia kotiintulotoivotuksia.

Neutraalisti vain: »Hei, missäs kävit? Aloin jo ihmetellä.»

Avasin oven ja näin kaksi miestä. Ne vilauttivat jotain läpyskää, ja toinen sanoi: »Rikospoliisista, päivää. Saammeko tulla sisälle?»

En olisi edes ehtinyt kieltää, niin nopeasti ne livahtivat oven sisäpuolelle. Toinen oli pieni ja tumma, taaksepäin suittu tukka näytti kevyesti föönatulta, raskasluomiset siniharmaat silmät, kaarevan nenän alla pienet jäykät hammasharjaviikset ja niiden alla kapea suu. Toinen oli iso ja vaalea, haaleasilmäinen, jotenkin naismainen, vaikka naama oli pitkä kuin hevosella. Paksut huulet olivat epätavallisen punaiset. Etutukka oli isolla laineella.

Ne ojensivat kätensä yhtä aikaa.

»Forsnäs», sanoi pieni ja tumma.

»Sarkia Kalle», sanoi vaalea.

Katsoin niitä. En osannut sanoa mitään.

Forsnäs pyyhki kiiltävät kenkänsä ovimattoon, kohenteli tummansinisen liituraitapukunsa takkia, kiskaisi kalvosimiaan. Paita oli vitivalkoinen, solmio hopea-mustaraidallinen. Hän katsoi minua vakavana suurilla silmillään. Sarkiakin pyyhkäisi vähän ruskeaa pukuaan, joka näytti siltä kuin se olisi ostettu Viipurin markkinoilta 30-luvulla, ja sutaisi ruskeita läskipohjiaan mattoon. Kummallakaan ei ollut päällystakkia, olivat siis tulleet autolla.

Forsnäs viittasi elegantein kädenliikkein olohuoneeseen päin.

»Voimme varmaan mennä peremmälle.»

Menimme.

Olin sukkasillani. Kengällisten seurassa sukkamies on aina alakynnessä.

Istahdin sohvaan ja yritin näyttää rennolta, kunnes hoksasin, että ainakaan rennolta minun ei pitäisi näyttää. Olinhan huolen murtama aviomies, jonka vaimo oli tietymättömissä. Asetuin istumaan polvet yhdessä aivan sohvan reunalle. Forsnäs nykäisi hyvin prässättyjä lahkeitaan ja istui pöydän toiselle puolelle nojatuoliin, Sarkia kauemmas tv-tuoliin, jossa rupesi välittömästi pyörimään ja keikkumaan.

»Vaimonne katoamisessa on jotain outoa», Forsnäs sanoi. Hän näytti olevan se, joka piti huolen puhumisesta. Sarkia käänteli hevosennaamaansa ja vaikutti muutenkin rauhattomalta, hänen tehtävänsä oli ilmeisesti imeä vaikutelmia ympäristöstä.

»Niinhän minä sanoin, kun tein katoamisilmoituksen», vastasin Forsnäsille.

»Onko mieleenne tullut epäillä rikosta?»

»Tähän mennessä mieleeni on ehtinyt tulla jo vaikka mitä, humanoidien sieppauskin», rähähdin. »En ole enää aikoihin pystynyt ajattelemaan selvästi, kauhukuvat vain pyörivät. Tämä on totisesti ottanut voimille, ja sitten se lehtijuttu ja kaikki...»

»Mikä lehtijuttu?»

»Älkää yrittäkö, kyllä te sen olette lukeneet. Ette te muuten tänne olisi tulleetkaan.»

Forsnäs tarkasteli kiinnostuneena kynsiään ja hymyili niille niukasti.

»Hmh...artikkeli kieltämättä herätti mielenkiintomme. Saimme vaikutelman, että avioliittonne on jotenkin...ongelmallinen.»

»Se nyt on paskapuhetta. Se on sellainen kuin kauan kestäneet liitot ovat. Arkinen. Mutta ei meillä mitään vihamielisiä välejä ollut.»

»Lehtijutusta sai toisen kuvan.»

»Mistä lähtien poliisi on ruvennut roskalehtien sensaatiojuttujen perusteella johtopäätöksiä tekemään?»

»Emme tee niistä johtopäätöksiä, mutta oma kiinnostavuutensa niissä on. Ei kai tämäkään artikkeli aivan tuulesta temmattu ollut. Vai aiotteko nostaa oikeusjutun perättömien tietojen levittämisestä?»

»Tiedä, vaikka aikoisinkin.»

Äijä aikoi ilmeisesti edetä hitaasti.

Ärsyynnyin siitä.

Otin ohjat käsiini.

Kerroin omin sanoin totuuden siitä tragediasta, joka meitä oli kohdannut ja joka oli meitä ennemminkin puolisoina lähentänyt kuin loitontanut, niin kuin yhteinen kova kokemus voi lähentää. Rakastin vaimoani. Olin rakastanut sitä poloista lastakin. Olin kokenut yhtä valtavan menetyksen kuin vaimonikin, vaikka reagoin siihen eri tavalla. Minunhan oli pakko; vaikka lapsemme kuoli, minulla oli edelleen perhe elätettävänä. Kerroin, miten vaimoni muuttui lapsen kuoleman jälkeen, miten hän masentui, eristäytyi, taantui henkisesti, vaikka minä tein parhaani vetääkseni hänet takaisin maailmaan, toimintaan, ihmisten pariin. Pahaksi onneksi vaimoni lehtikuoleman kautta menetti työpaikkansa juuri kriittisenä aikana, eikä ollut saanut uutta, ei ollut oikein jaksanut hakeakaan. Eikä työpaikkoja lehtialalla niin vain ole tarjollakaan. Vaimoni omistautui kodille

– minkä kodistamme varmaan voi hyvin nähdäkin.

Muistin *Viikonpäivien* jutun väliotsikon Vaimo vankina kotonaan? ja korostin, että vaimoni hoiti kotia täysin vapaaehtoisesti, koki sen elämäntehtäväkseen. Se saattoi olla vanhanaikaista, mutta sellaisia naisia vielä oli. Henkilökohtaisesti olin hänen ratkaisustaan pelkästään kiitollinen. Päätoimittajana ansaitsin niin hyvin, ettei vaimoni rahan takia tarvinnut käydä töissä.

Tein kädelläni laajan kaaren yli olohuoneen, jonka lattialla lojui lehtiä ja minun vaatteitani. Pöydän pinta oli täynnä lasinjälkiä, villakoirat pyörivät kodikkaasti Forsnäsin hyvin kiillotettujen kenkien ympärillä, sohvalla oli leivänmuruja.

Sanoin, että vaimoni oli kiltti ja hyväntahtoinen ihminen, joka oli joutunut kokemaan kovia asioita.

»On mahdotonta kuvitellakaan, että hänellä olisi vihollisia, jotka tahtoisivat hänelle pahaa, saati tekisivät hänelle jotain pahaa, puhumattakaan, että uhkaisivat hänen henkeään», muotoilin.

Sarkian suunnalta kuului kakaisu. Hän nousi.

»Voin kai katsella vähän ympärilleni», hän sanoi.

»Siitä vaan. Olkaa kuin kotonamme.»

Hän päästi hörähdyksen tapaisen ja lähti liikkeelle.

Jatkoin puhettani matalalla äänellä ja katsoin Forsnäsiä suoraan silmiin. Hän ei huomauttanut siitä, että sanoin »vaimoni oli», vaikka olisi voinut. Ei hän ihan tyhmä ollut, vaikka muistuttikin enemmän entisaikaista pankin kamreeria kuin nykyaikaista poliisimiestä. Kuuntelin toisella korvalla Sarkiaa, joka vaelteli huoneissa, kuului nostelevan keittiössä tiskipöydällä olevia tyhjiä pulloja, availevan komeroiden ja kaappien ovia. Hän kurkisti sekä makuuhuoneeseen että studioon ja osasi varmasti hevosenpäässään tehdä sen johtopäätöksen, että kumpaakin käytettiin nukkumiseen.

Helvetti, olisivat edes ilmoittaneet etukäteen, olisin ainakin ehtinyt korjata tyhjät pullot piiloon ja tehdä vähän muitakin järjestelyjä.

Terassin ovi narahti. Sarkia meni ulos.

»Veke, hei, tules vähän katsomaan», hän huikkasi.

Forsnäs nousi ja asteli ripein askelin pihaovelle. En viitsinyt edes nousta sohvalta. Katselin olohuoneen seinän kokoisen ikkunan läpi, kun ne pasteerasivat terassilla. Sarkia viittoili vasta möyhennettyjen kukkapenkkien suuntaan. Sitten ne olivat jo kyykyllään, ottivat multaa ja hieroivat sitä sormiensa välissä, tunnustelivat kädellään maata.

Mitä paksupäitä kotiini oikein oli lähetetty? Kuvittelivatko ne, että minä olin tappanut vaimoni ja sen jälkeen haudannut hänet pihalleni kukkapenkkiin? Sen ruhon? Kai ne menevät kylmiöön tarkastamaan senkin, ettei Pippa makaa jääkimpaleena arkkupakastimessa.

Ne menivät.

Toisaalta, olinhan tutkinut pakastimen itsekin, vaikka pakastimeen ahtautuminen olisi kyllä erikoisin tapa tehdä itsemurha, mitä minä olen ikinä kuullut.

Forsnäs palasi olohuoneeseen käsiään valkoiseen kangasnenäliinaan pyyhkien. Hän pyysi minua selvittämään omat liikkeeni vaimoni katoamispäivän tienoilla. Missä olin ollut edellisenä iltana? Missä katoamispäivänä? Kuka minun lisäkseni oli viimeksi nähnyt rouva Arjoston, missä ja milloin? Oliko vaimoni käyttäytynyt jotenkin erikoisesti? Sanonut jotain epätavallista tai ollut epätavallisen vaitelias?

Selitin niin kuin asia oli: Pippa oli kotona katoamispäivänsä aamuna, jäi kotiin, kun lähdin töihin, oli toiminut aivan tavallisesti, ollut aivan tavallinen, ei sanonut odottavansa meille ketään, ei ilmoittanut lähtevänsä minnekään.

»Millainen vaimonne on, kun hän on tavallinen?» Forsnäs kysyi, ja olin kuulevinani Sarkian suunnalta pienen hirnahduksen.

»Hiljainen. Pidättyväinen. Arkinen.»

Puhuin niin tyynesti kuin pystyin.

»Ettekö te keskustele arkisin – tavallisesti?»

»Eipä juuri. Vanhoissa avioliitoissa...»

Forsnäsin suupieli nytkähti.

»En tarvitse yleisluontoista esitelmää. Ehkä tiedän muutenkin, millaista vanhoissa avioliitoissa on.»

Sarkia pyöräytti tuolia niin että kääntyi meihin selin. Hänen hartiansa näyttivät hytkyvän.

Forsnäs teki merkinnän lehtiöönsä, ja minä jatkoin kertomalla, että edellisen illan olin ollut ravintolassa, sen voisi todistaa sihteerini Susanna Pasanen, jonka seurassa olin ollut aamuöihin asti. Samoin hän ja kaikki työtoverini voisivat todistaa, että olin Pipan katoamispäivänä koko päivän töissä, minkä jälkeen pelasin erän squashia pomoni Eero Virransivun kanssa, join yhden keskioluen lehtitalon korttelissa olevassa pubissa ja ajoin kotiin. Josta siis vaimoni Pippa oli silloin jo häipynyt. Ilmeisesti jo aamupäivällä, koska posti oli kynnysmatolla. Vaikka tietysti hän olisi sen voinut siihen tahallaankin jättää.

»Minkä?»

»Postin. Kynnysmatolle.»

»Oliko hänellä sellainen tapa?»

»Ei ollut.»

Forsnäsin kulmakarvat olivat kohonneet, kun mainitsin Susanna Pasasen. Ne olivat yhä koholla. Älä äijä esitä hyveellistä, sanoin, mutta en ääneen.

»En ollut kyllä koskaan postin tulon aikoihin kotona», sanoin.

Forsnäs teki merkinnän lehtiöönsä.

»Onko vaimollanne omaa rahaa?» Forsnäs kysyi äkkiä.

»Mistä helvetistä minä tiedän? Ei kai.»

»Ajattelin vain, kun hän ei käynyt työssä. Josko hänellä olisi jotain perittyä tai muuta varallisuutta.»

»Hänen äitinsä on elossa. Hänen vanhemmillaan oli keskinäinen testamentti. Ei hän mitään vielä ole perinyt.»

»Kummallista, että hän sillä tavalla voi rahattomana lähteä.»

»Niin on, tosi kummallista. Tämä on minulle täysi mysteeri.»

»Mysteeri on myös hänen katoamisaikansa. Onko ketään, joka voisi todistaa, että hän katosi vasta aamulla tai aamupäivällä eikä esimerkiksi... edellisenä yönä?»

»Minä voin todistaa. Hän laittoi minulle aamiaisen ja jäi tänne, kun lähdin töihin.»

»Se ei oikein taida riittää», Forsnäs sanoi ystävällisesti. Sarkian suunnasta kuului hmph tai jotain sen tapaista.

Hautasin kasvot käsiini. Vedin pitkään henkeä. Tämän Pakarinen vielä maksaa. Sen julkaiseman jutun takia nuo nyt istuvat tässä ja epäilevät, että minä olen tehnyt selvää hankalaksi käyneestä vaimostani, jonka aivan ilmeisesti olen kokenut taakaksi hienolla urallani. Mutta minä maksatan sillä vielä jokaisen julkaistun rivin ja maksatan myös sillä käärmeellä, Tainalla, joka jutun on kokoon keittänyt ja Pakariselle syöttänyt.

Miksi se ihminen minua vihaa?

En minä ole asettunut millään tavalla Pipan ja hänen suurenmoisen ystävyytensä esteeksi, en kieltänyt sitä naista tulemasta kotiini. En kieltänyt, vaikka tiesin, että kun se täällä minun poissa ollessani kävi, se parjasi ja mustasi minua vaimolleni minkä ennätti. Istui minun hienossa nahkasohvassani, minun kauniissa kodissani, jonka itse olin työlläni kustantanut, latki minun ostamiani kalliita juomia, näykki rapusalaatteja ja mätileipiä ja belgialaista suklaata, jotka oli ostettu minun rahoillani. Ja haukkui minua. Purki katkeruuttaan, kun ei itsellä ollut miestä, ei ollut saanut kiedotuksi ketään kuristusotteeseensa, se hajuvesille löyhkäävä, korujaan kalisteleva kalkkaro. Olisi auttanut Pippaa, jos kerran oli sydänystävä. Olisi auttanut Pippaa toipumaan pettymyksestä ja pääsemään katkeruudesta, johon ei kukaan ollut syypää, kaikkein vähiten minä. Olisi edes rohkaissut Pippaa laihduttamaan ja vähän muutenkin huolehtimaan itsestään, kun putiikkeineen oli jonkin sortin ammattilainen olevinaan. Mutta ei. Oli tyydyttävämpää peilata itseään ja omaa tyylikkyyttään toisen yhä kammottavammaksi käynyttä olemusta vasten.

Pippa, se ihminen ei ollut sinun ystäväsi. Pippa, se ihminen tahtoi sinulle pahaa.

»Anteeksi, voitteko huonosti?» kuului Forsnäsin ääni.

»Voin. Voin helvetin huonosti, mutta te ette siinä voi auttaa.»

Forsnäs puhui hiljaisella, pidättyväisellä äänellä. Hän kertoi poliisin kyllä tienneen, ettei rouva Arjosto ollut mitään perinyt, ettei hänellä siis kaiken järjen mukaan pitänyt olla rahaa. Rouva Birgitta Hannula, rouvan äiti siis, oli ollut yhteydessä poliisiin, montakin kertaa, itse asiassa monta kertaa päivässä. Hän oli ymmärrettävästi kovin huolissaan. Hänen niin kuin Taina Lindéninkin näkemykset meidän avioliitostamme poikkesivat aika paljon siitä, mitä minä olin esittänyt.

»Niin tietysti. Ne akathan tietysti meidän avioliittomme tarkimmin tuntevat.»

»Otamme kyllä huomioon, että heidän näkemyksissään on tiettyä subjektiivisuutta. Mutta niin on tietysti teidänkin.»

Kaikki ne olivat liittoutuneet minua vastaan. Kun vain ymmärtäisin miksi. Mitä pahaa minä olin tehnyt?

Sarkia istui tv-tuolissa jalat suorina, pyöritteli ristissä olevien käsiensä peukaloita ja mulkoili kuin olisi muuten vain kutsuttu kyläilemään ja aikaa viettämään. Se nousi veltosti, kun Forsnäskin nousi. Forsnäs vakuutti, että vaimoni katoaminen tutkittaisiin perin pohjin. He palaisivat asiaan, ottaisivat yhteyttä, kun aihetta ilmenee.

»Pysytelkää tavoitettavissa», Forsnäs sanoi.

En alentunut edes vastaamaan. Bahamalleko se luulee minun tästä karkaavan? Sillä tavalla vahvistavan, että minulla on jotain peiteltävää, jotain syytä pelätä?

»Kovin oli puhelias», kuulin Sarkian äänen, kun painoin oven kiinni heidän jälkeensä.

12

YKSIN JÄÄTYÄNI ISTUIN PITKÄÄN HILJAA sekavin ajatuksin. Riiputin päätäni polvien välissä ja yritin miettiä, mutta ajatukset sinkoilivat pätkinä päässäni enkä saanut kiinni mistään. Minä hölmö olin vielä sumentanut aivoni monen päivän dokaamisella, vaikka juuri nyt olisi pään pitänyt olla kirkkaimmillaan.

Hätkähdin puhelimen ääneen. Se oli Taina.

»Siellä kävi poliisit», hän aloitti.

»Entäs sitten? Ja mistäs sinä sen tiedät?»

»Tiedän enemmän kuin luuletkaan, paskiainen. Mitä ne sanoivat?»

»Se ei kuulu sinulle pätkääkään.»

»Tottakai kuuluu. Sitä paitsi tulevat ne tännekin. Voi kuulostaa aika epäilyttävältä, jos kerron, miten vihamielisesti sinä suhtaudut minuun, vaimosi parhaaseen ystävään. Kadonneen vaimosi ainoaan ystävään. Joka teki katoamisilmoituksen, kun oma aviomies ei jostain syystä halunnut tai uskaltanut tehdä.»

»Saat sanoa niille ihan mitä tahansa. Olet jo sanonutkin ihan mitä tahansa. Mutta tänne älä enää soittele. Sinä olet viimeinen ihminen, jonka kanssa haluan olla tekemisissä. Paitsi että tapan sinut, jos käy ilmi, että olet jollakin tavalla tämän takana. Sen Pakarisen julkaiseman paskajutun takana ainakin olet.»

»Oho. Mielenkiintoinen uhkaus. Mielenkiintoinen oletus. Jos poliisia ei sinun asenteesi kiinnosta, niin tiedän ainakin yhden, jota kiinnostaa ja joka saa koko kansan kiinnostumaan.»

»Vedä vittu päähäs!»

Paiskasin puhelimen kiinni. Vapisin.

Miten sen velkojiaan pakoon lähteneen pariskunnan oli käynyt? Lehdistö oli jahdannut sitä kokonaisen kesän. Meidänkin lehtemme osallistui jahtiin. Maksettiin isot rahat sille pyöreäpäiselle paparazzi-tolvanalle ja päästettiin se palloilemaan Tanskaan ja Saksaan avioparin perässä. Ne rahat menivät kankkulan kaivoon.

Tästä jutusta lehdet saisivat samanlaisen kuukausia kestävän kaluttavan, aivan kuten Virransivu ennusti.

Naamani tulisi niin julkiseksi, etten voisi mennä minnekään.

Se oli jo.

Olihan minustakin edustava naamakuva Viikonpäivien jutussa, en vain ollut tullut kiinnittäneeksi siihen kovin paljon huomiota, kun Pipan kokovartalokuva ällistytti ja kauhistutti minut tolaltani. Se oli J. Lehtisen ottama kuva. Vihollisia oli lähempänä kuin luulinkaan.

Ennen kuin ennätin näppäillä puhelimen vastaajalle, se soi uudestaan. Susanna halusi tulla minua tapaamaan, meille. Hän sanoi, että hänen täytyi tulla. Hänellä oli tärkeää asiaa, semmoista, joka hänen olisi pitänyt kertoa jo aikaisemmin, mutta hän ei ollut uskaltanut. Kun minä olin ollut niin pahalla päällä ja torjuva. Ja kun sitten tuli tämä...

Susanna sanoi, että hän oli ollut hulluksi tulla, kun ei ymmärtänyt, mistä minun mielialani johtui, mutta nyt hän ymmärtää, hän sanoi, ymmärtää asiat ja ymmärtää minua.

Vaikka minä olin kyllä loukannut häntä tosi pahasti.

Mutta nyt on asiat selvitettävä, koska ne ovat elämän ja kuoleman kysymyksiä, ainakin hänelle.

Ja minullekin.

Niin että koska minä en voi tulla töihin eikä meidän ole viisasta näyttäytyä yhdessä kaupungilla näissä olosuhteissa, hän tulisi meille. Ei siihen kukaan kiinnittäisi huomiota, ja jos kiinnittäisi, hän voisi aina sanoa, että oli tullut tuomaan erinäisiä tavaroitani, jotka olivat jääneet toimitukseen. Sitä paitsi hän voisikin tuoda tavaroitani, esimerkiksi squash-mailan, peliasun ja lenkkarit työhuoneeni kaapista. Ja mitä siellä nyt minun henkilökohtaisia tavaroitani on. Voisin samalla antaa hänelle Volvon avaimet, hän ajaisi auton yhtiön talliin. Virransivu oli sanonut, että Volvo on luovutettava pois. Toistaiseksi. Samoin talon kännykkä. Ei niitä saa virkavapaalla käyttää.

»Voi vee voi vee voi vee», huomasin hokevani lähes äänettömästi, kun Susannan pälätys valui korvaani.

»Mitä sinä sanoit?»

»En mitään.»

»Minä siis tulen.»

»Ei tänään. Tule huomenna. Aamupäivällä.»

»Minä olen töissä.»

»Talon asioillahan sinä liikut.»

»Mitä sinä tänä iltana teet?»

»Juon pullon viinaa ja vedän itseni hirteen.»

Pamautin puhelimen kiinni.

Tärkeätä asiaa? Susannalla? Niin kauan kuin olin hänet tuntenut, hänellä ei ikinä ollut tärkeää asiaa ollut.

Paitsi työasioita.

Ja niitähän minulla ei enää ollut.

Toistaiseksi.

Näpyttelin puhelimen vastaajalle. Kello oli vasta seitsemän, edessä pitkä ilta. Pitkä rauhallinen koti-ilta, toteutunut unelmani: vaimo kadonnut kuin tuhka tuuleen. Avasin television maikkarin uutisille, mutta en jaksanut katsoa ankkureiden pirteitä naamoja enkä kuunnella, kuinka huonosti maailmalla menee, vielä huonommin kuin minulla.

Mitä se minulle kuuluu?

Minulta on kadonnut vaimo, minun ilmeisesti epäillään päästäneen hänet omin käsin päiviltä, olen maailman onnettomin ihminen.

Menin jääkaapille. Se ammotti tyhjyyttään. Olisi pakko käydä kaupassa. Ja parempi käydä nyt, kun kaikki kulosaarelaisrouvat ja heidän piikansa olivat jo käyneet eikä myymälässä olisi kuin karkkia ostavaa nuorisoa ja pullokassiensa kanssa hoippuvia kaljaveikkoja. Eikä paljon niitäkään, tässä kaupunginosassa. Eikä täällä paljon olisi *Viikonpäivien* lukijakuntaakaan. Voisin aivan luontevasti kävellä kauppaan, valikoida tavarani, maksaa kassalla tyynin ilmein.

Mutta minuun iski kauhu, kun ajattelin menemistä ovesta ulos, maailmaan, joka yhtäkkiä oli kääntynyt vihamieliseksi, minulle, onnen pekalle, joka olisin voinut esiintyä menestyksen mannekiinina missä tahansa markkinointiseminaarissa.

On uskallettava.

Katsotaan, onko tämä totta.

Sydän takoi hädissään koko matkan ostariin.

Jalat tutisivat.

Se oli se viina.

Eikä se ollut se viina.

Kaupan ovella tuntui, etten yksinkertaisesti kyke-
ne astumaan sisään, en pääse yli kynnyksen, vai onko
siinä kynnys, jos ei ole, en pääse yli siitä kohdasta,
missä yleensä on kynnys.

Otsa pursui hikeä.

Näkökentän laidoille alkoi tiivistyä mustenevaa
sumua.

Naamastani paistaa, suorastaan roiskuu, mitä
minulle on tapahtunut. Kaikki näkevät, että minua
epäillään rikoksesta, vaikka eihän minua epäillä,
eikä ole syytäkään, mitä minä nyt sitä pelkään, enkä
pelkääkään.

Kaikki supisevat. Tuon vaimo on häippässyt.

Siinähän supisevat.

Pakotin itseni tarttumaan ovenripaan, vetämään
oven auki, ottamaan ostoskärryt rämisevästä kär-
ryjonosta. Niiden turvin olikin helpompi liikkua.
Polvet lakkasivat tutisemasta, sydän rauhoittui
vähän. Heittelin kärryyn hedelmiä, leipää, juustoa,
leikkeleitä, kylmäkaapista muutaman oluen, maitoa
ja jogurttia. Kassalla olin joutua paniikkiin, kun
huomasin, että korissani oli myös yhden koon suk-
kahousut, koiranmakkarapötkö, paristopakkaus ja
paketti kuukautissiteitä. Hulluksiko olin tulossa? En
kehdannut viedä tavaroita takaisinkaan.

Kassanainen kiekaisi heinsä eikä vilkaissutkaan

minuun, ja kerrankin tervehdyksen ja muun palvelu-
etiketin mekaanisuus ilahdutti minua eikä ärsyttänyt,
sillä kassan kyljessä lehtitelineessä oli *Viikonpäivät*,
jonka etukannen yli levisi musta palkki ja siinä ot-
sikko: Katoamismysteeri Helsingissä: Missä on Pirjo
»Pippa» Arjosto?

Pipan naama, pyöreä ja kelmeä kuin kuu, juusto-
kuu, kiekko jäätynyttä juustoa, hymyili tekstipalkin
yllä.

On taso pudonnut tässäkin kaupunginosassa,
kun rahvaan roskalehdet komeilevat paraatipaikalla
marketissa.

Kädet täristen pakkasin tavarat muovikassiin.

Oli keskityttävä seuraavaan koettelemukseen: käve-
lemään kotiin.

Muutaman sadan metrin matkalla minun oli
pysähdyttävä monta kertaa, oltava olevinani kuin
kassini painaisi niin paljon, että oli välillä pantava se
maahan ja levähdettävä.

Ketä oikein yritin huijata?

Itseäni, tutisevia jalkojani, jotka eivät tahtoneet
totella. Tuntui, että ne voisivat taipua polvista mihin
suuntaan tahansa, pettää äkkiä niin, että lysähtäisin
jalkakäytävälle. Komensin itseäni, yritin rentouttaa
hartiat ja hengittää syvin, rauhallisin vedoin. Vakuu-
tin itselleni, ettei ollut hätää, että tämä oli vain kra-
pulaa, henkistä ja ruumiillista ylikuormitusta, liikaa

viinaa, murheita, pelkoja, kaikkea. No panic, man. Tuuli kylmästi, ja minulla oli ylläni vain ohut pusakka, mutta olin yltä päältä hiessä, kun pääsin perille.

Ei olisi vielä muutama päivä sitten uskonut, millainen helpotus on päästä kotiin ja sulkea ovi takanaan. Päästä turvaan seinien sisälle ja sulkea koko muu maailma ulkopuolelle.

Nojasin oveen ja hengitin syvään.

Itketti.

Se nosti raivoa.

Raivo itketti lisää.

En ollut ansainnut tätä.

Lämmitin saunan ja heittelin löylyä, kunnes silmissä sumeni ja rupesi pyörryttämään. Harjasin itseni karkealla sienellä suihkussa ja valutin vettä minuutti-tolkulla, lopuksi jääkylmää. Hinkkasin pyyheliinalla raivokkain liikkein, kunnes ihoa kirveli. Kuivasin hiukseni föönillä. Katselin itseäni kauan kokovartalopeilistä. Ei paha. Ei grammaakaan liikaa rasvaa. Tiukat pakarat, litteä vatsa. Hyvät reisi- ja rintalihakset. En ollut turhaan yhtiön kuntosalilla ähkinyt. Naamakin oli kohtalainen, kun parta oli siistitty. Tukka taipui pöyheästi. Ei pienintäkään kaljuuntumisen oiretta. Silmät vähän punersivat, mutta se nyt johtui löylystä ja viinasta ja vähän tästä kaikesta, olisi ohimenevää.

Otin asentoja. Näytin itselleni, miten lihakset pullistuivat reisissä ja käsivarsissa. Vielä tästä notkosta noustaan.

Hymyilin peilikuvalleni kuin olisin hymyillyt naiselle, jonka aioin iskeä.

Otin totisen ilmeen, katsoin itseäni tiukasti silmiin ja sanoin olevani kova jätkä. Puin itselleni nyrkkiä ja karjahdin:»Usko se!»

Mietin, miten sujuisi se Tsitsikovin liike: hypähdys ilmaan jalat polvista notkistettuina niin, että pystyisi potkaisemaan onnenpotkun omaan takapuoleensa. Yrittämisestäkin menisin nokilleni.

Olkoon; en ole mikään Tsitsikov, en ole kuolleitten sielujen ostaja enkä myyjä.

Menin kylpytakissani keittiöön ja rakensin läjän voileipiä. Korkkasin kylmän oluen. Vein kaiken olohuoneeseen. Avasin telkkarin. Otin mukavan asennon, söin ja join. Suljin telkkarin ja avasin radion. Sieltä tuli klassista musiikkia. Koska olin kuunnellut sitä viimeksi? Pipan kanssa konsertissa, ja siitä on sata vuotta. Suljin radion. Avasin telkkarin, kävin läpi kotimaan kanavat. Suljin telkkarin.

Voisihan sitä aina panna jonkin jazz-levyn soimaan. Se oli minun lajini, klassinen Pipan. Oli ollut. En pannut levyä soimaan.

Koska olin kuunnellut jazz-levyjäni? En edes muistanut. Niinä iltoina, kun olin kotona, katsoin telkkaria. Sillä oli rauhoittava vaikutus. Sen talk showt, törkyteeveet, tositeeveet, visailut, joissa julkisuudenkipeät ihmiset pantiin riitelemään keskenään, latteimmat viihdemusiikkiohjelmat tuntuivat pitävän minut turvallisesti kiinni työmaailmassani. Niiden suosio todisti minulle, että se mitä tein oli tärkeää; tuotin laajojen kansanjoukkojen elämään sisältöä. Ettei tämä näkemys ollut klisee vaan totista totta. Ohjelmat, joissa ihmiset saatiin pikkurahasta syömään purkillinen matoja tai istumaan takapuoli paljaana hevosenpaskalla täytettyyn ammeeseen, saivat minut röyhistämään rintaani ja tuntemaan, että se mitä minun lehteni teki, oli sentään parempaa, eettisesti kestävää, ainakin kestävämpää.

Meidän lehdessämme ihmiset saivat, mitä ansaitsivat.

Jos halusi hyötyä julkisuudesta, piti jotakin myös maksaa.

En ollut mikään lentoon lähtenyt ilmapallo.

Olin oikea menestynyt ihminen, päältä kaunis, sisältä terve ja sovussa pyrkimysteni kanssa, niin kuin näyttivät olevan nuo alati leveästi hymyilevät ja puhetta suoltavat juontajatkin. Joita kohtaan kieltämättä tunsin ylemmyyttä silloin, kun ne olivat valmiit purkamaan koko sisimpänsä päästääkseen esimerkiksi meidän lehtemme palstoille.

Sillä palstoille piti päästä. Jos ei kelvannut lehdille, ei kohta ollut asiaa telkkariinkaan. Ja päinvastoin.

Mutta kun katsoin noita ihmisiä heidän omassa

elementissään, televisioruudussa, minulle tuli turvallinen olo ja varmuus siitä, että olen yhtä oikealla tiellä kuin nuo muutkin.

Elämä on tätä. Tätä elämä on.

Se on hyväksyttävä ja otettava siitä irti, minkä saa, myytävä ja ostettava. On lakattava kyselemästä, olinko valinnut oikein, oliko tämä työ ja tämä elämä nyt sitä, mitä oikeasti halusin. Kyselemään jääminen merkitsee pysähtymistä, ja »oikeasti» – se on suhteellinen käsite.

Joskus iltaisin Pippakin istui siinä, sohvalla, jos minä istuin tuolissa, tuolissa, jos minä lojuin sohvalla. Mutta ei hän puhunut mitään. Oli vain suuri, harmaa, hiljainen alue näkökenttäni äärilaidalla, juuri siihen, äärilaidalle kuuluvana. Siirtolohkare, kivi, kallio, jättimäinen kuollut puu. Kun joskus vilkaisin häntä, huomasin, ettei hän katsonut telkkaria vaan seinää, keskittyneesti, kuin näkisi siinä jotain. Ehkä näkikin.

Useimmiten Pippa meni aikaisin nukkumaan. Tai ehkä vetäytyi makuuhuoneeseen syömään salaa, mistä minä tiesin. Myöhäisohjelmat sain katsoa yksin.

Minä olin yksinäinen mies, olin aina ollut. Olin ollut yksinäinen lapsikin. Myös sisareni olivat yksinäisiä. Ei meillä ollut yhteyttä vanhempiimme, emmekä olleet osanneet rakentaa yhteyttä toisiimme. Olimme aina joutuneet pettymään, pikkulapsista saakka, tottuneet siihen, että toiveet eivät koskaan toteutuneet, luvattua ei annettu, ja jo annettukin otettiin pois.

Ei mennäkään uimaretkelle.

Et saakaan uutta pukua kevätjuhlaan.

Ei olekaan rahaa luokkaretkeä varten.

Vanha rämä fillari palkinnoksi hyvästä todistuksesta, vaikka uusi oli luvattu ja siitä haaveiltu koko vuosi.

Säästä niin sinulla on, sanoi äiti, mutta kun minulla oli, isä kaiveli säästöpossunikin tyhjäksi.

Joulut, pääsiäiset, vaput, koulun päätöspäivät, juhannukset pelottivat, sillä aina niihin liitettiin odotuksia ja lupauksia, toiveita, jotka tuskin koskaan toteutuivat, koska perheemme elämää säätelivät isän ryyppyputket ja selvinä kausina hänen oikkuileva pahantuulisuutensa. Mitä pahemmin hän rypi, sitä kovempi oli selvinä kausina kotikuri. Sillä hän kompensoi häpeäänsä, mutta sen ymmärsin vasta aikuisena.

Minä olin pettymyksiin tottunut yksinäinen mies. Miksi en siis olisi kömpinyt ylös siitäkin kuopasta, johon elämään kelvottoman lapsen syntyminen minut pudotti? Tai toipunut siitä, että vaimoni, joka oli tuonut vähän valoa loukkooni, jonka kanssa hetken olin kokenut yhteyttä, elänyt liitossa, liittoutuisikin tuon monstrumiksi kasvaneen lapsivainajan kanssa, että tuo zombie loisi pysyvän vihollisuuden välillemme, syyttäisi yhdessä onnettoman, epäihmiseksi paisuneen äitinsä kanssa minua jostain, mihin en ollut syyllistynyt, mille en mitään ollut voinut?

Pippa ei ollut tottunut pettymyksiin. Pipan ei koskaan ollut annettu ymmärtää, ettei hän ole tarpeeksi hyvä saamaan sitä, mitä hänelle on luvattu. Siksi hän romahtikin, kun suurin toivein odotettu lapsi oli outo epäsikiö, kuolemaan tuomittu kummajainen. Siksi Pipalla ei koskaan oikein ollut todellisuudentajua; köyhäily ja luomuilu olivat hänelle romantiikkaa ja eksotiikkaa. Ja se kaikki muu hömpötys, aroma- ja kiviterapiat ja reikiparannukset ja muut kättenpäällepanemiset.

Jos minä olin itsekäs, itsekeskeinen, narsisti, eikö hänkin ollut? Lasta odottaessaan hän jätti minut yksin, keskittyi napaansa ja siihen, mitä sen takana oli. Minä olin siinä showssa roudari, joka kantaa rahaa ja roinaa, huolehtii siitä, että kaikki pelaa, mutta pysyy muuten hiljaa ja sivussa.

Minun mielipidettäni ei kysytty lapsen siittämisessä, ei sen odottamisen aikana, ei sen synnyttyä eikä vielä silloinkaan, kun se oli kuollut ja kuopattu.

En halunnut olla marttyyri edes omissa silmissäni, mutta eikö juuri kova elämä ollut antanut minulle kestävyyttä ja kärsivällisyyttä, tyyneyttä ottaa vastaan se, mitä tulee, vaikka se olisi kuinka kauheaa?

Niin kuin sen lapsen syntyminen oli.

Niin kuin Pipan katoaminen on.

Pippa on varmasti kunnossa, lähtenyt vain jonnekin. Ei mielijohteesta tai kiusalla, vaan vakain tuumin ja harkiten, järjestääkseen minulle ajattelemisen aihetta.

Siinä hän onnistui.

Menin makuuhuoneeseen ja otin vuodevaatelaatikosta, Pipan ruokakätköstä, ison levyn Fazerin sinistä. Hain valkoviinipullon jääkaapista. Joisin vain tämän yhden. Söisin vain muutaman palan suklaata. Se olisi jälkiruokani, ansaittu tämän raskaan päivän jälkeen.

Söin koko levyn, hotkimalla, tungin suklaata suuhuni kuin pikkukakara, ja suu täynnä tahmeaa makeaa möhnää sain aavistuksen siitä, miltä Pipasta tuntui, kun hän ahmi ruokaa, millainen lohtu syöminen oli, sen hetken.

Pullo ei ollut vielä tyhjä, kun olin kyynelissä.

Kaipasin Pippaa. Kaipasin häntä suunnattomasti. Missä on minun rakkaani, jota ilman en tule päivääkään toimeen? Missä on se hoikka, iloinen nököhammas, syliini niin sopiva kuin olisi vastakappaleekseni luotu? Missä on se älykäs, virkeä ihminen, joka jaksoi uupumatta keskustella kirjoista, musiikista, politiikasta, oikeudenmukaisuudesta, elämänkatsomuksesta. Suunnitella yhteistä tulevaisuutta. Jonka kanssa nauroin enemmän kuin kenenkään kanssa koskaan olin nauranut.

Oli aika, jolloin olin varma, ettei mikään koskaan voi rikkoa niin voimakasta yhteenkuuluvaisuuden tunnetta, niin täydellistä yhteiselämää.

Eikä tarvittu kuin pieni rujo otus, kitisevä, kouristeleva outo vieras, jota minä pelkäsin, pelkäsin helvetisti, ja kaikki oli mennyttä.

Se kuoli, ja Pippa tappoi itsensä, sen mikä hänessä oli oikeaa Pippaa, ihmistä.

Tule kotiin, Pippa! Tule kaikkine läskeinesi, harmaine naamoinesi, kävele pölkkyjaloillasi tuosta ovesta sisään, rumissa vaatteissasi, huonoryhtisenä ja vaikka kuinka puhumattomana ja synkkänä. Kaikki tulee hyväksi jälkeen. Tulee se, minä lupaan. Minä opettelen vaikka itkemään sinun kanssasi, itkemään sitä lasta, poloista käypäläistä, itken niin, että kastelen seinätkin. Itketään niin kauan, että osataan taas nauraa yhdessä.

Ulisin kuin selkäänsä saanut lapsi, kun ryömin sänkyyn, Pipan sänkyyn. Painoin kasvoni Pipan trikoiseen yöpaitaan ja ulisin. Pipan poloinen, hylätty ja yksinäinen, vanha ja venynyt yöpaita, joka tuoksui Pipalle.

13

»**E**N TIEDÄ, MISTÄ ALOITTAISIN», Susanna sanoi, kun istuimme vastakkain ruokapöydän ääressä.

»Älä ainakaan alusta.»

Susanna onnistui lyömään minut ällikällä. Hän näyttikin niin toisenlaiselta pukeutuneena farkkuihin, löysään viininpunaiseen puseroon ja lenkkareihin. Vaalea tukka oli poninhännällä. Töissä se tavallisesti oli harkitun vapaasti auki tai kammoilla kiinnitettynä kiharapilvenä päälaella. Hän näytti hiukan kalpealta, koska naamassa ei ollut meikin hiventäkään, tavatonta sekin.

Hän näytti tytöltä, teini-ikäiseltä, ja ensimmäisen kerran tulin ajatelleeksi, että meillä oli aika paljon ikäeroa, oikeastaan liian paljon.

Mikä vanha, likainen äijä minä hänelle oikeastaan olin, mikä namusetä?

Susanna oli muutenkin erilainen, ei kikatellut eikä käkätellyt eikä alkanut valitella, miten huonosti olin häntä kohdellut, mitä lupauksia ladellut, mitä paskaa puhunut. Ensi töikseen hän siivosi tyhjät pullot tiskipöydältä muovikasseihin ja ympäriinsä lojuvat vaatteeni pyykkikoriin. Hän täytti astianpesukoneen, käynnisti sen, sukelsi sitten pakastimen uumeniin, kaivoi sieltä esille kinkku-juustopiirakan ja työnsi sen uuniin. Hän kieltäytyi puhumasta mistään tärkeästä ennen kuin oli saanut hommansa hoidetuksi.

Lopulta istuimme vastakkain pöydän ääressä, kummallakin edessä pala piirakkaa ja lasi punaviiniä. Leukaperissäni tunsin, että jännitin, enkä yhtään ymmärtänyt, miksi. Tuohan on se sama jokapäiväinen Susanna, panopuuni ja tirpuseni.

»Näytät ihan semmoiselta leijonaurokselta, joka esittää välinpitämätöntä, mutta on juuri hyökkäämäisillään vieraan uroksen siittämien pentujen kimppuun. Telkkarin luonto-ohjelmassa oli äsken semmoinen. Ajattelin, että onpa kuin Pete, justiinsa sama ilme naamalla.»

»Vittuilemaanko sinä tänne tulitkin?»

»Yritin laskea vähän leikkiä.»

Pureskelin palastani.

»Kas kun heti löysitkin pakastimesta tämän piirakan. Minä en ikinä löydä sieltä mitään», yritin keventää.

»Se on erittäin hyvässä järjestyksessä», Susanna sanoi kuivasti. »Et vain osaa etsiä. Miehet eivät yleensäkään osaa. Ne asettuvat keskelle lattiaa ja rupeavat huhuilemaan kuin karjankutsuja. Missä mun sukat on? Onko täällä mitään syötävää?»

»Kaikki miehetkö? Koko se legioona, jonka sinä lähemmin tunnet?»

»Muunlaisia en tunne», hän sanoi hyisesti. »On teillä muuten valtava pakastin. Siihen mahtuisi kokonaisena vaikka minkälainen ruho.»

Piirakanpalani putosi haarukasta lautaselle. Susanna punastui helakasti kaulaa myöten.

Istuimme hiljaa ja jauhoimme annostamme. Mietin voisiko Susannalla olla jotakin minun kannaltani hyvää kerrottavaa. Tulin siihen tulokseen, ettei voinut olla.

»Kerro huoles», sanoin, kun lautaseni oli tyhjä.

Hän vastasi vasta kun oli lopettanut syömisen ja asettanut ruokailuvälineet siististi kello viiden asentoon lautaselleen.

Susanna kertoi, että kaikki toimituksessa tiesivät totuuden Pipasta, siis sen, ettei vaimoni ollut mikään huippu-uraa luova, ulkomailla matkusteleva, tärkeää tutkimustyötä tekevä tiedenainen eikä mikään kemisti ylipäätään, vaan entinen pikkulehden toimittaja, joka lapsensa kuoleman jälkeen oli jotenkin vinks... siis ei ollut toipunut siitä enää työelämään. Vaan piileksi kotona ja oli sairaalloisen lihava.

Susanna ihmetteli, miten voin olla niin naiivi, että kuvittelin tällaisten asioiden pysyvän salassa niin pienessä kaupungissa kuin Helsinki, sen toimittajapiireissä, joissa kaikki tuntevat toisensa, ja vieläpä sellaisessa työyhteisössä, jossa ihmisten leipätyönä on kaivella kanssaihmisten yksityisasioita ja juoruta niistä.

»Olit niin salamyhkäinen yksityiselämästäsi, että se herätti heti uteliaisuutta. Pian oli selvitetty, että se *Ajan naisen* suomenruotsalainen Pippa, joka äkkiä hävisi kuvioista kuin maan nielemänä, on sinun vaimosi. Tai siis sinä sen mies, miten päin vain.»

»Ei se ole suomenruotsalainen.»

»Vaasasta kotoisin kumminkin, ja äiti on suomenruotsalainen. Tuija oli Pipan kanssa samassa Painonvartijoitten ryhmässäkin jokin vuosi sitten. Kertoi paljonkin jutelleensa Pipan kanssa, Painonvartijoissa kuulemma syntyy hyvin luottamuksellinen ilmapiiri.»

»Mahdotonta, että Pippa olisi käynyt Painonvartijoissa. Ei se siellä ainakaan mitään tulosta tehnyt.»

»Ei se siellä kuulemma kauan jaksanut käydäkään.»

»Niin kuin ei ilmeisesti Tuijakaan. Kävi siellä varmaan vain vakoilemassa tunnettuja naamoja.»

»Älä irvistele. Lihavuus on vaikeampi asia kuin luuletkaan, ja tuommoinen irvistely tekee sen vielä vaikeammaksi. Minä sen tiedän. Olin lihava lapsi ja sairastuin murrosiässä bulimiaan. Siitä tuli yhtä helvettiä. Olisin voinut kuolla, jos äitini ei olisi vähän ymmärtänyt asioita.»

»Ei uskoisi sinusta. Noin hyvä body.»

Susanna huitaisi kädellään.

»Turha sinulle on selittää, senkin body itse, et sinä ymmärrä. Elämäsi ei olisi tuossa jamassa, jos olisit näistä asioista jotain käsittänyt. Tajunnut, minkälaista sieluntilaa se pakonomainen syöminen ilmentää.»

»Minä olen sentään sen sieluntilan kanssa tässä vuosikaudet elänyt.»

»Jos olisit käsittänyt, et olisi vuosikausia elänyt vaan yrittänyt tehdä jotain.»

»En minä voi Pipan puolesta syömättä olla.»

»Just joo.»

Pitikö minun ruveta keskustelemaan vakavasti tämän ihmisen kanssa, joka oli minulle ollut altis passari ja bimbo blondi? Tuijotin loukkaantuneena ikkunasta ulos. Minulla oli tietty katse, jolla ilmaisin, miten syvästi minua oli haavoitettu. Ensin kohdistetaan pitkä, suurta murhetta ilmaiseva tuijotus suoraan toisen silmiin, riiputetaan sitä siinä, kunnes silmät kostuvat, ja nehän kostuvat kun räpäyttämättä tarpeeksi kauan katsoo. Sitten käännetään pää hitaasti poispäin, kuin ei enää millään kestettäisi itkuun purskahtamatta.

Tehoaa naisiin ja miehiin, olin kokenut.

Ja äiteihin erityisesti, äitini kanssahan sitä olin treenannut.

Pippaan sitä ei tietenkään ollut kannattanut vuosiin käyttää.

Eikä nyt enää näköjään tähän toiseenkaan.

Susanna kohotti katseensa lautasestaan.

»Kummallista, ettei vaimoasi ohjattu synnytyksen jälkeen terapiaan.»

»Kyllä sitä yritettiin ohjata, mutta se ei halunnut. Tai kävi se kerran mielenterveystoimistossa.»

»Kertoiko se siitä?»

»Jotain. Että siellä oli yksi kyllästyneen näköinen äijä, joka kuunteli sitä puoli tuntia ja sanoi, että kliinistä masennusta ei ole todettavissa, että Pippa on vain ahdistunut. Se sai lääkkeitäkin, mutta ei kai se niitä syönyt. Pippa oli sitä mieltä, että tunteita ei saa turruttaa mielialalääkkeillä, ne pitää elää läpi pohjia myöten. Siihen aikaan se vielä jaksoi pitää elämäntapasaarnoja.»

»Pippa oli oikeassa. Monien psykologien mukaan…»

»Tunge ne monet psykologit perseeseesi. Tämä ei ole teoriaa. Tämä on elämää.»

»Mutta kyllä nyt ihmisen psykologiasta…»

»Psykologiaa, psykologiaa. Ämmien ainaista psykologisointia. Kas kun et vetele Freudia tähän. Mulla on varmaan oidipus-kompleksi, siskoni potivat peniskateutta, äiti hysteriaa ja isä vissiin kastraatiokauhua.»

»Mitä sinun siskosi ja vanhempasi tähän kuuluvat?»

»No jos psykologisoimaan ruvetaan, kaikki kuuluu. Pipan läskitkin ovat varmaan seurausta siitä, että sen isällä oli nahkakauppa. Eläinten ihoa nääs venytetään ja...»

»Miksi Pipan lihavuus on sinulle niin kauhea asia? Puolet amerikkalaisista naisista on tosi läskejä. Suomessakin nykyisin joka kolmas.»

»Eivät menestyvät naiset eivätkä menestyvien miesten vaimot. Amerikkalaiset ämmät antaa vaikka pätkiä suolensa, jos ei muu auta. Lihava on luuseri. Se selviää kertavilkaisulla eikä sitä voi kompensoida millään. Ja lihavan muijan mies on luuseri myös. Katso vaikka seurapiiripalstojen kuvista. Mies näyttää nujerretulta hyypiöltä oikein lihavan muijan vieressä. Ja muija näyttää siltä, että seuraavaksi se hotkaisee sen hyypiönsä.»

»En minä ole semmoista huomannut.»

»Et kai niin, kun semmoisia kuvia ei ole. Jos mies vähänkin uraansa ja elämäänsä ajattelee, ei se näyttäydy missään sairaan lihavan muijan kanssa. Siinähän menee uskottavuus heti. Mietis vähän, miksi jotkut huippumiehet Suomessakin alkavat ottaa tyttärensä mukaan kaikkiin näyttäytymistilaisuuksiin. Siksi, kun kotona on akka, joka on tikahtua läskeihinsä.»

»Älä jauha paskaa.»

»Äläkä sinä jauha minulle paskaa. Tässä on tosi kysymyksessä.»

»Siis mikä?»

»Täytyy elää, perkele, tulla toimeen. Pysyä kunnon töissä, saada rahaa, edetä. Ja ensimmäiseksi pitää löytää se nainen. Pippa siis. Selkeitä käytännön hommia, niistä tässä on kysymys. Taivastelulla ja sielun kairaamisella mihinkään päästä.»

Susanna vaikeni. Minä jatkoin.

»Minä en psykologiasta mitään ymmärrä enkä välitäkään. Silti minulta vaaditaan maagisia terapeuttisia kykyjä. Minun, tämmöisen diletantin, olisi pitänyt parantaa ihminen, jolle asiantuntijatkaan eivät mitään voineet. Laihduttaa se. Tehdä se onnelliseksi. Vähän kohtuutonta.»

Susanna tuijotti ikkunasta ulos. Kului pitkä aika.

»Mutta Antsu Lyytinen tunsi kyllä Pipan parhaiten», Susanna sanoi sitten.

»Miten helvetissä?»

»Antsu oli aikoinaan toimitussihteerinä *Ajan naisessa*. Ne jopa vähän niin kuin seurustelivat, kunnes sinä tulit siihen työväenlehteen ja astuit Pipan kuvioihin. Antsu lähtikin sitten melkein heti ja oli friikkuna vähän aikaa ennen kuin tuli meille.»

»Meille? Etkös sinä ollut silloin vielä päivähoidossa?»

»Olin minä lukiossa. Mutta tämä on Antsun omaa kertomaa.»

»Mitä tarkoittaa, että vähän niin kuin seurustelivat?»

»Vähän niin kuin sitä, että Antsu oli rakastunut, mutta Pippa piti sitä vain kaverina, jonka kanssa voi mennä joskus leffaan ja kaljalle. Niin minä sen juttujen perusteella päättelin. Mutta Antsua taisi jäädä kaivelemaan. Ainakin se oli pirun vihainen siitä, mitä sinä teit Pipalle.»

»Tein Pipalle. Mitä minä sille tein, en mitään. Ei sen lapsen kohtalo ollut minun syyni. Ei se ollut kenenkään syy, niin vain joskus käy. Sitä lääkärit yrittivät takoa Pipankin päähän, mutta ei mennyt perille. Se hoki, että lapsi oli meille jonkinlainen ilmoitus. Ilmoitus! Ei minulle ainakaan. Mitä se Pipalle ilmoitti? Että syö itsesi kuoliaaksi, äitikulta, niin saadaan olla yhdessä taivaassa iankaikkisesta iankaikkiseen.»

»Tuo on törkeätä.»

»Olkoon. Enkä minä Pippaa lihottanut, elätin kyllä. Ja Antsu Lyytinen, se nynnerö, nukkuneen rukous. Ollut minun naiseni kanssa! Sehän näyttää siltä, ettei ole ikinä ollut kenenkään naisen kanssa. Luulisi, että sillä on jokin vaihtoehtohoito siihenkin.»

Purkaukseni sai minut puuskuttamaan. Susanna ei nostanut kulmakarvaansakaan, katseli vain.

Miten ihmeessä toimituksessa kukaan ei ollut minulle paljastanut tietojaan? Miten keneltäkään ei päässyt lipsahtamaan? Antoivat minun vain esittää mitä esitin ja naureskelivat takanapäin?

»Tiesikö Virransivukin?»

»Tuskin. Sehän on niin itseään täynnä, että eivät

sitä muitten asiat kiinnosta. Niin kuin olet sinäkin. Päätoimittajaksi tulosi jälkeen et ollut vähääkään kiinnostunut alaisistasi. Sinua kiinnostivat vain myyntiluvut. Elit täysillä siinä epätodellisuudessa, mitä itse olit rakentamassa.»

»Siitä minulle maksettiin. Ja omissa yksityisasioissa oli tarpeeksi tietämistä, liikaakin.»

»Antsu Lyytisestä et tiedä sen vertaa, että se jäi pari vuotta sitten leskeksi ja sillä on pieni poika. Et tiedä, että Peuhkurilta on kuollut lapsi liikenneonnettomuudessa yli kymmenen vuotta sitten, ja että sen vaimo jätti sen pian sen jälkeen. Vasta silloin sen juomisessa alkoi tappamisen meininki. Et tiedä, että Tuija elättää kolmea lasta ja työtöntä, alkoholisoitunutta miestään. Et tiedä, että Kaija huolehtii vanhasta dementoituneesta äidistään, kun se ei mahdu mihinkään vanhainkotiin eikä kelpaa sairaalaan, kun pystyy vielä jotenkin hoippumaan pystyssä. Kaija pelkää joka päivä sydän kurkussa, että löytää äitinsä kuolleena kynnykseltä.»

»Miksi minun olisi pitänyt tuo kaikki tietää?»

»Vaikka myötätunnosta, jos ei muuten. Tai työyhteisön sisäisen dynamiikan takia, jos haluat, että käytetään toista kieltä. Et lähtenyt edes kaljalle omien toimittajiesi kanssa, pyörit Tuokon ja Virransivun helmoissa, liehittelit niitä. Ei ne ole sinun kavereitasi, älä luulekaan, ja nythän se on nähty. Eikä sinulle kauheasti naureskeltu. Et sinä sellainen maailman napa ole, että kaikki ajattelisivat sinua. Ehkä sinua vähän säälittiin. Onhan se ressukkamaista. Mies häpeää vaimoaan niin, että keksii tälle ihan uuden identiteetin, takoo naisen hopeasta niin kuin Seppo Ilmarinen. Minä ainakin säälin.»

»Minulle sanoit, että rakastit.»

»Niin rakastinkin. Ja kuvittelin, että minä olen se, joka päästää sinut perhehelvetistä ja muusta piinasta, tekee onnelliseksi, ettei tarvitse enää valehdella. Ehkä rakastan sinua vieläkin. Riippuu sinusta.»

Valpastuin.

»Tässä ei siis vielä ollutkaan kaikki.»

Susanna kohensi ryhtiään.

»Ei. Minä olen raskaana.»

En muista, mitä sanoin. Saatana, saatoin sanoa. Tai jumalauta. Tai: ei voi olla totta. Mutta mieleni läpi humahti ensin käsittämätön ilo. Kuin olisin kokenut jonkin armon.

Pelastettu!

Normaali!

Mies!

Sitä kesti vain pari sekuntia. Sitten suhahti kylmä kauhu päästä jalkoihin: entäs jos sekin on vajaa? Parissa silmänräpäyksessä elin uudelleen koko draaman, nyt tämän toisen kanssa. Ja sitten nousi raivo. Tämän Susanna oli järjestänyt tahallaan. Saadakseen minut satimeen. Eroamaan ja menemään hänen kanssaan naimisiin.

Sanoin sen hänelle suorin sanoin.

Susanna myönsi, että niin oli, hän oli järjestänyt itsensä tahallaan raskaaksi saadakseen minut naimisiin. Mutta minä olin itse osasyyllinen. Olin tuhannesti antanut ymmärtää, että elin tyhjentyneessä avioliitossa enkä mitään niin hartaasti toivonut kuin todellista, konkreettista syytä jättää vaimo, johon en ollut millään tavalla kiintynyt ja joka ei ollut kiintynyt minuun.

»Ajattelin, että minä järjestän sen konkreettisen syyn, ettei tarvitse enää jahkailla.»

»Tekisi mieli vetää sinua turpiin. Olet huijannut minua.»

»Paras olla vetämättä. Olet jo saanut mainetta vaimonhakkaajana, jota epäillään pahemmastakin. Seuraukset saattaisivat olla arvaamattoman ikävät sinulle, jos rupeat minua mätkimään.»

»Aiotko sinäkin juosta Pakarisen puheille ja paljastaa minun konnuuteni kaikelle kansalle?»

»Semmoista en ole suunnitellut. Mutta olen tehnyt jotain muuta.»

»No?»

»Kävin täällä. Ja kerroin kaiken Pipalle. Hänen katoamistaan edeltävänä päivänä. Ilmoitin hänelle, että haluamme mennä naimisiin ja että nyt on lapsikin tulossa.»

Huone huojahti. Tarrasin pöydänreunaan.

»Mutta mehän oltiin silloin yhdessä kapakassa.»

»Vasta yhdeksän jälkeen. Tulin tänne suoraan töistä, kun sinä lähdit Virransivun kanssa pubiin. Ehdin käväistä kotona vähän toipumassakin ennen kuin liityin seuraan. Jo vaimosi näkeminen oli aikamoinen sokki, se oli ihan kuin siitä leffasta, mikä se nyt oli, Gilbert Grape. Se niiden mutsi, joka ahmi jättiannoksia pekonia ja ranskiksia ja nälkäiset, laihat lapset katsoivat vierestä.»

»Idiootti!»

»Siltä minusta itsestänikin nyt tuntuu, vaikka silloin olin hyvin päättäväinen. Vaimosi ei sanonut sanaakaan. Se oli kamalaa. Se meni vain valkoiseksi, sen naama oli kuin pullataikinaa, se jotenkin paisuikin, ajattelin, että se pyörtyy ja rojahtaa siihen paikkaan. Rupesin pulputtamaan vaikka mitä, kunnes se käveli ovelle, avasi sen ja odotti, että minä menen ulos. Minä menin. Se oli nöyryyttävää. Sanoin, että aion taistella sinusta. Vähän sen suupieli taisi venähtää hymyyn. Minulla oli paha olo koko illan. Mutta sinä et huomannut mitään.»

»En huomannut niin, ja siitä sinä ehkä voisit tehdä jonkin johtopäätöksen.»

»Jumaliste että sinä olet häijy.»

Näin, että hänen silmänsä kostuivat.

»Pippa lähti sinun takiasi. Sinä järkytit sen niin, että se lähti.»

»Sitähän minä pelkään. Ja että se on tehnyt jotain itselleen. Vaikka minä olin vain asiallinen ja suora.

En minä halunnut loukata vaimoasi. Huomasitko sinä jotain erikoista seuraavana aamuna?»

»En. Ei me muutenkaan paljon puhuta. Aamuisin. Eikä yleensäkään.»

»Mikä avioliitto semmoinen on, ettei edes puhuta?»

»Se on Pipan ja minun avioliitto, jumalauta, eikä se kuulu sinulle pätkääkään.»

»Nyt se vähän kuuluu. En millään haluaisi kertoa poliisille, että kävin täällä. Jos ne nyt minulta mitään kysyvät.»

»Kyllä ne kysyvät, se yksi kamreeri täällä jo siihen malliin nosteli kulmakarvojaan, kun kerroin olleeni edellisenä iltana sinun kanssasi pubissa.»

»Mikä ihmeen kamreeri?»

»Yksi Forsnäs. Rikospoliisista.»

»Sitten tulee esille sekin, että odotan sinun lastasi. Luulevat, että me olemme yhdessä raivanneet sinun vaimosi onnemme tieltä.»

»Älä nyt tee tästä mitään melodraamaa. Eivät ihmiset tosielämässä sillä tavalla toimi. Ne ottavat avioeron ja sillä siisti.»

»Sinä et ottanut.»

»Voi jessus sinun teorioitasi. Mutta ehkä sinä itse hoidit Pipan pois päiviltä päästäksesi naimisiin minun kanssani.»

»Tuota älä sano edes leikilläsi.»

»Eikun tosissani. Miten sitten suu pannaan, jos

179

Pippa löytyy jostakin kuolleena ja kuolinsyyksi todetaan itsemurha? Eikö ala omatunto painaa?»

Susanna katsoi minua suu viivana.

Tunnelma alkoi käydä koleaksi.

En tiennyt, pitikö minun uskoa Susannaa vai ei. Sen kyllä uskoin, että hän oli käynyt meillä, semmoinen toiminta sopi häneen. Mutta että hän tahallaan olisi laittautunut raskaaksi ja kuvitellut, että siten asiat hoituvat hänen toivomallaan tavalla.

Tyhmäkin nainen on kyllä juonikas otus.

Akka on ku kuttu, jos ei tee pahhaa niin ainaki suunnittellee, sanoi isä usein.

Ei, en uskonut Susannan raskauteen, semmoista riskiä hän ei ottaisi. Minähän olin jalkapuoli, käsipuoli, pääpuoli ilman Pippaa. Minähän en selvinnyt aamusta iltaan ilman Pippaa. En löytänyt vaatteitani enkä ruokaa, en osannut käyttää kodinkoneita, en siivota enkä tiskata, olin juuri kuin isäpappani, joka töissään kyllä käytteli laastikauhaa taitavasti, mutta oli kotona täysin hoidettava. Elämäni meni kahdessa päivässä hunningolle ilman Pippaa, olihan se nähty.

Minä olin Pipassa kiinni kuin paarma lehmän kyljessä.

Susanna tuijotteli ikkunasta ulos ja punoi poninhäntäänsä.

»Antsu on kyllä niin ihme tyyppi, että se voisi olla

180

sotkeutunutkin tähän, jos vaimosi olisi pyytänyt siltä apua», Susanna sanoi hitaasti.

»Jätä jo se olmi. Pippa ei olisi ruvennut mihinkään tekemisiin sen kanssa.»

»Mistä sinä sen tiedät? Antsulta purkautui kerran kännissä vaikka mitä. Sinulle se oli katkera, sanoi sinua siaksi ja sadistiksi. Uhkasi järjestää jotakin sinun pääsi menoksi. Mehän oltiin äimän käkenä sen puheista.»

»Ketkä me?»

»Kaija, Tuija ja minä. Oli siinä Peuhkurikin, mutta se lähti pois, ennen kuin Antsu oli ehtinyt känniin. Peuhkuri on sen lajin alkkis, ettei se tykkää ryypätä porukoissa, yksin vaan. Antsu-parka oli ihan pää kainalossa seuraavana päivänä. Sinä päivänä, kun katoamisuutinen oli lehdessä, Antsu tuli töihin aivan vitivalkoisena eikä osannut pariin päivään muuta kuin tuijotella seiniin.»

»Miten minä olen voinut olla tietämättä mitään tuosta?»

Susanna katsoi minua silmät sirrissä. Äkkiä se raivostui.

»Koska olet kuuro ja sokea ja välinpitämätön ja tunteeton ja itsekeskeinen pikku paska, jolle kukaan muu ei merkitse mitään kuin sinun oma suurenmoinen itsesi.»

Hän hyppäsi pystyyn ja marssi ovelle.

»Valitettavasti minun on annettava kosintaasi

rukkaset», huusin hänen peräänsä. »En mene kanssasi naimisiin, vaikka odottaisit viitosia. Minä olen jo naimisissa.»

»Perun kosintani», hän huusi takaisin. »Jos minä lapsen synnytän, en tarvitse siihen sinun apuasi enkä tukeasi. Sen huolen voit heittää mielestäsi. Jäähän sinulle huolia vielä ihan tarpeeksi.»

»Kiitos jalomielisyydestäsi.»

»Vedä itses vessasta alas!»

Ulko-oven paukahdus sai seinät tärähtämään.

Räjähdin nauruun. Nauroin ihan kippurassa. Nauroin niin, että pahaa teki.

14

AMULLA SUSANNA SOITTI NYRPEÄNÄ.
»Unohdin auton ja kännykän.»
»Älä pelkää, en minä niitä käytä.»
»Mutta minua ripitettiin siitä. Voisit tuoda ne tänään itse. Virransivu haluaa tavata sinut. Ennen lounasta.»

Ei siis lounaalla. Hyviä uutisia ei ollut tiedossa.

»Ookoo, onhan minun haettava ne salikamppeet-kin. Et niitäkään muistanut.»

»Oli vähän muuta mielessä.»

Yritin palata edellispäivän keskusteluumme, kysyä, onko hän todella raskaana vai oliko tämä jokin muu juoni, mutta Susanna sanoi, ettei halua puhua asiasta. Hän sanoi itse tekevänsä omaa elämäänsä koskevat päätökset eikä ainakaan tarvinnut niissä minun tukeani, joka onkin osoittautunut kyseenalaiseksi; en näköjään osannut pitää huolta edes itsestäni, saati jostakin toisesta.

Loukkaannuin.

»Mitä helvetin kanttia sinulla on mitätöidä minut?

On tässä sentään pidetty perhettä pystyssä ihan yksin ja aika mahdottomassa tilanteessa. Yhtiön eteenkin olen tehnyt kaikkeni, kuten hyvin tiedät. Ainakin sinun pitäisi tietää. Nyt kun olen heikoilla, te olette kaikki kimpussani kuin susilauma. Miksi?»

»Mieti sitä.»

»Sano sille Virransivulle, että en tule sinne aamupäivällä. Tulen iltapäivällä, kahdelta. Sano sille...»

»Minä kerron kellonajan. Muun saat sanoa itse.»

Virransivu otti minut vastaan omassa huoneessaan. Hän notkui korkeaselkäisessä tuolissaan ja kieputti kynää sormissaan.

»Näin ei voi jatkua», hän sanoi.

Pakarinen parantaa vauhtia Viikonpäivien seuraavassa numerossa, sen hän tiesi. Hänellä oli vedoksetkin jutusta, halusinko lukea? En halunnut.

Virransivu sanoi, että nyt olivat vuorossa lohduton äiti ja epätoivoinen ystävätär. Äiti muisteli kyynel silmässä, millainen pikku enkeli Pippa oli lapsena, miten lahjakas, sievä, iloinen ja valoisa. Varsinkin kesämökillä Pietarsaaren lähellä vietetyt kesät olivat jääneet äidin mieleen rikkumattoman onnen aikoina. Siellä pikku Pippa kirmaili kuin perhonen kedolla. Se oli ollut paratiisielämää. Kukapa olisi voinut aavistaa, mitä kaikkea rouva Birgitta Hannula joutuisi kestämään: ensin miehen kuolema, sitten sairaan lapsenlapsen syntymä ja kuolema, tyttären syvä masennus yhä vaikeammaksi käyvässä parisuhteessa itseensä ja uraansa keskittyvän miehen kanssa, joka vapaa-ajat hummasi Helsingin yössä ja tuskin oli edes uskollinen. Ja sitten tämä mystinen katoaminen. Eikä murheen alhossa ollut kylmäkiskoisesta vävystä anopille mitään henkistä tukea. Onneksi sitä sentään tarjosi Taina Lindén, Pipan ystävä jo lapsuudesta asti.

Keskeytin Virransivun maalailun ja sanoin, että hän on näköjään paneutunut juttuun tunnollisesti kuin koululainen kotitehtävään.

»Haistahan paska. Ja sitten on aika luritukset heidän ystävyydestään ja naisten välisestä ystävyydestä yleensäkin. En tiennytkään, että se on niin verraton sidos.»

»Älä selosta. Mistä sinä jutun vedokset olet saanut?»

»Hyvänen aika. Ei tuollaista kysytä. Täytyyhän minulla olla reittini.»

En sanonut mitään. Olinkin aina epäillyt, että *Viikonpäivien* ja meidän lehden toimituksen välillä oli maanalainen käytävä, jota pitkin rotat juoksuttivat salasanomiaan.

Virransivu nytkäytti tuolinsa pystyasentoon, heitti kynän kaukaloon ja risti kätensä pöydälle.

»Tuokko ilmoitti, että sinut siirretään toimituksessa erityistehtäviin. Ei lehteä voi tehdä ilman päätoimittajaa. Sinä et voi tulla takaisin ennen kuin tämä juttu on selvinnyt. Et ainakaan ennen kuin Pakarinen on saanut kyllikseen ja lakkaa revittelemästä asiaa läpyskässään. Se voi viedä aikaa, kosto on suloista, ja äiti on aina äiti, vaikka olisi kleptomaanikin.»

Hän pärskäytti naurun.

»Muistatko sen yhden aforismin, että äitiään pitää rakastaa, vaikka hän olisi hyeena. Mistäs minä sen mahdoinkaan lukea?»

»Suuresta sitaattisanakirjasta, hakusanasta äiti. Se on arabialainen sananlasku. Oikeastaan siinä sanotaan, että äitiinsä voi luottaa, vaikka hän olisi hyeena.»

Virransivu katsoi minua suu raollaan, rapsutti etusormellaan juppisänkeään ja hymyili sitten leveästi.

»Olen aina epäillytkin, että sinun sivistyksesi pohja on Suuri sitaattisanakirja.»

Hän meni totiseksi ja rupesi rypistelemään kulmakarvojaan.

»Ei sinua voi täällä keulakuvana pitää, jos tulee oikeudenkäyntejä ja muuta häikkää.»

»Mitä helvetin oikeudenkäyntejä?»

»No mistä me tiedetään, mitä on tapahtunut. Voihan tässä piillä rikos. Ei me voida pitää näkyvässä asemassa ihmistä, jota mahdollisesti syytetään tai edes epäillään...»

»Pidätkö sinä minua murhaajana?»

»Een kai, en vielä ainakaan, mutta...»

»Usko pois, minä en ole listinyt vaimoani.»

»Ehkä sinä et ole se, jota minä tässä tapauksessa ensimmäisenä uskon. Täällä kävi eilen iltapäivällä pari poliisia, Forsnäs ja joku Sarkia. Utsivat kaikenlaista ja vaikuttivat hämmästyneiltä, kun kerroin, mitä täällä on sinun avioliitostasi ja vaimostasi tiedetty. Tai siis mitä pajunköyttä olet täällä syöttänyt.»

»Keskustelivatko ne muidenkin kanssa?»

»Susannan ainakin, ja Lyytisen, ja Tuijan ja Kaijan.»

»Sieltä on sitten tullut vaikka mitä.»

»Älä nyt, kuule, tässä toimituksessa on lojaalia väkeä. Ei täällä kollegaa selkään puukoteta pelkästä puukottamisen ilosta.»

Virransivu otti kultasankaiset silmälasit pöydältä kotelosta ja pani ne päähänsä. Hän tapitti minua totisena niiden takaa kuin vasta lasit päässä näkisi minut kunnolla. Tapitin takaisin; ei minulla ollut enää mitään syytä laskea katsettani pomoni edessä.

Ota vaikka stetoskooppi ja kuuntele, miten sydämeni jyskää.

Mittaa verenpaine. Laatikossasi on varmasti verenpainemittari, senkin kuntohullu.

Virransivun käsi nousi taas hankaamaan sänkistä leukaa. Sillä oli varmaan jokin partasieni.

»Lehdelle palkataan uusi päätoimittaja.»

»Eikö Peuhkuri voisi hoitaa sitä veeteenä?»

Virransivu päästi raastavan naurun.

»Sinulla tuota huumorintajua riittää. Hyvä, hyvä. Muilta se alkaakin olla lopussa. Peuhkurilla jo urakin vetelee viimeisiään, hyvä jos se pystyy omat lorottelunsa lorottamaan. Tässä tarvitaan pysyviä ratkaisuja.»

»Minulla siis ei ole paluuta päätoimittajaksi, kävi miten kävi?»

»Suoraan sanoen ei. Etkä pääse niihin erityistehtäviinkään toistaiseksi. Palkka juoksee, ja se on kuule talolta suuri myönnytys. Voisitkin saman tien luovuttaa yhtiön luottokortin ja työhuoneesi avaimet. Ja varaudu siihen, että kämppä menee. Se tarvitaan ehkä uudelle päätoimittajalle. Ja liian isohan se onkin yhdelle miehelle.»

»Työhuoneessa on minun kamojani.»

»Susanna siivoaa sinun jälkesi. Se on siihen tottunut.»

»Mistä minä kämpän tähän tempaisen, merkitty mies? Kuka tämmöisen murhaajan vuokralaisekseen ottaa?»

»Minunko se pitäisi tietää?»

Simba Pakarinen oli huomaavainen mies. Viikonpäivien uusi numero putosi ilmestymispäivänä postiluukustani ruskeassa kirjekuoressa, Simban nimikortti klemmarilla kiinni kansilehdessä. »Yhteistyöstä kiittäen»...

Pipan katoamisesta oli taas kahden aukeaman juttu. Isossa värikuvassa mamma Birgitta katsoo murheellisena ikkunasta ulos, huolellisesti kammattu kiharapää kallellaan.

Joiltakin murskautuu koko elämä niin siististi, ettei mene edes tukka sekaisin.

Toisessa kuvassa istuu Taina Lindén harkitussa asennossa sohvalla edessään läjä tyttöaikaisia päiväkirjojaan ja valokuvia, jotka todistavat Pipan ja hänen jo koulun alaluokilla alkaneesta ystävyydestä. Meikin eteen on nähty vaivaa, se näkyy tänne saakka. Vähältä pitää, ettei hymyile.

Pietarsaaren kesiä Tainakin muistelee herkistyneesti. Tiesin, että mökki oli olemassa vieläkin, mutta itse en ollut siellä koskaan käynyt. Pippa oli antanut pikku paratiisista aivan toisen kuvan. Pipan isä oli ostanut lammen ja sen rannat ja rakennuttanut pieni-ikkunaisen pöksän pusikkoiseen notkoon, varsinaiseen hyttyshautomoon. Lampi oli ukon mielestä idyllinen, tyyneydessään suorastaan sadunomainen; hänen sukunsa oli jokiseudulta, eikä hän koskaan tottunut Vaasan alituisiin mereltä puhaltaviin tuuliin. Rantapöheikön ympärillä oli sakea mustikkametsä, koska ukko oli sitä mieltä, että hänen naisväkensä ei kesäisin mistään niin voi riemuita kuin marjastuksesta ja sienestyksestä. Kun ukko viikonvaihteessa tuli mökille, hän kyöräsi porukkansa mustikkaan tai läheisille lakkasoille mäkäriä huiskimaan. Ja sitten sieneen. Ja viimeksi tehtiin vielä puolukkaretkiä ennen syyspakkasia.

Pippa sanoi inhonneensa paikkaa: ei sähköä, ei vesijohtoa, ei alussa autotietäkään perille asti. Koko ruumis oli paukamilla itikoitten pistoista, lammen vesi haisi suolle ja oli aina jääkylmää, mökki aina kostea ja pimeä, hella savutti, kynttilöitten ja öljylampun valossa ei nähnyt edes lukea, maito oli aina hapanta ja makkaranviipaleissa päällä vihertävä lima. Pipan mielestä 70-luvulla suunniteltiin kaikkien aikojen surkeimmat kesämökit, ja hänen isänsä valitsi niistä kurjalle tontilleen kaikkein surkeimman. Pappa oli sitä mieltä, että mökin pitää olla pieni ja vaatimaton, se kuului suomalaiseen kesämökkikulttuuriin ja elämäntapaan.

»Siihen nokipönttöön en lähde ikinä», Pippa sanoi, kun ehdotin köyhinä vuosinamme, että voisimme mennä sinne lomaa viettämään.

Kiihkeä vastustus oli omituisessa ristiriidassa hänen intoilevan luonnonmukaisuutensa kanssa. Pippa taas oli sitä mieltä, että hänen luonnonrakkautensa tulee paremmin tyydytetyksi Helsingin edustan saarilla, valossa, tuulessa ja avoimessa merimaisemassa. »Miksi pitäisi mennä johonkin metsäloukkoon kärsimään?» hän kysyi.

Ei minulla ainakaan ollut vastausta. Olisin vain halunnut nähdä mökin, viettää siellä muutaman päivän, koska lapsena kesämökki oli upeinta, mitä saattoi kuvitella. Isä teki aina kesät töitä. Silloin ei lähdetty mihinkään, koska isä vaati passausta. Keskenään lapset taas eivät voineet matkustaa, se ei tullut kuuloonkaan. »Ei kakarat mittään matkaile, ei ne mittään turisteja ole», isä sanoi. Äiti oli samaa mieltä; hän iloitsi kesistä, joiden aikana isä ansaitsi hyvin eikä ehtinyt ryypätä.

Koululaisten kesäsiirtolaan minua ei yhden kesän kokemuksen jälkeen enää olisi saanut kuin kahleissa. Vuosikausia, ja joskus vieläkin, painajaisuneni sijoittuivat siirtolan lankkupöytäiseen ruokasaliin, jossa joku aina onnistui räkäisemään jonkun mannavelliin tai ampumaan hernesopasta onkimansa läskinpalan lusikan kärjestä vastapäätä istuvan silmään. Kasarmimaisissa makuusaleissa pienimmät itketettiin joka ilta isompien toimesta, ja minä kuuluin niihin pienimpiin.

Vasta aikuisena, Orwellini luettuani, pystyin naureskelemaan, että olen minäkin saanut kuukauden verran kokea millaista olisi elää englantilaisessa yläluokan poikien sisäoppilaitoksessa. Kesäsiirtolaan verrattuna armeija oli kivaa poikien leikkiä, pum-pum-sotaa ja reipasta ulkoilmaelämää.

Äkkiä ymmärsin isää. Hän raatoi parhaan rakennuskauden, huhki illat ja viikonloputkin omakotityömailla. Rahaa tuli paljon lyhyessä ajassa. Hän olisi varmaan halunnut, että sitä olisi myös käytetty. Että kotia olisi kohenneltu, ostettu uudet verhot kamariin, matonpätkä keittiöön, kauniita astioita. Että äiti olisi ostanut jotain tyylikästä itselleen, käynyt kampaajalla, pannut hajuvettä. Ottanut joskus edes essun edestään kotioloissa. Mutta voiko hämäläinen muurari sellaisia toivomuksia muijalleen ääneen esittää? Eikä äiti ymmärtänyt. Isä antoi hänelle rahaa, ja hän jemmasi sen kätköihinsä, peloissaan, niiden pahojen päivien varalle, joiden tiesi vuoden loppupuolella taas alkavan.

Äiti oli nuuka ja arka, kitsas kaikessa, kitsas tunteissaankin, niin kuin itarat ihmiset ovat: jokainen hyvä teko, hellä sana, lempeä ele, hyvä ajatuskin on itseltä pois. Parsi verhojaan, jynssäsi ja paikkaili matonriepujaan, käänsi ja väänsi vanhoja vaatteitaan, kulki loppuun kuluneissa kenkärisoissaan. Ehkä juuri se ärsytti isän raivoon. Hän paiskii töitä hullun lailla, ja muija elää kuin kerjäläinen mukuloineen. Mielenosoitusta se miehen silmissä oli. Ehkä isä ei olisikaan ruvennut myöhäissyksystä ryyppäämään, jos äiti olisi vähän kohentanut kotia ja itseään. Ostanut joskus herkkuja ruokapöytään, pukenut lapsensa sieviksi, varsinkin tytöt, joille hän krottasi leninkejä omista vanhoistaan niin kauan kuin niissä vähänkin ehjää kohtaa oli. Ja tytöt niin pieniä, että ne saatiin pakotetuksi niitä riepuja ja purkulankapuseroita pitämään.

Ehkä meillä olisi rähisty ja tapeltu vähemmän, jos äiti olisi näyttänyt isälle, miten hänen työllään parannetaan elämää, näytetään, että pärjätään, mennään eteenpäin. Osoitettaisiin isälle, miten arvokkaita rahoja hän toi kotiin, miten arvokas hän oli itse.

Mutta äiti lepatti ja vapisi ja pihtasi, pelkäsi isää ja koko elämää. Vasta kuoleman jälkeen isästä tuli mittaamattoman arvokas, loputtoman kaipuun ja kiitoksen kohde. Saitakin ihminen kykenee vainajaa ylistelemään, siinä ei enää tarvitse antaa toiselle mitään.

Eipä silti, enhän itsekään ollut äijästä mitään ymmärtänyt. Myötätuntoni oli äidin, uhrin, puolella. Mutta enää en tiennyt, kuka oli uhri.

Ikuinen suomimakkarasoosi ja kuoriperunat, sitkistynyt leipä, kaurapuuro ja laiha kahvi. Tähteet, ruoanloput, purkinpohjat, jotka aina vain ilmestyivät pöytään. »Kyä tää viä käy, kyä tätä viä vallan syä.» Isä ei edes olisi voinut ryypätä, jos rahat olisi käytetty muuhun. Nyt rahaa oli, eikä edes pankissa, vaan muijan kätköissä, jotka janoinen mies äkkiä otti selville, kun lompsa tyhjeni.

Niiden kauhun kuukausien varalle äiti minun kesäansionikin vei. Ei niitä perheen elatukseen olisi tarvittu. Äijä ryyppäsi nekin.

Äiti, perkele!

Isä oli elänyt marttyyrivaimon kanssa niin kuin minäkin olin elänyt. Raivosi siitä, tappeli sitä vastaan nyrkein ja astaloin, mutta ei pystynyt muuttamaan asioita.

Niin kuin en minäkään pystynyt.

»Pirjo 'Pippa' Arjosto edelleen tietymättömissä.» »Pipan koko traaginen elämä.» »Nyt tilittää Pipan läheisin ystävä.» »Äidin pohjaton suru.» »Aviomies pakoilee julkisuutta, poliisi niukkasanainen.»

Simba Pakarinen oli päästänyt luovat voimansa valloilleen.

Mietin, kuinka kauan kestäisi, ennen kuin hän tuntisi kostaneensa tarpeeksi äitinsä puolesta. Hällä väliä enää, toisaalta, minut hän oli leimannut loppuiäksi. Vaikka Pippa palaisi huomispäivänä kotiin yhtä terveenä ja pulskana kuin oli lähtenytkin, minut oli ryvetetty niin, että mitään merkittävää asemaa tämän maan pienessä lehtimaailmassa en enää koskaan saavuttaisi. Minun imagoni ei tekisi hyvää minkään tiedotusvälineen imagolle.

Mikä hölmö olin ollut, kun olin mennyt heittelemään noita keveitä valheita vaimostani ja avioliitostani. Ilman niitä olisin nyt paljon vähemmän epäilyksen alainen. Eikä tarvitsisi hävetä niin helvetisti. Simba Pakarisella olisi huomattavasti vähemmän paljastettavaa ja siunailtavaa. Tapaus ei edes kiinnostaisi ketään. Onhan niitä lihavia muijia, jotka lähtevät lätkimään avioliitoistaan eivätkä suutuspäissään ilmoita itsestään mitään vähään aikaan. On itsemurhan tekijöitä, jotka...

Sitä en halunnut ajatella.

Ajattelin silti.

Eikö Pippa nimenomaan joskus ammoin sanonut, että jos hän tekisi itsemurhan, hän tekisi sen kävelemällä autiolla rannalla mereen, kahlaisi, kunnes vesi vyörähtäisi yli pään, tekisi sen kenenkään näkemättä, niin että hän vain katoaisi jäljettömiin. Se olisi hieno kuolema, hän sanoi, kuvitteli itsensä makaamassa kaikenlaisten kauniiden kotiloiden ja meritähtien peittämänä kirkkaassa vedessä meren pohjalla.

Minä suutuin.

Selitin, että jos hän katoaisi, häntä lähdettäisiin väellä ja voimalla etsimään, hänen omaistensa mieleen ei tulisi mikään romanttinen jäljettömiin häviäminen vaan paljon synkemmät ja raadollisemmat mahdollisuudet. Sitä paitsi hän todennäköisesti ajautuisi ennemmin tai myöhemmin rantaan, tuntemattomaksi pöhöttyneenä hirviönä.

»Ja maha täynnä nahkiaisia», sanoin. »Tai ankeriaita suusta ja peräaukosta pursuen niin kuin hukkuneen hevosen raadossa siinä Grassin Peltirummussa», lisäsin.

Pippa meni noloksi, mikä todisti, että hän oli todella elätellyt tuollaisia hömpötyksiä päässään. »Hyvä tietää, täytyypä muuttaa suunnitelmia», hän sitten sanoi ja nauroi.

Sanoin vielä, että katoaminen on omaisten kannalta häijyin temppu, koska kuolleeksi julistamista piti odottaa vuosikaudet, kymmenen vuotta ainakin, eikä sinä aikana voinut tehdä esimerkiksi mitään omaisuusjärjestelyjä eikä mitään muutakaan. Pankkitilitkin jäädytettäisiin. Eikä saisi vakuutusrahoja.

Se on vähän kuin kytkisi aviopuolisonsa ja lapsensa tai muut omaisensa kahleisiin kymmeneksi vuodeksi.

»Ja sitten omaisten pitäisi vielä tunnistaa se nahkiaispyydys, jos se löytyisi», sanoi Pippa.

»Niin, kyllä olisi noloa tulla sen näköisenä miehensä silmien eteen.»

Sille naurettiin. Muistutin Pippaa siitä, että hänen pitäisi panna taskuunsa kiviä, niin kuin Virginia Woolf oli tehnyt ennen hukuttautumistaan. Muuten hän nousisi heti pintaan, ja koko idea olisi pilalla. Pippa kysyi, mikä minusta olisi hienoin kuolema. Sanoin, että Siperian tiikerin tappamana ja syömänä olisi upeaa kuolla. Siinä tekisi viime töikseen vielä ekologisesti hyvän teon, auttaisi uhanalaisen lajin edustajaa pysymään hengissä.

»Eikä jäisi raatoa. Ei jäisi kuin kakkakasa taigaan», Pippa sanoi.

»Ja sekin ravitsisi vielä jotain harvinaista uhanalaista kasvia», sanoin.

Olihan minullakin romanttinen unelmani.

Enkö ollut unelmoinut, että yhtenä kauniina päivänä, kun tulen töistä kotiin, vaimoni on kadonnut, hävinnyt kuin tuhka tuuleen, imeytynyt avaruuden mustaan aukkoon, hajonnut atomeiksi, haihtunut savuna ilmaan? Kärsimättä, kuolematta, jättämättä mitään jälkeensä, tyhjää paikkaakaan. Aiheuttamatta mitään seurauksia, niin että minä voisin aloittaa elämäni alusta, puhtaalta pöydältä, vapaana miehenä, kuin pahasta unesta heränneenä.

Unelmani näytti toteutuneen täydellisesti. Pippa toteutti sen. Oliko hän toteuttanut myös omansa?

Soitin Forsnäsille ja kysyin, onko kaikki hukkuneiden ruumiit tunnistettu, tai niiden, jotka ovat löytyneet metsistä tai muualta.

»Miksi te sitä kysytte?»

»Koska olen huolissani. Vaimoni oli aika masentunut pitkän aikaa. Ja koska teistä ei ole kuulunut mitään.»

»Me työskentelemme koko ajan, mutta emme me teille voi joka käänteestä raportoida. Poliisi ei kuuluta menetelmistään turuilla ja toreilla, kai te sen tiedätte, lehtimies. Ja meillä on muutakin selvitettävää kuin teidän vaimonne tapaus. Löytyneiden vainajien joukossa hän ei ole. Tutkimusten perusteella näyttää edelleen siltä, että vaimonne on lähtenyt oma-aloitteisesti eikä halua omaistensa toistaiseksi tietävän, missä on. Ehkä hän järjestelee elämäänsä ja ottaa yhteyttä, kun tuntee olevansa riittävästi voimissaan. Kärsivällisyyttä vain, sitä tällaisissa tapauksissa tarvitaan. Ei tämä maailman järkyttävin juttu ole, ei ollenkaan.»

»Minun maailmani järkyttävin se on.»

»No niin no. Luonnollisesti, en halua mitenkään loukata. Me olemme tietysti tutkineet mahdollisuuden, että hän olisi poistunut maasta. Lentäen tai laivalla hän ei ole lähtenyt, ei myöskään itärajan yli. Pohjoisen rajanylityspaikoista Ruotsin ja Norjan puolelle ei ole saatu mitään asiaa vahvistavaa raporttia. Pirjo Helen Kristina Arjoston, omaa sukua Hannula, nimelle ei ole kirjoitettu passia. Tai on, neljä vuotta sitten, mutta senhän te löysitte kotoa.»

»Oletteko käyneet Pietarsaaren mökillä?»

»Kyllä, me kävimme siellä jopa rouva Hannulan opastuksella. Ei siellä ollut mitään jälkiä kenenkään oleskelusta. Eikä siellä voisi tähän aikaan vuodesta oleskellakaan. Se on aika primitiivinen paikka.»

Forsnäs niiskahti kuin olisi äkkiä nolostunut siitä, että lausuu moitteen sanan toisen ehkä hyvinkin paljon arvostamasta vapaa-ajan asunnosta. Sitten kuului ääni kuin hän olisi naputtanut kynällä hampaitaan. Keskeytin sen.

»Vieläkö te epäilette minua?»

»Mistä?»

»Epäilettekö te minua murhaajaksi?»

»Minä en tuota sanonut. Te sanoitte.»

»Etsikää vaimoni, en voi elää ilman häntä», kuulin sanovani Forsnäsille sellaisella äänellä, että se tuntui itsestänikin uskomattomalta.

Joulukuun alkuun mennessä Pakarinen oli saanut
tarpeekseen. Juttu pieneni uutisluontoiseksi ja sai
pysyväksi otsikokseen: »Päätoimittajan vaimon ka-
toamisessa ei uutta.» Sitten se hävisi kokonaan.
Ympärilleni tuli hyvin hiljaista.

Olisin voinut mennä jopa kapakkaan, jos en nyt
Pressiin, niin ainakin ostarin pubiin. Olin käynyt
siellä marraskuussa kauppareissulla. Oli iltapäivä,
ajattelin, ettei pubissa ole juuri ketään. Eikä siellä
ollutkaan. Mutta kun olin istuutunut tiskin ääreen ja
saanut kaljani, jonkun käsi läimähti olkapäälleni, ja
ääni sanoi: »Morjens Arjosto, joko muijas on tullut
kotiin?»

En kääntynyt, vedin niskani kyyryyn ja ryystin
tuoppini pikavauhtia. Lähdin ulos sivuilleni vilkui-
lematta.

Olin yksin kuin piru kalliolla. Vain asunnossa tun-
sin oloni turvalliseksi, vaikka tiesinkin, että siitä oli
pian lähdettävä, hienoista huonekaluista luovuttava.
Se oli kaikesta huolimatta koti, ensimmäinen, jonka
olin omin käsin varustanut niin kauniiksi kuin osasin
ja josta olin ollut ylpeä, vaikka en koskaan voinut
sitä ystävilleni esitelläkään.

Keille ystäville?

Eihän minulla ollut ystäviä, vain työkavereita,
ryyppykavereita, pelikavereita, petikavereita. Hyviä
veljiä ja hyvän päivän tuttuja, heihei-jengiä, julkisia

naamoja. Ei yhtään ihmistä, pelkkiä naamatauluja. He kaveerasivat kanssani, että saisivat kuvansa lehteen, mieluiten kanteen, ja pääsisivät sisäsivuilla avaamaan sielunsa ja sydämensä todistaakseen, miten älykkäitä ja lahjakkaita ja henkisesti kehittyneitä he ovat.

Julkisuutta oli saatava, sillä julkisuus poiki lisää julkisuutta, ja julkisuus oli elinehto ihmiselle, joka oli itse oma tuotteensa, jolla ei ollut esittää muuta, ei ainakaan mitään niin kelvollista, että sen varaan voisi laskea tulevaisuutensa.

Julkisuus ei ollut väline vaan päämäärä. Tämä totuus valkeni joillekin hitaasti; he luulivat, luovansa uraa lahjojensa avulla. Jokainen nöpönenäinen missikisojen perintöprinsessa vakuutti kahta asiaa: että suhde poikaystävään kestää ja että julkisuudessa puhutaan vain »työasioista». Sitten tuli päivä, jolloin hänkin älysi, että juuri hänen naamansa oli hänen »työasiansa», jonka oheen piti löytyä koko ajan uutta intiimiä tilitettävää. Niin ne sortuivat paljastelemaan salaisuuksiaan, jotkut jopa keksimään rakkausjuttuja, lapsuuden tragedioita, kaivamaan haamuja menneisyydestään pitääkseen mielenkiintoa yllä. Mummon kalmo, äidin syöpä ja isän alkoholismi kelpasivat vaihdannan välineeksi siinä missä muukin elämän riesa ja roina.

Kuolinvuoteellakin oli tilitettävä, ja jos ei enää itse

pystynyt, intiimit yksityisseikat revittiin irti omaisista. Sen parempi, mitä sensaatiomaisempi loppu: kuolema viinaan, huumeisiin, aidsiin. Sitä mukaa, kun aids oli levinnyt parempiin piireihin, siitä oli tullut nykyajan keuhkotauti, taiteellinen tapa kuolla. Siitä oli kirjoitettu romaaneja ja tehty elokuvia. Afrikan miljoonat sairastuneet tuntuivat potevan aivan jotain muuta sairautta kuin New Yorkissa aidsiin kuihtuva miespuolinen taiteilija.

Myös itsemurha oli komea tapa jättää näyttämö, sitä maiskuteltiin pitkään. Henkirikoksen uhreista tehtiin lehtijuttujen pohjalta kirja, kirjasta elokuva tai tv-sarja, jota taas esiteltiin laajoissa lehtijutuissa.

Tuossa maailmassa olin vapaaehtoisesti pyörinyt mukana ja pyörittänyt muitakin.

Nyt minut oli häpäisty sen saman maailman silmissä.

Ketterästi se oli käynyt, itse ei ollut tarvinnut tehdä mitään.

Eikä minulla ollut ketään, jolle soittaa ja kertoa, että minulla oli paha olla.

Kun luin *Viikonpäivien* juttuja Pipasta, anopin ja Tainan kuvauksia, tuntui, että olin tuntenut täysin eri ihmisen kuin he.

Miten ylipäätään koskaan voisin tajuta sitä ihmistä, vaikka hän tulisikin takaisin?

Nuoruuden hillittömässä puheenporinassa olin

luullut tietäväni, kenen kanssa puhun, minkälaisen ihmisen. Olin mielestäni ymmärtänyt Pipan maailmankuvan niiltäkin osin, kun en ollut sitä jakanut. Olin tajunnut hänen toiveensa ja tarpeensa, päässyt yhteyteen hänen todellisen olemuksensa kanssa.

En ollut tajunnut mitään.

Ajatukseni olivat yhtä epäselviä kuin ikkunastani aukeavat myöhäissyksyn ja alkutalven aamut. Nukuin paljon. Elin kuin horteessa, en jaksanut edes lukea. Avasin joskus television, mutta lähetykset tuntuivat tulevan suoraan hullujenhuoneelta.

Muutamaa päivää ennen joulua sain siskoilta joulukortit. Toinen tuli Norjasta: Rauhallista joulua ja toivorikasta uutta vuotta lämpimin, myötätuntoisin terveisin, toivoo Sari. Kirsi Lappeenrannasta toivotti »sydämensä pohjasta» joulun rauhaa ja mielen tyyneyttä alkavalle vuodelle. Niin lämpimiä tunteenilmauksia en ollut koskaan aiemmin sisariltani saanut. Kuorissa oli lähettäjän osoite.

Voisin ottaa yhteyttä. Minulla on kaksi siskoa, joille voisin lähettää kirjeen.

Istuin kortit kädessä sohvalla.

Tuijotin ilmaa edessäni.

En ollut tavannut sisariani äidin hautajaisten jälkeen. Olivatko he minulle muuta kuin haalistuvan valokuvan kaltainen muisto kahdesta vaitonaisesta ja värittömästä tytöstä, jotka tuntuivat viettäneen koko lapsuutensa ja nuoruutensa äidin selän takana? Muistini sijoittaa heidät aina keittiöön, tiskaamaan, pyyhkimään pöytää, kattamaan, kuorimaan perunoita, istumaan vastakkain läksykirjoineen ja vihkoineen, päät kumarassa, lampun valo hiuksissaan, jotka olivat tummat.

Vai vaaleat?

Maantienväriset?

Miksi he eivät koskaan oikein olleet minulle olemassa, merkinneet mitään? Koska minä olin poika ja yksin, he tyttöjä, ja heitä oli kaksi? Ehkä he eivät ollenkaan olleet vaitonaisia ja värittömiä, toisten silmissä, minä vain en osannut katsoa ja kuunnella heitä, en huomannut heitä, elin elämääni kuin heitä ei olisi ollut olemassakaan.

Ostin jouluksi vähän kinkkua, purkin lasimestarinsilliä, pienen lanttulaatikon, rosollia, juustoa, suklaalevyn, muutaman oluen. Myymälä pullisteli asiakkaita, jotka lykkivät kukkuroilleen kuormattuja kärryjään. Solariumissa tai etelänreissulla rusketetut, hyvin meikatut ja hyvin laihdutetut kulosaarelaisrouvat risteilivät myymälässä nilkkapituisissa turkeissaan, pitkät leuat tanassa, julmailmeisinä kuin vanhat intiaaninaiset. Hermostuneessa tungoksessa joku turkkiniekka välillä räjähti, sätti lihatiskin punottavan myyjän ja sai kassatytön melkein purskahtamaan itkuun, ja motkotti vielä ulkona värjöttelevälle puudelilleenkin.

En ollut kokenut moista; Pippa oli aina huolehtinut jouluostoksista. Minun jouluvalmisteluihini kuului käydä kymmenkunnassa glögitilaisuudessa ja muutamissa pikkujouluissa.

Ostosteni vähäisyys hävetti minua. Kaikki näkivät minun viettävän joulua yksin. Ymmärsin, miksi yksineläjät inhoavat joulua: heitä hävettää. Jotain pahasti vialla pitää olla ihmisessä, joka ei edes jouluna saa ketään seurakseen.

Söin yksinäistä ateriaani ja mietin, että Pippa oli ollut jouluihminen, lapsesta asti, kuten hänen äitinsä kertoi vuosittain joulun aikaan. Me ehdimme viettää pari oikeaa onnellista, lapsellista joulua kuusen ja jouluruokien tuoksussa, herkutella perinpohjaisesti, rapistella paketteja auki, lojua kaulakkain kahvin ja konjakin ääressä, suklaanappi suussa.

Asiat, jotka vaikuttivat itsestään selviltä, annetuilta, ovat yhtäkkiä ohi niin perusteellisesti, että on vaikea uskoa niitä koskaan olleenkaan.

Kun yritin ajatella elämääni, näin sen monena, toisistaan erillisenä, alkuunsa kiertyvänä ympyränä. Ne eivät koskettaneet toisiaan, ne kieppuivat ajassa erillisinä kuin ilmaan heitetyt sormukset. Se tuntui sanomattoman surulliselta.

Menin makuuhuoneen vuodevaatelaatikolle. Pipan varastoja oli vielä jäljellä. Rouskutin pussin sipsejä ja toisen suolapähkinöitä. Ahmin päälle pakkauksen Brunbergin neekerinpusuja. Vatsassani kiersi.

Ajattelin, että ymmärsin jotakin siitä, miltä Pipasta tuntui, kun hän eli kuin vanki tässä asunnossa ja yritti syödä itseään vapaaksi.

Ajattelin, että menetän kohta toivoni Pipan paluusta, ja että sen täytyy tuntua helpottavalta.

Kun se on ohi.

Oli se nyt mitä tahansa, kunhan se on ohi.

II

*Ottakaamme puheeksi naiset. Kukapa ei olisi kuullut
pariisittaresta, joka antoi nylkeä itsensä vain saadakseen
uuden ja entistä raikkaamman ihon! Joidenkin muiden
tiedetään vedättäneen pois elävät ja terveet hampaat
saadakseen pehmeämmän ja täyteläisemmän äänen tai
tasaisemman hammasrivin. Miten monia esimerkkejä
tuskan halveksimisesta tämä sukupuoli tarjoaakaan!*

MICHEL DE MONTAIGNE (1533–1592):
»KÄSITYS HYVÄSTÄ JA PAHASTA
RIIPPUU SUURELTA OSALTA
HENKILÖKOHTAISESTA MIELIPITEESTÄ»
TEOKSESSA *ESSEITÄ I*, SUOM. RENJA SALMINEN

1

NAISET KIINNITTIVÄT HUOMIONI, koska olivat mustavalkoisissa kuin papit. Housupuvut, puolireiteen ulottuvat ryhdikkäät takit, valkoiset puserot, toisella tiukat terävät valkoiset kauluskäänteet, toisella sentään kevennyksenä vaalea pitkä huivi kaulan ympäri kietaistuna. Pehmensi vaikutelmaa kuin käärinliina. Toisen lyhyeksi kynitty tukka oli tumman punainen kuin espanjalainen luumu, toisella oli suora, musta polkkatukka ja viivoittimella vedettyä otsatukkaa melkein kulmakarvoihin asti. Pää oli kuin mustaksi lakatussa laatikossa.

Noihin kulmiin ja särmiin sitä satuttaisi itsensä. Laihoja ja laitettuja, vierasta lajia, ei kiinnosta.

Laskin katseeni takaisin papereihini, mutta nostin sen äkkiä ylös.

Naisista toinen, se luumupää, oli Taina.

Naiset seisoivat keskellä Kosmoksen salia ja katselivat ympärilleen kuin tilaa etsien, vaikka ravintola oli puolityhjä niin kuin se iltapäivisin lounasajan jälkeen usein on. Siksi olin papereineni sinne tullutkin. Tainan korvakorut ulottuivat melkein hartioille. Olin kuulevinani, miten ne kilahtelivat ja kalahtelivat, kun hän käänteli päätään.

Kiva vanha kalkkaro, ilmielävänä.

Yritin pitää naamani alhaalla ja katseeni papereissa, mutta en malttanut olla vilkuilematta. Tietysti Taina huomasi minut. Sen laiha naama liikahti, suu venyi kohti korvia. Se, jumalauta, hymyili minulle. Ja lähti lonkkiaan keikuttaen tulemaan kohti. Toinen seurasi vähän epävarman näköisenä perässä.

Suljin silmäni.

Hokkuspokkus. Kun avaan silmäni, he ovat poissa.

Avasin silmäni. He seisoivat pöytäni vieressä. Taina hymyili edelleen. Tupakan käheyttämä ääni yritti notkistua ystävälliseksi.

»Sopiiko tähän istua?»

»No mutta tottakai.»

Miksi en valinnut pientä pöytää keittiön oven vierestä? Miksi minun pitikin istua loosiin?

»Olet vaihtanut tyyliä. En ollut tuntea», Taina sanoi.

»Minä puolestani tunnistin sinut kaukaa. Et ole muuttunut tippaakaan.»

»Pitäisi vissiin kiittää kohteliaisuudesta.»

»Myös minä olen sinulle kiitoksen velkaa. Niin paljosta.»

Taina meni vakavaksi.

»Älä nyt heti aloita, hei, ihan totta.»

Naiset istuivat vierekkäin toiselle puolelle pöytää kuin olisivat esiintyjiä ja minä yleisö. Niin kai asia olikin. Tainan katse noteerasi savukeaskini. Hän kaivoi omansa suuresta litteästä nahkalaukusta, joka näytti kalliilta ja siltä, että sisälsi paljon arvokasta tavaraa. Arvokkaalta näytti mustan ja kullan värinen imukekin, johon hän rupesi ruuvaamaan savukettaan.

Naiset olivat niin huolellisesti meikattuja, että toivat mieleen japanilaiset geishat, varsinkin se toinen, jonka pää oli mustassa lakkalaatikossa ja jonka silmät, tarkoin rajatut ja oudon kirkkaan vihreät, olivat hiukan vinot huoliteltujen kaarevien kulmakarvojen alla.

Kaunis nainen. Jumalattoman kaunis nainen.

Mutta älä tule lähemmäksi, älä. Minä vihaan naisia.

Taisin kuitenkin tuijottaa.

»Pete, pitkästä pitkästä aikaa», kurlasi Taina. »Voit uskoa, että olen ajatellut sinua tämän viimeisen vuoden aikana. Paljon.»

Varmaan hellyydellä, niin kuin minäkin häntä, perkeleen noitaa.

Taina touhusi esittelyä.

»Tässä on Stina Björkman, minun uusi PR-naiseni. Firmani yhteiskunta- ja mediasuhteitten hoitaja. Hän on Tukholmasta, mutta alun perin hänkin on Vaasan tyttöjä.»

Erityisesti minä vihaan vaasalaisia naisia.

»Hauska tutustua», sanoin, nostin takapuoltani penkistä ja tartuin Stina Björkmanin kapeaan käteen. Se oli yllättävän lämmin ja kuiva. Ei mikään liskonkäpälä niin kuin tuon toisen.

»Hei», soinnahti Stina. Äänikin oli nätti, matala, sillä ei voinut kuvitella mäkätettävän ainakaan kovin pahasti.

Taina aloitti kähisevän selostuksen siitä, mitä hänelle kuului. Hän oli laajentanut pikku firmansa toimialaa, hänellä oli muotiputiikin lisäksi nyt vähän mallivälitystäkin, ja sen semmoista. Ei siitä mitään olisi tullut, jos hän ei Tukholmassa olisi törmännyt vanhaan lapsuuden tuttavaansa Stinaan, joka oli oikea aarre, kaamean ammattitaitoinen, kaamean kielitaitoinen, kaamean monipuolisesti koulutettu ja kaamean perillä kaikesta, mistä pitikin. Stina oli Ruotsissa tehnyt televisiotöitäkin, ollut mukana suositussa muuttumisleikkiohjelmassa, juontanutkin sitä. Hän oli tunnettu kasvo siis. Ruotsissa siis. Alan piireistä hän tietenkin tunsi kaikki, jotka oli hyödyllistä tuntea. Ruotsalaiset siis. Amandan kehitys lähtisi nyt aivan uusille urille, siitä tulisi pian vähintään saman veroinen brändi kuin Marimekosta. Siis.

Stina Björkman hymyili hillitysti.

Hänellä oli pilkettä silmissä.

Parempi olla katsomatta liian läheltä ja liian tark-
kaan.

Taina jatkoi monologiaan.

»Minulla on nyt oma suunnittelija, joka tekee
meille oman malliston, itse asiassa projekti on jo
pitkällä. Ensimmäinen Amanda-mallisto esitellään
keväällä. Se on jotain ennennäkemätöntä... Suunnit-
telija on yllätysnimi, me pidetään sitä salassa vielä
jonkin aikaa.»

»Sehän on hienoa.»

»Kaiken pitää olla Amandan tyylistä, viimeistä
mannekiinia myöten... me tähdätään kokonaisval-
taiseen lifestyleen, täydelliseen Amanda-lookiin, eikä
siinä ole mitään 60-luvun trikooraitaa eikä 70-luvun
kukkakretonkia eikä muutakaan retroa...»

Ja seuraava askel on tietysti Amanda-housing. Ja
sitten Amanda-thinking, että pääsisit ihmisten pään
sisällekin hääräämään. On sitä ennenkin joku le-
gendaksi korotettu yrittänyt, ja vähän aikaa hyvällä
menestykselläkin.

»Sehän on vielä hienompaa.»

»Meillä oli jo ensimmäinen info, jossa minä esitte-
lin meidän ensimmäiset mallitytöt medialle. Ja Stinan
tietysti. Siitä oli kyllä molemmissa iltapäivälehdissä.
Ja kaikissa naistenlehdissä, mutta sinä et taida lukea
naistenlehtiä...»

En. Enkä lue myöskään *Viikonpäiviä* enkä *Tässä*

ja nyt -lehteä, enkä kovin usein iltapäivälehtiäkään. En sanonut sitä, koska minun lukutottumukseni eivät hänelle kuuluneet.

»Entisellä lehdelläsi menee kuulemma hyvin. Ovat palkanneet neljä uutta toimittajaa. Lehtisen Jussikin on otettu vakkariksi.»

»Sehän on hauska kuulla.»

»Siis neljä vielä niiden lisäksi, jotka otettiin Peuhkurin ja sinun tilalle», Taina jatkoi.

»Peuhkurin? Mitä sille on tapahtunut?»

»Jäi sairaslomalle ja sitä tietä sairaseläkkeelle. Sisuskalut romuna, haima ja maksa varsinkin. Kyllä se on mennyttä miestä.»

»Tunnut olevan hyvin perillä asioista.»

»Minähän liikun paljon mediaväen keskuudessa. Ammatin vaatimuksesta. Jutut kulkevat.»

Varsinkin liikut sen yhden mediapersoonan seurassa. Tyhjentämässä likakaivoasi. Ja nyt ota luutasi ja nouse lentoon, minulla on töitä. Hymyilin ystävällisesti. Taina hymyili takaisin. Hänen silmänsä tarkkasivat minua. Näin hänen päänsä sisään ja kuulin hänen ajatuksensa. Ai, tuommoiseksi rehjakkeeksi se on muuttunut, nuhjuinen college, huonosti leikattu tukka, partakin riipin rääpin ja liian pitkä, on lihonutkin aika tavalla.

He ottivat tarjoilijan tuomat ruokalistat, paneutuivat niihin, alkoivat hartaasti keskustella annosten rasvoista ja hiilihydraateista. Ymmärsin, että kumpiakaan ei olisi saanut olla, mutta jotain tosi herkullista ja kunnolla täyttävää pitäisi saada.

Kokoilin papereitani, olin kahden vaiheilla. Pääsisin vähemmällä, jos vetoaisin hommiin ja lähtisin. Mutta toisaalta, voisinhan istua hetken, uteliaisuuttani ja piruuttani, ja juoda vielä yhden oluen.

»Mitäs viiniä teillä on?» Taina kysyi takaisin pöydän viereen äänettömästi hiipineeltä miestarjoilijalta, jonka viiksikarvat värähtivät, mutta vain vähän.

Analfabeetti tollo. Siinähän se lista on nokkasi alla.

Stina käänsi viinilistan esiin, luumunpunainen ja musta pää painuivat tekstin puoleen ja sormet tökkivät. Etsittiin jotain kevyttä mutta täyteläistä, ehdottomasti kuivaa mutta ei yhtään hapanta. Stinalla ei ollut tekokynsiä, ja lakkakin oli vaaleata. Tainan kaarevat, kantikkaiksi muotoillut rakennekynnet säihkyivät kuin isoäidin pöytähopeat.

He saivat tilatuksi. Taina kohenteli itseään ja ruuvasi imukkeeseensa uuden tupakan. Stina istui levollisena ja katseli minua kummallisen värisillä silmillään.

»Stina kyllä tietää ihan kaiken Pipasta, että sen puoleen voimme kyllä siitä asiasta keskustella», Taina täräytti yhtäkkiä. »Mitenkä sinulla on mennyt kaiken sen jälkeen?»

Hätkähdin. Hiki kihahti päälakeen, silmälasit tuntuivat huurtuvan.

Mennyt on. Kaikki on mennyt.

Jotain on sentään tullutkin.

Mutta älä luule, että rupean sinulle tiliä tekemään.

»Minulla menee nykyään ihan loistavasti», sanoin.

2

USI URA VANHASSA LEHDESSÄ EI KESTÄNYT
kauan.
    Menin sinne kyllä muina miehinä uuden vuoden alussa, kuten Virransivu oli määrännyt. Majoituin vastaan sanomatta samaan huoneeseen Peuhkurin kanssa, koska toimituksessa ei kuulemma muuallakaan ollut tilaa. Huone oli harmaana savusta ja haisi kuin junan tupakkaosasto. Peuhkuri väitti saaneensa erikoisluvan työhuoneessa tupakoimiseen ja kärhesi norttiaan kolmatta toppaa päivässä. Sain yskän, joka helpottui, kun rupesin itse polttamaan uudelleen.

    Peuhkuri ei Pipasta eikä muusta menneestä sanonut sanaakaan. Ei hän muutenkaan paljon puhunut, tuijotteli ikkunasta ulos naama ja silmämunat keltaisina, raapi viivoittimen kärjellä harmaan kiharapehkon peittämää päänahkaansa, jota kuulemma vaivasi psoriasis, ja hypisteli kananjalan näköisissä käsissään saastaista juomalasia, johon oli kaatanut koskispullostaan paukun ja lorauttanut yhtä saastaisesta lasikannusta tilkan vesijohtovettä päälle. Pulloa hän ei enää viitsinyt edes kätkeä, se seisoi ikkunalaudalla, sen verran verhon takana, ettei heti ovesta astuessa silmiin paistanut.

Hän tuli töihin taksilla ja lähti kotiin taksilla, eikä päivän mittaan juuri tuolistaan liikahtanut. Kävely nyki, nilkat olivat niin turvoksissa, että kengännauhat oli pidettävä auki.

»Pulihalvaus ei ole kaukana», Peuhkuri sanoi värittömästi, itsesäälittä. Se oli lähes joka-aamuinen huokaus työtä aljettaessa.

Huoneessamme ei useimpina päivinä juuri muuta inhimillistä ääntä kuulunut kuin kaksi yskää, Peuhkurin syvältä lohkeava krooninen bronkitis ja minun kuiva takomiseni, ennusmerkki hyvään alkuun päässeestä keuhkoahtaumasta.

Mutta minulle Peuhkuri hommasi asunnon, pienen yksiön Eerikinkadun päästä. Kämppä oli kurjassa kunnossa, omistaja oli työkyvyttömyyseläkkeellä, poikamies ja kuulemma asui pysyvästi Bangkokissa jonkun thaitytön kanssa eikä piitannut paskaakaan, kunhan sai sen verran vuokraa, ettei myydä tarvinnut.

Seisoin tyhjässä ja nuhruisessa asunnossa, jota edellinen asukas ei ollut välittänyt lähtönsä päiksi edes siivota, ja ajattelin, että maalaan, maalaan kaiken, valkoiseksi ja keltaiseksi ja jonkin seinän vaikka punaiseksi.

Ajattelin, että pitkällepä olin elämässäni päässyt: Eerikinkatua kaksi korttelia länteen. Neliöitä sentään oli muutama enemmän kuin edellisessä yksiössä, keittokomerossa oli ikkuna ja kylpyhuoneessa kunnon suihku.

Semmoinen urakaari.

Ostin Peuhkurille pullon Napoleon-konjakkia kiitokseksi. Se käänteli sitä kuin ei olisi ikinä konjakkia nähnyt ja sanoi, ettei hän juo kuin kirkkaita. Värilliset viinat ovat sikunaa ja haitaksi terveydelle. »Mutta voihan tästä tarjota, jos tulee vieraita», hän sanoi ja pingotti naamalleen sanoinkuvaamattoman virnistyksen.

Tyhjensin Kulosaaren asunnon kurkku karheana mutta kyyneltäkään vuodattamatta. Pipan vaatteet sulloin isoihin jätesäkkeihin, jotka rahtasin Pelastusarmeijan kirppikselle. Vain kerran painoin naamani Pipan villapaitaan, josta lähti tuttu tuoksu. Kirjoista vein puolet divariin, pianon myin, samoin osan huonekaluista. Loput vein vaihtotorille, paitsi sen, mitä uudessa kämpässäni tarvitsin ja minkä sain mahtumaan: sängyn, pyörivän tv-tuolin, studioni kirjahyllyt, ruokapöydän, joka voisi toimittaa myös työpöydän virkaa, hyvän työtuolini, muutaman maton ja verhoja.

Uolevi Kauhasen taulut, Kolme sitaattia Nabokovilta, otin mukaan, katselisin yksinäisten iltojeni iloksi pulleaa, alastonta kreivitär d'X:ää, joka piteli kämmenellä pientä, pulleaa, alastonta itseään; yhtä aikaa kadonnutta ja löytynyttä timanttikaulakorua; ojaan suistunutta miehen torsoa kirjavien lehtien keskellä, kylki auki repäistynä kuin Jeesuksella ristinpuulla.

Oliko minun luvallista luovuttaa kotini irtaimistoa, saati myydä? Tätä kysyi puhelimessa Forsnäs, joka soitti kesken muuttopuuhieni. Jos vaimoni on elossa, puolet omaisuudesta kuuluu hänelle, ellei meillä ole avioehtoa. Ja jos hän on kuollut, on laadittava lain mukainen perunkirja. Forsnäsin mielestä minun olisi viisainta varastoida kaikki, kunnes poliisi on selvittänyt vaimoni kohtalon.

»Konsa kivi veen päällä pyörii.»

»Anteeksi kuinka?»

»Anteeksi, ei kuinkaan. Mietin tässä vain poliisin työskentelyaikatauluja. Toistaiseksi poliisi ei ole selvittänyt mitään.»

»Kuulkaapas nyt...»

Keskeytin saarnan ennen kuin se ehti alkaakaan.

»Haastakoon vaikka rosikseen, kuka haluaa. Minun on tyhjennettävä tämä kämppä. Uuteen luukkuun ei mahdu. Minä en jaksa, perkele, näiden kanssa...»

»Te voitte joutua vielä hankaluuksiin. Muistakaa silloin, että minä varoitin.»

»Joojoo. Oliko muuta asiaa?»

»Ei muuta kuin että tarvitsemme uuden osoitteenne ja muut yhteystietonne. Tuli vain mieleen mainita tämäkin seikka, kun ette itse tunnu ottaneen sitä huomioon. Itse tapauksessa ei uusia käänteitä ole ilmaantunut.»

»Olipa uutinen. Kyllä niitä minulle on sitten ilmaantunut senkin edestä.»

»Siinä emme valitettavasti voi auttaa.»

»Se tästä vielä puuttuisi.»

Kerroin Forsnäsille uuden osoitteeni. Toivottelimme hyvät vuoden jatkot.

»Ai niin, voi hyvänen aika», hän huikkasi sitten. »Sitähän minun piti kertoa, että anoppinne on muuttanut Espanjaan.»

»Mitä pirua?»

»Häneltä tuli kirje...hetkinen...Fuengirolasta. Hän kertoo siinä myyneensä omaisuutensa, ostaneensa Espanjasta asunto-osakkeen ja muuttaneensa pysyvästi pois Suomesta. Hän kirjoittaa, että täällä oli liian raskasta elää tyttären katoamisen jälkeen. Että hän ei toivu, jos ei pääse uuteen ympäristöön, missä kaikki ei muistuta häntä hänen kokemastaan tragediasta. Hyvin koskettava kirje.»

»Taatusti.»

»Älkää olko sarkastinen. Hän on vanha nainen ja joutunut kärsimään paljon.»

»Ja minä en?»

»No tottakai teillä on omat murheenne, mutta mitä ne tähän kuuluvat?»

»Sitä minä olen kuulkaa miettinyt viimeiset kuukaudet lähes päätoimisesti, mutta en ole tullut sen viisaammaksi kuin poliisikaan.»

»Tarkoitan vain, että se, miten olette elänyt vaimonne katoamisen jälkeen, on teidän omalla vastuullanne.»

»En ole ikinä kenellekään muuta väittänyt. Myikö anoppi myös Pietarsaaren mökin?»

»Hän kirjoittaa myyneensä kaiken. Mökki oli kuulemma vaikea kaupattava, mutta joku erästelyä harrastava leskimies sen oli sitten ostanut. Erästely, on siinäkin sana sivumennen sanoen. Kieli rappeutuu rappeutumistaan. Biletetään, ruletetaan, tähditetään, stressataan ja fiilistellään. Ja erästellään. Ja kielitoimisto hyväksyy kaiken, kun kansa kerran niin sanoo. Poliisia tarvittaisiin sielläkin. Niin. Rouva Hannula kirjoittaa elämänsä helpottuneen, kun ei enää ole mitään kiinnikkeitä Suomeen. Sen kyllä ymmärtää.»

»Ymmärtäkää sitten vähän minuakin. Minä olen täällä kiinni käsistä ja jaloista kuin Gulliver lilliputtien maassa.»

»No mutta hyvänen aika, ettehän te mistään kiinni ole. Meidän puolestamme voitte lähteä ihan mihin haluatte.»

»Ymmärsin, että minun pitää olla tavoitettavissa, koska minua epäillään.»

»Ja mistähän teitä nyt epäillään?»

Aloin hiiltyä.

»Te kai sen osaatte sanoa enkä minä. Kai te epäilette minua murhaajaksi ja ruumiinkätkijäksi ja vaikka miksi.»

»Ei ollenkaan. Sihteerinne, siis entinen sihteerinne Susanna Pasanen ja esimiehenne Eero Virransivu ovat varmistaneet, että olette ollut heidän seurassaan niinä aikoina kun sanoitte olleenne. Lisäksi Susanna Pasanen on kertonut käyneensä teillä katoamista edeltävän päivän iltana ja keskustelleensa rouvanne kanssa.»

»Kertoiko hän myös, mistä he keskustelivat?»

»Riittävästi, luulisin. Ja totuudenmukaisesti, uskoisin. Ei teitä tällä hetkellä mistään epäillä. Tutkimuksemme seuraavat nyt aivan toista linjaa.»

»Ja mikähän se on, kun siitä ei ole minulle hiiskahdettu?»

»Tutkinnallisista syistä emme tietenkään voi sitä kertoa, varsinkaan henkilölle, joka on katsottava asianosaiseksi. Eihän sitä tiedä, mitä vielä tulee vastaan.»

»Pitäkää tietonne. Kiitos ja kuulemiin», sanoin ja suljin puhelimen.

Minulle anoppi ei ollut välittänyt muutostaan ilmoittaa. Viimeinen viesti oli heti vuodenvaihteen jälkeen tullut kirje, jossa hän moitiskeli minua sydämettömyydestäni ja kertoi käyneensä selvänäkijällä, joka oli vakuuttanut Pipan olevan hengissä ja voivan hyvin. Hän palaa, kun on henkisesti siihen valmis, oli selvänäkijä sanonut, ja äiti uskoi siihen. »Minulla on nyt rauha sydämessäni, mutta sinun sydämeesi ei rauha laskeudu elämäsi päivinä», anoppi manasi kirjeessään.

Pyörittelin kirjeestä pallon ja ajattelin, että anoppi oli sekä oikeassa että väärässä. Jonkinlaisen tylsän rauhantilan minäkin olin saavuttanut. Tein töitä, en nähnyt painajaisia. Mutta Pippa oli mieleni pohjalla liejukerroksena; pienikin liikahdus sumensi kaiken.

Mutta jos pystyn olemaan liikuttamatta, läikyttämättä, jonakin päivänä lieju on kivettynyt pohjaan eikä enää nouse.

Vielä en osannut olla läikyttämättä. Pippa minun järkeni oli varmaan sumentanut silläkin hetkellä, kun riehuin itseni ulos toimituksesta. Ihanteellinen, tinkimätön, moraalinen, autistinen, muodoton, mykkä Pippani, tutiseva hyytelöni, sakka maljassani.

Minä tunsin rakastavani Pippaa. Rakastin häntä epätoivon vimmalla ja kaipasin häntä. Hänen kanssaan eläminen oli käynyt mahdottomaksi, mutta yhtä mahdotonta oli elää ilman häntä.

Jos hän ei palaa, joudun elämään niin kuin elävät ne, joihin suru on jättänyt lähtemättömän jäljen. Tunsin oloni juhlalliseksi, kun ajattelin sitä, ja sen tunteen saavuttaminen tuntui ainoalta asialta, joka teki elämästäni elämisen arvoista.

Syvää, ajattelin. Murheellista ja vaikeaa, mutta syvää.

Tällaisten ajatusten jälkeen ravistelin itseäni kuin märkä koira.

Uusi päätoimittaja muutti Kulosaareen heti, kun kämppä minun jäljiltäni oli pintaremontoitu. Hän oli nimeltään Tapani Lahdensaari ja oppiarvoltaan valtiotieteen lisensiaatti, mistä Virransivu oli kovasti ylpeä.

Lahdensaari oli kova pelaamaan golfia, mikä yhdisti varsinkin häntä ja Tuokkoa. Golfbägi lojui vakituisesti päätoimittajan huoneen nurkassa, minun huoneeni, saatana, ja sen ovesta pyrähteli pyrstö keikkuen ulos ja sisään uusi törmäpääsky nimeltä Janna Paro.

Susanna oli sanonut itsensä irti ja kertonut muuttavansa takaisin vanhempiensa luo Joensuuhun ja aloittavansa kulttuurintutkimuksen opinnot Joensuun yliopistossa. Tämän kuulin Virransivulta, itse Susannalta en ollut saanut mitään viestiä. Hänkin oli päättänyt kadota elämästäni hyvästejä sanomatta. Päätellen tytön suunnitelmista hän ei ollut raskaana, tai jos oli ollut, oli teettänyt abortin.

Viisas tyttö, osasi katsoa eteensä.

Ajatus vihlaisi.

Janna Parolla oli yhtä hyvät sääret ja peppu kuin Susannallakin. Ja minihame ja pitkät vaaleat hiukset. Kotka ja Korppi rupesivat kutsumaan häntä Kultakutriksi. Tyttö oli siitä imarreltu, mikä todisti hänestä jotain, paljonkin. Mutta päätoimittaja Lahdensaari ei ollut kultaisten kutrien vieteltävissä. Hän oli uuden ajan ihminen, perheellinen kunnian mies, puhtoinen kiireestä kantapäähän, sisältä ja päältä, eikä vilkuillut Jannaa sillä silmällä.

Ihmettelimme Peuhkurin kanssa uutta journalistisukupolvea, jota Peuhkuri vilpittömästi inhosi.

»Ne tulee aamulla suihkunraikkaina töihin, kastepisaroissa kuin poimulehdet, perkele, haisevat hyvältä, eivät polta, eivät juo, eivät käy vieraissa eikä tutuissa, ei ne tunne yhtään portsaria eikä pultsaria eikä poliisia. Pitävät päiväkirjaa rasvaprosenteistaan, eivät syö läskiä, mutta ovat hulluna pullaan. Pulla, pulla, kuule Arjosto, pulla on se mikä erottaa uuden miessukupolven vanhasta, sano mun sanoneen. Etkö ole muka huomannut, että viinerivadit kahvihuoneessa ovat nykyisin kuin kärrynpyöriä, ja keksiä pitää olla kanssa, mieluiten kahta lajia? Ja aina on aihetta täytekakkukahveihin. Kun tuon lisenssin huoneeseen menee, aina sillä pullottaa konvehti poskessa. Sokerihullujahan ne on. Sokeri, se on oikein tämän infantiilin kulttuurin symboli, jumalauta. Elämän pitää olla karkkia! Makeeta, makeeta!»

»Älä nyt pillastu sentään.»

»En pillastu enkä pullistu, vituttaa vaan. Vapaa-ajat ne istuu jooga-asennossa jonkun trendipellen uskonnostatusseminaarissa tai pukkaa pienellä mailalla pientä palloa pieneen reikään, niin helvetin tärkeinä ja tosissaan sitäkin. Leikki on lapsen työtä, nääs. Töistä ne menee suoraan kotiin syömään makaruunia ja lihapullia ja mansikkajätskiä. Sitten ne töllää pentujen kanssa pikkukakkosta vaahtokarkki poskessa. Illalla ne lukee lapsille Hipsuvarpaan seikkailuja ja juo ämmän kanssa jotain imelää nukkumattiteetä ennen kuin menevät maate pehmolelujensa sekaan. Emmä käsitä. Mitä journalisteja tuommoset vanhurskaustieteen lisensiaatit on? On nämä aikoja. Viimeinenkin vapaa ammatti on menetetty markkinapelleille ja kamreereille. Jotka ei ole koskaan edes kasvaneet aikuisiksi. Paras täältä on kuolla pois.»

Peuhkurin kellanharmaille poskipäille oli noussut kaksi vaaleanpunertavaa läikkää. Hän kurkotti koskispulloaan ikkunalaudalta.

»Miten tuolla luonnolla voi tehdä tällaista lehteä?» minäkin päivittelin.

Peuhkuri ei ollut kuulevinaan.

»Ihan kuin niillä ei olisi tunteita ollenkaan, pelkkää esittämistä. Jos niitä joskus kutsutaan puhumaan median moraalista vaikka johonkin telkkariohjelmaan, ne puleeraa itsensä, pukee nätit vaatteet päälle ja lätisee, kuinka sydämen pohjasta ne arvostaa rakkaita lukijoitaan ja tekevät kaikkensa palvellakseen niitä. Ne hymyilee aurinkoisesti kuin poliitikot. Se on kamala hymy. Ne ei arvosta ketään, siksi niiden on helppo esittää kivaa kaikille. Ne pystyy repimään ihmisen kappaleiksi eikä edes hymy hyydy. On ne semmoisia fakiireja.»

»Eivät sinunkaan juttusi kilteimmästä päästä ole», sanoin.

»Kun mulla on nuo tunteet. Minä olen oikeasti häijy ihminen, täynnä ilkeyttä ja pahaa tahtoa. Minä olen, kuule, kutsumusammatissani.»

En osannut sanoa siihen mitään. Peuhkuri kaatoi itselleen koskista. Pullo kalahteli lasia vasten. Hän kulautti lasin tyhjäksi ja päästi pitkän huokauksen.

»Mutta paskaa nyt väännetään kaikilla luonnoilla, se on biologiaa. Kun siitä maksetaan, se on ekonomiaa. Ja kun se on semmoista kierrätystä kuin nykyisin, se on ekologiaa. Media ottaa juttunsa mediasta, käsittelee, ulostaa ja tulostaa. Ja käsittelee taas sen saman paskan. Se alkaa olla semmoinen suljettu ekosysteemi, jossa kiertää noin sata ihmistä.»

»Älä nyt yleistä. Ei se kaikkia koske.»

»Totta. Siitä voi laskea pois muutaman semmoisen tiedotusvälineen, joihin voi kääriä kalan.»

Tunsin punastuvani. Peuhkuri vinoili minulle, joka olin ottanut työni tosissani ja saanut nokilleni.

»Teflonia ne on», Peuhkuri sanoi kuin lohduttaakseen.

»Me ollaan valurautaa.»

»Nih, saatana.»

»Ruostumatonta terästä.»

»No sitä justiinsa.»

Peuhkuri käänsi selkänsä ja rupesi rapistelemaan koneensa näppäimistöä, mutta jupisi vielä itsekseen: »Kotkan ja Korpin perseet levisi muutamassa viikossa puoli metriä, kun tuo sokeriherne astui remmiin. Kauheeta katsoa.»

Ilmeni, että minun oli määrä tehdä erityistehtäviäni Kotkan ja Korpin alaisuudessa. Ne näkivät siinä tilaisuutensa, rupesivat juoksemaan bailuissa ja pippaloissa päivin ja illoin ja jättivät minulle kaikki isommat jutut. Niiden juorupalstat laajenivat neljälle aukeamalle. Jos protestoin, ne sanoivat, että minun jos kenen entisenä päätoimittajana pitäisi tietää, että infot ja avajaiset ja levyjen ja kirjojen julkistamistilaisuudet ja putiikkien merkkipäivät ja leffojen ja musikaalien ensi-illat ovat tärkeitä, niissä hoidetaan myös lehden yhteiskuntasuhteita ja etenkin suhteita nousussa oleviin julkkiksiin, jotka ovat meille elintärkeitä. Ja sitten ne yrittivät imarrella: »Sinähän olet niin hirveän hyvä tekemään haastatteluja.»

Minähän tein. Päätoimittaja moitiskeli, että otteeni on liian kirjallinen, kiertelen ja kaartelen »itse asiaa» ja pelkään kysyä ihmisiltä heidän »syvempiin ajatuksiinsa ja tunnemaailmaansa» liittyvistä asioista. Totta on, etten kehdannut kysyä ihmisiltä, kenen kanssa ne paneskelevat. En tiedä, mikä ujous minuun oli iskenyt, ehkä vain se, etten itse paneskellut kenenkään kanssa.

Virransivu sanoi suoraan, että otteeni lipsuu.

»Ei tänne mamoilemaan ole tultu, man. Sulle maksetaan niin saatanan hyvää palkkaakin.»

Virransivu oli saanut viestiä ylimmistä kerroksista: minun palkkani olisi pitänyt laskea tavallisen rivitoimittajan palkan tasolle, kun kerran rivitoimittajan työtä tein. »Erityistehtävät» olivat vain viesti kilpailijoille, ilmoitus siitä, että ei meillä *Viikonpäivien* skandaalikirjoituksia pelätä eikä niiden mukaan henkilöstöpolitiikkaa hoideta.

Virransivu kertoi tämän minulle avoimesti kuin lapsi.

Mietin, uskaltaisinko sanoa, että suostun palkanalennukseen, jos pääsen vähän valitsemaan töitäni.

En uskaltanut.

Tuli sitten päivä, jolloin minua vaadittiin jututtamaan erään deekikselle itsensä juoneen entisen missin aviottoman tyttären isäksi ilmoittautunutta äijää, missiäkin pitemmälle juomisen uralla edennyttä. Tytär oli jo aikuinen ja oli kysyttäessä ilmoittanut, ettei halua minkäänlaista julkisuutta eikä persoonansa yhdistämistä sen paremmin äitiinsä kuin siihen toiseen desperadoon, joka kuvitteli olevansa hänen isänsä.

Kieltäydyin haastattelusta kerta kaikkiaan. Vetosin työehtosopimuksen pykälään, joka antoi oikeuden kieltäytyä oman eettisen näkemyksen vastaisista töistä.

Kotka ja Korppi levittivät silmänsä lautasiksi.

»Minkä työehtosopimuksen?»

Mutisin, että semmoinen pykälä oli ollut ainakin silloin, kun minä tulin uralle.

»Herää, pahvi, me ollaan ihan eri vuosituhannella», ne raakkuivat.

Räkätit helvettiin! Hyppäsin tuolistani ja otin pari askelta ovelle, jolla ne seisoivat.

Petolintupari syöksähti ulos ja suoraan päätoimittajan huoneeseen. Minut kutsuttiin puhutteluun. Kotka ja Korppi pyyhälsivät punottavina ulos samalla ovenavauksella.

»Kieltäydytkö sinä työsopimuksesi mukaisista töistä, onko tämä tulkittava niin?» Lahdensaari jankkasi.

Sillä oli pikkutakki päällä keskellä päivää. Käsi hiveli kulta-siniviiruisen kravatin suurta solmua. Suupielet nykivät. Silmänurkassa sykki elohiiri. Pöydällä lojui avattu salmiakkipussi.

»Tulkitse miten haluat, pönttö», sanoin, käännyin kantapäilläni ja marssin ulos huoneesta.

Omasta päätoimittajan huoneestani, perkele.

Peuhkurin ja minun huoneeseen asti pääsin. Sitten sain raivarin. Ryntäsin pöytäni kimppuun ja raastoin siitä tavarat lattialle viimeistä kuulakärkikynää myöten. Tartuin tietokoneen näyttöön, nostin sen ilmaan ja paiskasin lattiaan. Revin piuhat kaikista vehkeistä, joita pöydällä oli, ja heitin kapineet seinän kautta lattialle. Survaisin näppistä; se hajosi jalkojeni alla ihanasti ratisten kuin jättiläisen aamiaismurot. Heitin puhelimen päin seinää. Lennätin pinkan kopiopaperia kohti kattoa. Iskin paperiveitsen pystyyn korkkiseen ilmoitustauluun. Seisoin jalat haralla keskellä huonetta ja puuskutin kuin sonni.

Peuhkuri oli napannut salamannopeasti koskispullonsa turvaan ja rullannut itsensä työtuolilla huoneen nurkkaan, katseli norttinsa takaa ja puhalteli pitkiä savuja.

»Herran Kiesus, Antreas, juostaanko päämme mäntyyn?» hän sanoi. Se tuli hillitysti, mutta ääni rahisi.

Otin takkini kaapista ja sanoin lähteväni jutuntekoon.

Menin kotiin.

Seuraavana päivänä Virransivu haki minut Tuokon puheille hallintokerrokseen. Asioitten näin ollen, Tuokko muotoili, yhtiöllä ei ollut muuta mahdollisuutta kuin sanoa minut irti. Irtisanomisajan palkkaa maksettaisiin puoli vuotta, mistä varmasti ymmärsin olla kiitollinen. Niin kiitollinen ainakin, etten riitauttaisi asiaa, toisin sanoen en kääntyisi ammattiliiton puoleen. Olin särkenyt yhtiön omaisuutta, se kannatti muistaa. Ja irtisanomisperuste on jo se, että kieltäytyy asianmukaisesti annetuista työtehtävistä.

Muistin vasta siinä, ettei minulla mitään liittoa edes ole, olin unohtanut hakea takaisin jäsenyyttäni päätoimittajakauden jälkeen.

Tuokko katseli minua kylmästi, mutta Virransivu mutisi sivummalla jotain siitä, että lehti...tai siis yhtiön lehdet yleensä, voisi ehkä ostaa minulta juttuja...kohtuupalkkioin tietysti...kun nyt sentään...aika kyvykäs ja...riippui tietysti jutusta.

Tuokko nousi.

»Olen kunnioittanut sinua hyvänä ammattimiehenä niin kauan kuin siihen on ollut aihetta. Olen pahoillani, että tämä päättyi näin. Hyvästi.»

Hän ei ojentanut kättään. Virransivun käsi oli jo ojentumassa, mutta hän laski sen takaisin.

Parin päivän päästä minua muistettiin molemmissa iltapäivälehdissä, sisäsivuilla, vain kahdella palstalla. Herrajumala, kohtahan ne vaikenevat minut kuoliaaksi. »Kohupäätoimittajalle potkut.» »Katoamismysteeri poiki potkut ex-päätoimittajalle.» Simba Pakarinen tavoitteli vielä sensaatiota seuraavan viikon Viikonpäivissä: »Kohu-Arjostolle lentävä lähtö: PANI TYÖPAIKAN REMONTTIIN.»

Minulle tuli vimmattu tarve erakoitua. Päätin, etten poistuisi kämpästäni päiväkausiin, viikkokausiin, kuukausiin. Eläisin kuin mäyrä pesässään. Turvassa. Kävisin vain lähimmässä kaupassa ja silloin tällöin Alkossa, pujahtaisin ehkä joskus leffateatterin pimeyteen.

Näin voisin elää puolisen vuotta, palkka riittäisi hyvin.

Mutta mikä sitten eteen?

Ymmärsin, etten saisi vakinaista työtä alalta. Kukaan ei palkkaisi minunlaistani rettelöitsijäksi leimattua kehäraakkia, jonka vaimo on kadonnut hämäräperäisellä tavalla.

Mutta ammattitaitoani saatettaisiin hyvinkin ostaa.

Minun olisi puolen vuoden aikana elettävä säästäväisesti ja hoidettava suhteita lehtiin, ideoitava, tarjottava itseäni ja juttujani. Säästäväisesti kyllä osasin elää, siitä minulla oli kokemusta, enkä turhaan ollut pihin äidin poika. Laskin, että nuukasti elämällä pystyn säästämään palkastani aikamoisen summan pahan päivän – voi äiti! – varalle, ja samalla minulla olisi mahdollisuus pikku hiljaa hankkiutua avustajaksi eri lehtiin. Oli aloitettava varovasti, nöyränä poikana, satsattava laatuun eikä näyttävyyteen. Laadin listan mahdollisista lehdistä, ja siitä tuli yllättävän pitkä; alan konkarina tiesin, että pankkien ja kauppaketjujen asiakaslehdet ja muut liike-elämän julkaisut käyttivät paljon avustajia, eivätkä olleet huonommasta päästä maksajia ollenkaan. Sanomalehdistä taas ei juuri muuta saanut kuin lämmintä kättä.

Tulevaisuuden suunnittelu piti minut puuhassa. Pipan katoamisen aiheuttama huoli alkoi väistyä kroonisen jomotuksen tapaiseksi takaraivooni.

Kun häntä ei ole löydetty kuolleena, hän kai sitten on jossakin elävänä.

Jossakin, missä itse haluaa olla.

Tein töitä, jotka enimmäkseen olivat tappavan tylsiä, sillä haastateltavani olivat harvoin muuta kuin keskinkertaisia liikemiehiä tai virkamiehiä, jotka puhuivat selkäpiitä raastavaa bisneskieltä tai hallinnon jargonia ja esittivät olevansa tärkeämpiä kuin ovatkaan. Todellisten suurten myyvien nimien haastatteluja minulta ei pyydetty ja jos jotakin itse esitin, sanottiin, että juuri sellainen juttu on jo itse asiassa valmisteilla. Menetelmä oli minulle tuttuakin tutumpi, olinhan itsekin sitä harjoittanut.

Elämäni oli tylsää ja nuhjaavaa, enkä ajatellut sen muuksi muuttuvan, kunnes tapasin toukokuussa Kassun.

Olin kääntynyt Ateneumin kohdalta kohti Stockmannia, kun kuulin: »Kato Arjosto, terve!»

Sen huudahti mies, jonka hiukset valuivat hartioille ja naama oli paksun kiharaisen parran peitossa. Päässä oli pyöreät rillit ja musta hattu, päällä pitkä ruskeanharmaa ulsteri.

Ihme rabbi.

Täysin tuntematon tyyppi, ja sitä paitsi näytti persoonalta, jonka kaltaisten kanssa en ollut koskaan välittänyt olla tekemisissä.

Elähtänyt hippi, mikä lie idunsyöjä ja musulmaani.

Lukenut *Viikonpäiviä* ja haluaa udella lisää.

Yritin kaartaa ohi, mutta mies astui eteeni ja ryhtyi esittelemään itseään minulle. Leinon Kassu se oli, vanha opiskelukaveri vuosien takaa. Olimme venyneet samoilla luennoilla valtiotieteellisessä ja käyneet jonkin kerran yhdessä kaljalla. Mutta ei sillä muinoisella Kassulla ollut partaa vaan pieni sileäksi ajeltu leptosomin leuka ja jumalattoman suuret neliskanttiset silmälasit valumassa nenänvartta pitkin. Muistan ihmetelleeni sen elämää ja olemista; sillä ei tuntunut olevan mitään käsitystä siitä, mitä se haluaisi ruveta elämässään tekemään.

»Taisin valita väärin, kun tulin valtsikaan», Kassu naureskeli. »Tai hyvä tämä on semmoiselle ihmiselle, joka ei tiedä, mitä haluaa. Paitsi ei ainakaan menestyä uralla ja pönöttää viisikymppisenä Suomen Kuvalehden syntymäpäiväsivulla.»

Kassun isä oli lääkäri ja äiti jokin neuvos sosiaaliministeriössä, joten olihan sillä varaa harhailla ja unelmoida ja suhtautua ylimielisesti toisten vakaviin urasuunnitelmiin.

»Voisin haluta kirjailijaksi», hän kerran selosti. »Mutta kun se on niin työlästä. Gradussakin on niin kauhea vääntö, ettei siihen viitsi edes ruveta, saati sitten romaanin väsäämiseen. Ei sitä kestä perse, saati pää.»

Ei minkäänlaista ambitiota. Se oli epäilyttävää, ties vaikka asenne tarttuisi. Se naureskelikin minun menestyshaaveilleni, unelmalleni historiaan jäävästä journalistin urasta.

»Hähhähää. Juoruämmiä ja urkkijoita ne kaikki rupeaa olemaan. Eihän enää ole juuri semmoisia lehtiäkään, joissa voisi luoda historiaan jäävän uran. Kaikki on samanlaista päivittäistavaraa.»

»Äläs nyt sentään. Ja onhan radio ja telkkari.»

»Kumpaa tahtoisit, soittaa iskelmiä ja löpistä paskaa vai vetää tietovisailuja ja löpistä paskaa?»

Rupesin välttelemään Kassua.

Nyt se näytti kiltiltä kuin Taata Sillanpää höperöksi tulonsa jälkeen.

»Olen lukenut sinusta ihan kaiken», se sanoi ja vatkasi kättäni. Silmät tuikkivat lempeinä pyöreiden linssien takana. »Myötämieltä olen tuntenut, kovasti myötämieltä. Kyllä elämä voi olla kovaa.»

Käänsin vaivautuneena puheen hänen kuulumisiinsa. Kävi ilmi, että Leinon Kassu oli perustanut perintörahoillaan pienen kustantamon, joka oli erikoistunut populaaritieteellisiin ja poleemisiin julkaisuihin, vähän muinoisten Huutomerkki-pamflettien tyyliin. Kassu oli antanut firmalleen nimeksi Kirjankustantamo H. Kasimir Leino, koska se herätti tiettyä huomiota, ehkä kummastustakin, mutta oli vanhanaikaisella tavalla arvokas, kuten hän kädet huiskien selvitti. H tuli Henrikistä, jota hän ei ollut koskaan etunimenään käyttänyt, koska hänen mielestään oli persoonallisempaa olla Kassu kuin Hessu. Firmaa hän hoiteli yhdessä vaimonsa kanssa. Lapsia oli siunaantunut neljä. Sen hän melkein nyyhkäisi.

Nyt hän suunnitteli pientä, ajankohtaista nidottua mielipidekirjasarjaa, jolla oli jo nimikin: *Tiedä!*

»Ekologiaa, EU:ta, globaalisaatiokritiikkiä, Venäjän tulevaisuutta, markkinadiktatuurin analyysiä, mediakritiikkiä, USA:n ulkopolitiikan mokia ja sen semmoista», hän selosti. »Aiheethan eivät lopu.»

Tavaraa oli saatavissa melko paljon englanninkielisenä ulkomailta. Pohjoismaistakin löytyi vaikka mitä. Jonkin verran Kassu pystyi kustantamaan myös kotimaisten kirjoittajien tekstejä. Ongelma oli, ettei nopeita hyviä kääntäjiä ollut tarpeeksi eikä varsinkaan sellaisia ihmisiä, jotka pystyivät editoimaan yliopiston heppujen tutkimuskieltä tavallisen lukijan ymmärrykselle sopivaksi.

Hän kysyi, mitä minä ajattelisin kääntäjän ja editoijan hommista. »Muistaakseni olit nopea käänteissäsi jo nuorena ja sikäli kuin olen mediaa seurannut, olet vieläkin.»

»Eihän minulla ole kokemusta.»

»Lehtimies sanoo, ettei ole kokemusta editoinnista. Älä paskaa puhu. Ja lisää kokemusta tulee tekemällä, ei se ole ongelma. Englanti selviää sanakirjoista. Mutta suomea pitää osata. Kunnolla.»

Kävelimme Espaa pitkin Strindbergille kahville, tyhjensimme espressokupilliset, eikä kestänyt kauankaan, kun olimme päässeet alustavaan sopimukseen. Kassu toimittaisi minulle muutamia käsikirjoituksia ja minä katsoisin, mitä saisin aikaan. Jos työ sujuisi, hän toimittaisi lisää.

»Rahaahan minulla ei tietenkään ole», Kassu sanoi.

»Eipä tietenkään.»

»Mutta ei sinun ihan ilmaiseksi tarvitse tehdä.»

»Kuulostaa ylenpalttiselta.»

Sovittiin, että katsotaan palkkiota sitten, kun olen saanut jotain tehdyksi. Tiesin, ettei Kassun hommilla eläisi, mutta lisänä rikka rokassa. Parhaimmassa tapauksessa voisin ehkä vähän vähentää lehtiin senttailua. Kassun hommissa olisi paras puoli se, että niitä saisi tehdä kotona omassa rauhassaan ja itsenäisesti tarvitsematta ravata makeilemassa kaiken maailman tärkeilijöille, työntämässä sanoja niiden suuhun ja ajatuksia niiden päähän ja muokkaamassa niiden latteuksia julkaisukelpoisiksi.

Maistelin vapauden tarjoamia mahdollisuuksia; näin itseni kotoisen työpöydän ääressä teepaidassa ja verkkareissa, sukkasillani. Tekisin töitä mihin vuorokauden aikaan haluaisin, söisin ja nukkuisin omaan tahtiini. Muusta ei olisi väliä kuin lopputuloksesta.

Kun kävelin kotiin pitkin Eerikinkatua, tunsin jotakin, jota voi ehkä kutsua mielenrauhaksi. Tai ainakin helpotukseksi.

Tätä siis on se kuuluisa tunnelin päässä näkyvä valo, josta ihmiset puhuvat.

Naisia välttelin. Tai pelkäsin. Olin varma, ettei minusta olisi mihinkään, jos jonkun naisen kanssa sänkyyn päätyisin. Niskani rupesi kutisemaan, kun ajattelin tilannetta, häpeääni ja varsinkin sitä, miten nainen rupeaisi ymmärtäväiseksi ja vaatisi sen vastineeksi avautumista. Olisin kuin kala, joka on itse viiltänyt mahansa auki ja tarjoaisi sisälmyksiään perattavaksi.

Susannaa ajattelin joskus sillä tavalla, että olisi ollut mukava puhua hänen kanssaan, kertoa hänelle jotain tai edes sanoa hänelle jotain. Mutta sitten tuli mieleen, mitä hän puolestaan sanoisi minulle, vaatimukset, joita hänellä oli esitettävänään, oikeutetusti, syytökset, jotka hänellä oli singottavanaan, perustellusti. Ajattelin, että oli hyvä, kun hän häipyi elämästäni ja rauhoitin itseäni vakuuttamalla, että hänellä meni hyvin, koska hänestä ei mitään kuulunut.

Nainen, kuka tahansa nainen, tuli mieleeni joskus, ajattelin naisia, niiden pehmeitä ja piukkoja paikkoja, koloja, taipeita, poimuja, ihon silkkisiä, kosteita kohtia, valoja ja varjoja vartalolla, huutoja ja kuiskauksia.

Karkotin ajatukset päättäväisesti.

Ei naisia. Ei tässä elämässä. Ehkä joskus myöhemmin, jossakin toisessa elämässä.

Minä olin vammainen mies.

Minulta oli amputoitu ruumiinjäsen: vaimo.

Kyttyräni oli pudonnut ja saattanut minut epätasapainoon.

Ei naisia.

»Olin aivan kauhuissani, kun kuulin, että Birgitta on kuollut», sanoi joku.

Se oli Taina. Ne olivat päässeet kahviin, ja pikkuruisissa laseissa kimalteli jotain kullanväristä.

»Olin aivan kauhuissani», Taina toisti. »Menin ihan sokkiin. Hoin vain itselleni, että tällaista ei voi tapahtua, näin paljon näin kamalia asioita ei voi tapahtua yhdelle perheelle.»

»Mille perheelle?»

»Herrajumala, Hannulan perheelle tietenkin.»

»Pippa oli minun kanssani naimisissa. On. On on on on. Ja pappa delasi jo 80-luvun alussa. Minä olen Pipan perhe, jos on sattunut unohtumaan.»

Taina nykäisi niskaansa. Hänen poskilleen oli syttynyt pienet punaiset läikät, eikä se johtunut hänen lasissaan kimaltavasta nesteestä. Stina katsoi minua kiinnostuneena ja oudon lempeästi. Vielä oudompaa oli, että hän ojensi kätensä pöydän yli ja laski sen minun kädelleni.

»Sinä taidat vielä uskoa, että Pippa palaa. Tai ainakin ilmoittautuu. On elossa siis», Stina sanoi.

»Ruumista ei ainakaan ole löytynyt. Jos Pippa olisi kuollut, hänet olisi jo löydetty. Kuollut ei voi piilottaa itseään.»

»Mutta joku toinen voi.»

»Rikos on paljon epätodennäköisempi vaihtoehto kuin se, että hän on hengissä. Tämä on elämää eikä mitään dekkaria.»

Sitä oli Forsnäs toistellut minulle joka kerta, kun soitti, tai minä soitin. Yhä harvemmin kumpikaan soitti ilmoittaakseen sen, mitä saattoi ilmoittaa: Mitään uutta ei kuulu.

Taina ei sanonut mitään. Näin, että hän nieleskeli kiukkuaan. Minua huvitti. Hänellä täytyi olla jokin syy tuohon nieleskelyyn.

Hän kuvittelee, että minusta on hänelle jotain hyötyä.

Että voisin tehdä hänelle peräti palveluksen.

»Anteeksi, ei ollut tarkoitus loukata», Taina sanoi. »Pippa oli minulle niin läheinen, tai siis on. Ja Birgitta auttoi minua tosi paljon silloin aikanaan

Vaasassa. Minulla oli aika kurjat kotiolot niin kuin Pippa ehkä on kertonut.»

»En muista hänen kertoneen. Tai ehkä en ole kuunnellut.»

»No mitäpä niistä. Mutta Birgitta oli minulle vähän kuin äiti oman äitini kuoleman jälkeen. Minun äitini oli alkoholisti. Tekopyhä ihminen, pullojen piilottelija. Turha sitä on kaunistella. Sen ihmisen kuolemaa en surrut. Minusta oli ihanaa, kun sain olla Hannulassa, kunnollisessa, normaalissa kodissa. Sain syödä lämmintä ruokaa ruokapöydässä ja nukkua puhtaissa vuodevaatteissa. Kukaan, jolle se on tavallista elämää, ei voi ymmärtää, mitä se minulle merkitsi.»

»Minä saatan ymmärtää siitä jotakin», sanoin, mutta Taina ei tuntunut edes kuulevan. Tai ehkä en sanonutkaan sitä ääneen.

»Pippa oli minulle sisko. Minä olin ainoa lapsi. Leskeksi jäätyään isä oli ihan avuton. Kiltti isä kyllä, hyvä ihminen, mutta ihan avuton. Se onkin kummallista, miten avuttomaksi alkoholistiperheissä se terve ja vahva tulee, kun heikko ja hoivattava juoppo äkkiä onkin poissa.»

»Missäs isäsi nyt on?» kysyin keskeyttääkseni hänen vuodatuksensa.

»Meni uusiin naimisiin, kun minä muutin Helsinkiin. Sen jälkeen ei ole paljon yhteyttä pidetty, äitipuoli ei aluksi halunnut eläviä muistutuksia isän entisestä elämästä. Eikä isäkään halunnut ristiriitoja elämäänsä, kuulemma. Myöhemmin ne olisivat yhteydenpitoa halunneetkin, mutta minä en. En ainakaan äitipuolta. Olihan minulla Birgitta. Siis Pipalla ja minulla oli.»

Taina kiskaisi tupakastaan ja sanoi kuin kiukuissaan: »Mutta eiväthän minun yksityisasiani oikeastaan sinulle kuulu.»

»Kumma juttu. Kun taas minun yksityisasiani ovat aina kuuluneet sinulle.»

»Minä tuin Pippaa.»

»Kuin köysi hirtettyä.»

»Jumalauta että sinä...»

Stina painoi kätensä Tainan kädelle ja katsoi häntä yhtä lempeästi kuin äsken oli katsonut minua. Taisi olla tosi empaattinen ihminen. Tai sitten tosi hyvä PR-nainen.

Aloin tunkea papereitani salkkuun ja yritin tehdä sen mahdollisimman äänettömästi. Taina napsutteli hopeisilla peukalonkynsillään muiden sormiensa hopeisia kynsiä katse kiinnittyneenä loosin selkänojan yläreunaan takanani. Stina oli luonut silmänsä alas. Valkoisessa pöytäliinassa tuntui olevan jotain perin kiinnostavaa. Ehkä reikä. Tai tahra, hänen ruokapalastaan jäänyt. Ymmärsin Stinaa. Eivät nämä asiat kuuluneet hänelle lainkaan, eivät varmaan edes kiinnostaneet.

Taina laski katseensa loosin selkänojasta minuun ja levitti naamalleen hymyn, joka paljasti hänen hohtaviksi valkaistut pienet hiirenhampaansa.

Hiirenhampaisista naisista en ole ikinä pitänyt, jyrsijöistä.

Hymyn tarkoitusperä kävi välittömästi ilmi.

»Minusta olisi loistava idea, jos tekisit Stinasta kunnon henkilöhaastattelun johonkin liike-elämän lehteen. Me tarvitsisimme juuri sellaista julkisuutta. Yritysmaailmassa. Kunnollista. Vakuuttavaa. Imagoa luovaa. Ja nehän maksavatkin kunnolla, vai mitä? Voin minäkin sitä paitsi vähän maksaa.»

Stina oli punastunut korvalehtiä myöten.

Minäkin hehkuin.

»Nyt teit virheen», sanoin Tainalle.

Hän katsoi minua hetken suu auki, heittäytyi sitten käsivarret levällään pöytää vasten ja parahti itkuun. Keskilattian pöydissä päät kääntyivät. Joku kurkkasi viereisen loosin selkänojan yli ja veti äkkiä päänsä takaisin.

»En kestä enää», Taina vollotti.

3

FORSNÄS TOI MINULLE ANOPIN KUOLINVIESTIN henkilökohtaisesti. Ele oli vähän liioiteltu; anoppi oli jo haudattukin, ja olin saanut kirjeen, jossa minulle kerrottiin kuolemantapauksen ja hautajaisten lisäksi perunkirjoitukseen liittyvistä vaikeuksista, kun vainajan tytär oli edelleen tietymättömissä. Testamenttia vainaja ei ollut tehnyt.

Periaatteessa perinnönjako ei ollut mutkikas, mutta asioiden näin ollen käytännön toimenpiteet hiukan viivästyvät, sanottiin kirjeessä ja luvattiin palata pikaisesti asiaan. Kirjeen oli allekirjoittanut suomalainen asianajaja, Joku Jokunen, en painanut mieleeni, mutta postileima oli espanjalainen.

Heitin kirjeen jonnekin enkä jäänyt vaivaamaan sillä päätäni.

Forsnäs oli pukeutunut hienosti kuin hautausurakoitsija. Grafiitinharmaan kevyen päällystakin alla oli astetta tummempi puku, sen alla valkoinen paita ja kaulassa hopean, mustan ja sinisen viirullinen kravatti. Taskunenäliinan väri toisti tarkalleen solmion sinistä raitaa. Sarkia oli vaihtanut tyyliä, siirtynyt 30-luvulta uhkarohkeasti suoraan 60-luvulle ja vetänyt päälleen samettipuvun, jonka vaaleanruskean värin kanssa kiukkuisen punainen poolo riiteli niin, että melkein ääni kuului. Jalkaansa se oli löytänyt jykevät buutsit ja päällystakikseen lodenia muistuttavan vihreän loimen. Etutukka oli entistä pitempi, ja iso laine roikkui nyt vinosti otsalla, kun se aiemmin oli kammattu korkealle pään päälle.

Mistä muutos? ihmettelin ohimenevästi. Onko mies päättänyt ryhtyä taiteilijaksi?

He tulivat etukäteen ilmoittamatta, illalla, mikä vähän loukkasi minua, mutta olin tyytyväinen siitä, että kämppä oli niin putsissa kuin sen saattoi saada. Kassulle työskenteleminen oli antanut ryhtiä elämääni, ehkä olemukseenikin. En tuntenut enää olevani sellainen onnen kerjäläinen kuin juostessani toimituksesta toiseen myymässä juttujani tai soitellessani vaikeasti tavoitettaville toimituspäälliköille kaupataksени ideoitani. He olivat juuri niin nihkeitä ja ylimielisiä kuin itsekin olin ollut, valehtelivat kuinka paljon lehdellä oli erinomaista aineistoa ja kuinka vähän tilaa millekään satunnaiselle jutulle. Jotkut yrittivät opettaa minulle, että kunnon lehti suunnitellaan kannesta kanteen ajoissa, itse asiassa koko vuosi teemoitetaan etukäteen niin tarkkaan, että vaikea siihen on ujuttaa mitään viime kädessä ulkopuolelta tarjottua.

Just joo; minähän sen tiesin, kun olin piiskannut väkeäni ylitöihin ja haronut viime hetkillä laatikon-pohjat ja jo kertaalleen hylättyjen juttujen pinotkin saadakseni määräaikaan mennessä painoon hyvin suunnitellun ja jo vuoden alussa viimeisen päälle tee-moitetun lehteni. Suunnitelmat pettävät aina, se on niiden luonne, ja aina on tilaa yhdelle jutulle, joka tulee kuin taivaan lahja paikkaamaan aukon. Juuri siksi kannatti aina yrittää uudestaan, vaikka olisi tul-lut kuinka torjutuksi ja nöyryytetyksi tahansa.

Tai ehkä innostus asunnon kohentamiseen johtui vain siitä, että nykyiset työt pitivät minut kotona ja pakottivat minut huomaamaan ympäristöni. Ja töitä oli paljon; H. Kasimir Leinon firma oli selvästi nou-semassa menestyksen portaita, vaikkakin vasta alim-pia. Sen huomasi siitäkin, että mies alkoi ruikuttaa entistä enemmän rahaongelmiaan ja pihistellä kai-kessa. Avokätisistä lounaista oli siirrytty pahvimu-kissa tarjottuun kahviin, vaikka palkkioneuvottelut olivat pidentyneet. Hyvin me silti yhä keskenämme toimeen tulimme, sillä tarvitsimme toisiamme vält-tämättä. Ja Kassun iloisesta vaimosta pidin kovasti, Marjatasta, matalajalkaisesta naisenpullukasta, jolla oli iso, harmahtavan vaalea pörröinen tukka ja joka pukeutui aina farkkuihin, lenkkareihin ja isoihin roikkuviin neulepaitoihin. Hänen keittämänsä kahvi oli vahvaa ja hyvää.

Maalasin kuin maalasinkin kämppäni seinät, en kylläkään punaisiksi enkä keltaisiksi vaan valkoisiksi. Maalasin katonkin, vaikka se oli pirullista työtä. Maalasin keittiön kaapit: vaaleanharmaata ja harkitusti pari hehkuvan punaista ja hohtavan sinistä ovea ja laatikon etulaitaa. Koska olen äitini poikana tarkka rahoistani, vähensin maalien ja muiden tarvikkeiden hinnan vuokrasta, lähetin asiasta pankin välityksellä viestin vuokraisännälleni ja panin kuitit mukaan. Thaimaan suunnalta ei kuulunut mitään. Kai tyyppi oli vain tyytyväinen, kun sai omistamaansa asuntoon puoli-ilmaisen pintaremontin.

Kuurasin ja vahasin lattiat. Pesin ikkunat ja ripustin niihin vaaleat, lattiaan asti ulottuvat verhot, jotka Kulosaaressa olivat verhonneet makuuhuoneen ikkunaa. Jynssäsin kylpyhuoneen perusteellisesti ja ostin sinne uuden peilin, vähän hyllyjä, valkoisen suihkuverhon ja lattialle paksun ja pehmeän maton. Olohuone oli kalustettu niukasti, mutta huonekalut olivat entisen kotini parhaimmistoa, ja iso vaalea puuvillamatto peitti kuluneen lattianpäällysteen.

Ei minulla ollut mitään hävettävää. Päinvastoin olin ylpeä niukan tyylikkäästä poikamieskämpästäni.

Jonakin iltana, hyvän työpäivän jälkeen, kunnolla syöneenä, edessäni kupillinen myrkynvahvaa kahvia uskalsin tuntea varovaista onnea. Olin itsellinen.

Maistelin sanaa suussani ja se maistui koko ajan paremmalta. Itsellinen. Ei kenenkään armoilla, ei kenenkään mielialoista riippuvainen.

Mieleni oli kirkas, lieju sen pohjalla ei liikahtanut, vaikka ajattelin, että kaikki toivo on mennyt: en näe Pippaa enää koskaan elämässäni.

Ehkä en koskaan saa tietää, mitä hän on tehnyt tai mitä hänelle on tehty.

Pystyin ajattelemaan sitä rauhallisesti niin kuin mitä tahansa murheellista asiaa, jolle ei voi mitään.

Kohtalo, kohtalo, sanoin pari kertaa ääneen.

Tuntui jylhältä, avartuneelta.

Puistatti.

Forsnäs pyyhki jalkansa huolellisesti ovimattoon, Sarkia katseli buutsejaan kuin arvioiden, pitäisikö ne riisua, mutta jätti riisumatta. En viitsinyt sanoa siitä. Jotkut eivät ikinä opi. Loimensa hän ripusti naulakon koukkuun, kun taas Forsnäs asetteli päällystakkinsa huolellisesti vaatepuulle.

»Oikein kotoisa asunto», Forsnäs sanoi olohuoneeseen astuttuaan.

Hän vaikutti hämmästyneeltä, hieroi kevyesti käsiään. Ehkä hän ajatteli, että niissä olisi pitänyt olla kukkakimppu. Näin ensivisiitillä. Kodissa, joka ei olekaan mikään juoppomurju, vaikka hän oli sellaista olettanut.

Tai minä olin olettanut, että hän oli olettanut.

Sarkia oli yhdellä harppauksella ainoan mukavan nojatuolini vieressä, mutta Forsnäsin katse sai hänet siirrähtämään siitä eroon. Forsnäs veti tyypilliseen tapaansa housunlahkeitaan ja istahti varovasti tuolin reunalle. Tuoli oli keikkuva ja pyörivä tv-tuoli, ja näytti kuin hän pelkäisi, että se tempautuu liikkeelle ja hän pyörtyy sen vauhdissa.

Ehkä hän oli joskus keikahtanut ympäri mummon keinutuolissa.

Toivottavasti oli.

Näkökulmanvaihdos tekee hyvää itse kullekin.

Sarkia istahti sängylleni, joka päivisin palveli sohvana. Siinä ei saanut mukavaa asentoa kuin makuulla, vaikka olin läjännyt sen päälle useita tyynyjä. Sarkia sovitteli pitkiä koipiaan ristiin ja rinnakkain ja jäi lopulta kököttämään aivan sängyn laidalle, polvet pystyssä, isot kädet polvien päällä. Ilmeestä päätellen hän tunsi itsensä naurettavaksi ja siltä hän myös näytti.

Itse istuin yhdistetyn työ- ja ruokapöytäni ääreen työtuolilleni.

Pienet kylmät eläimet kipittivät selkärankaani pitkin edestakaisin.

Onko Pippa löytynyt? Mitä muutakaan asiaa heillä voisi olla?

»Meillä on murheviesti», Forsnäs sanoi ja laski raskaat luomensa rakoselleen.

Siis Pippa on löytynyt kuolleena.

En saanut sanaakaan sanotuksi, vaikka Forsnäs

piti pitkän tauon odottaakseen minun kysyvän jotakin.

»Anoppinne on kuollut», hän sanoi sitten. Se tuli melkein huokaamalla.

Helpotus oli niin äkillinen ja suuri, että olin ratketa nauruun, mutta sain hillityksi itseni. Forsnäs katseli pieniä, siistejä käsiään, Sarkian katse vaelteli pitkin seiniä ja pysähteli välillä Kauhasen tauluihin. Mutta vain hetkeksi; hän oli nähnyt ne ennenkin ja piti niitä varmaan osoituksena minun henkisestä epävakaudestani ja kaikinpuolisesta epäilyttävyydestäni.

Sain sanotuksi, että tiesin asiasta, koska olin saanut kirjeen joltakin lakimieheltä Espanjasta. Kuolinsyytä ei siinä ollut kerrottu. Forsnäsin kulmakarvat kohosivat. Sain kakoen kysytyksi, mistä oikein oli kysymys. Anoppihan oli vain vajaa puoli vuotta aikaisemmin aloittanut uuden, onnellisemman elämän etelän aurinkorannalla.

Forsnäs kertoi, mistä oli kysymys. Liikenneonnettomuus. Lähellä kotia, siis siellä Fuengirolassa. Se oli vain jokin huvimatka vuoren rinteelle, päätellen siitä, että autosta löytyi eväskori. Anoppi ajoi. Hänen vieressään istui mies.

»Joku gigolo tietysti.»

Forsnäs katsoi minua ankarasti.

»Rouva Hannulan seurassa oli häntä vähän vanhempi suomalainen herrasmies. Naimaton, vapaa mies sitä paitsi. Tiellä oli vuohia. Rouva Hannula yritti väistää niitä, auto osui kaiteeseen, pomppasi sen yli ja vieri alas rinnettä. Molemmat kuolivat välittömästi.»

Käänsin katseeni ikkunaan. En sanonut mitään. Käänsin katseeni Forsnäsiin. En sanonut mitään.

»Asiassa ei ole mitään epäselvää. Sen on paikallinen poliisi tutkinut ja täkäläinen poliisi huolellisesti varmistanut. Se oli ilmeinen onnettomuus.»

»Mutta jos joku on pakottanut hänet ajamaan kaiteeseen…siis kiilannut ja…», rupesin haparoimaan.

»Se vuohipaimenko? Hän on viisitoistavuotias poika. Hänen mukaansa tiellä ei ollut muita kuin hän ja hänen vuohensa. Vähältä piti, ettei poikakin päässyt hengestään. Yksi vuohista pääsi. Sinkoutui töytäyksen voimasta yli kaiteen.»

»Mutta entäs jos se mies…»

»Miksi hän itsensä olisi tapattanut? Mitä te oikein ajatte takaa? Onko teillä itsellänne huono omatunto jostakin?»

Kuumenin. Minuako tässä taas ruvetaan syyttelemään?

»Minähän se tietysti ilmestyin vuoritielle anoppini auton eteen kummittelemaan, että hän pelästyisi ja ajaisi rotkoon.»

»Kuulkaa, hillitkää nyt mielikuvituksenne. Älkää dramatisoiko, aikuinen ihminen.»

»Välillä tuntuu, ettei minun mielikuvitukseni edes yllä todellisuuden tasalle.»

»Mitä te tarkoitatte?»

»No, Pippaa ja kaikkea...»

Forsnäsin etusormi nousi pystyyn. Sarkian suunnasta oli kuulumaisillaan hörähdys, joka muuttuikin kuivaksi yskähdykseksi.

»Te luette liikaa dekkareita.»

»En lue niitä ollenkaan.»

»Roskaa ne ovatkin. Huonosti kirjoitettuja. Lapsellisia. Niissä ei ole mitään uutta eikä voisi ollakaan. Kaikki rikostarinat on kerrottu suuressa maailmankirjallisuudessa. Shakespeare! Sen jälkeen: toistoa, toistoa, ja vielä surkeata toistoa! Jo antiikin tragedioissa...»

Sarkian suunnassa ryittiin. Forsnäs käänsi moittivan katseensa sinne päin. Sarkia aukoi suutaan isosti kuin viittomakielen tulkki ja kuiskasi niin että minäkin kuulin: »Lupasin Tertulle...»

Forsnäs loi häneen tuikean silmäyksen, noukki sivutaskustaan vitivalkoisen nenäliinan ja taputteli sillä varovasti sierainpieliään. Hän vilkaisi kelloa.

»Meillä on todellakin kiire, mutta teen lyhyen yhteenvedon. Vaimonne äiti, anoppinne, rouva Birgitta Hannula on kuollut auto-onnettomuudessa Espanjassa, jossa ehti asua viisi kuukautta ja neljätoista päivää. Häneltä jäi varallisuutta, sekä kiinteää että rahaa. Ei niin paljon, kuin voisi odottaa hänelle jääneen Suomessa myydystä omaisuudesta ja ottaen huomioon, että hän jo viisi vuotta sitten eläkkeelle jäätyään myi nahka-alan liikkeensä. Se on hiukan hämmästyttävää, mutta ei siinä mitään rikokseen viittaavaa ole ilmennyt. Ainakaan toistaiseksi. Tämän sanon näin meidän kesken. Perintöä ei tietenkään voi jakaa, ennen kuin saadaan selville vainajan tyttären kohtalo.»

»Onko perinnönjakokin poliisiasia?» kysyin.

»Ei tietenkään, varsinaisesti. Testamenttia ei ollut. Vaimonne on ainoa rintaperillinen. Mutta tähän tapaukseen liittyy seikkoja, jotka ovat poliisiasioita. Saattavat olla.»

En sanonut mitään. Kaikkea mitä sanoisin, voitaisiin käyttää minua vastaan.

»Vainaja on jo haudattu», kuulin Forsnäsin sanovan. »Espanjaan. Hän ehti saada Fuengirolan suomalaissiirtokunnassa läheisiä ystäviä, jotka hoitivat asian.»

Se ei minua liikuttanut. Mutta olisi sen pitänyt liikuttaa Pippaa.

»Eikö Pippa ollut...eikö Pippa antanut mitään elonmerkkiä itsestään?»

»Vaimonne kohtalosta emme ole saaneet selville mitään uutta. Hänen ystävänsä Taina Lindén oli kyllä hautajaisissa. Vainaja oli hänelle hyvin läheinen.»

Forsnäs huokaisi syvään ja nousi, Sarkia kimposi jaloilleen saman tien.

»Uurastamme yötä päivää», Forsnäs sanoi. »Ette voi kuvitellakaan, mitä kaikkea poliisivoimat tekevät samaan aikaan, kun te nukutte autuaan unta omassa pikku louk... kodissanne. Ette tiedäkään, kuinka monta kymmentä ihmistä on hävinnyt tietymättömiin teidän vaimonne katoamisen jälkeen. Sitä tapahtuu joka päivä. Tässä ammatissa saa tottua vaikka mihin. Silti joskus oikein ihmettelee, mihin maailma on menossa.»

»Tai ainakin ne kaikki kadonneet ihmiset», sanoin.

Forsnäsin sormi nousi taas pystyyn.

»Älkää laskeko leikkiä vakavilla asioilla. Teillä journalisteilla on taipumusta kyynisyyteen. Aijai, se on ikävä tauti sekä yksilön että yhteiskunnan kannalta.»

Avasin heille oven. Sarkia paineli puolijuoksua alas portaita. Forsnäs kääntyi käytävässä.

»Kollegani on mennyt naimisiin», hän kuiskasi. »Hänellä on nykyisin kovin paljon velvollisuuksia muitakin kuin esimiehiään kohtaan.»

Hän painoi hissin nappia.

»Ei olisi uskonut hänestä, vai mitä?» hän sanoi. Suupieli nytkähti hieman ennen kuin hän käänsi kasvonsa ja rupesi vakavana katsomaan hissin ovea.

Hain jääkapista keskarin ja istuin pitkän tovin työpöytäni ääressä. Raaputin etikettiä kynnelläni. Mietin. Pipan katoamisesta on vuosi. Vilkaisu pöytäkalenteriin todisti, että seuraavana päivänä tasan vuosi. On taas lokakuu, harmaan vuodenajan harmaa päivä, huominen on lokakuun toinen.

Toistakymmentä vuotta kestänyt elämäni Pipan kanssa tuntui kaukaisemmalta kuin lapsuuteni. Tuntui, että ehjä kuva hänen kasvoistaan ja olemuksestaan oli alkanut hajota erillisiksi piirteiksi, jotka olivat osia kahdesta eri ihmisestä: siitä joka hän oli, ja siitä joksi hän tuli.

Kun yritin saada hänen kasvojaan mieleeni, kuvan päälle ilmestyi outoja piirteitä: tyttömäinen niskan kaarre, hiuskiehkura siron korvan takana, vaalean poninhännän heilahdus...

Ja äkkiä kuin laatikon kannen läimähdys: jäykkä musta polkkatukka, joka kehysti kalpeaa kasvosoikiota. Vihreät silmät.

4

MENIN KOSMOKSESTA SUORAAN KOTIIN. Ladoin työpaperit laukusta pöydälle. Suunnittelin työteliästä iltaa, mutta siitä ei tullut mitään. Vähän aikaa papereihin tuijoteltuani menin jääkaapille ja tein itselleni lautasellisen rukiisia juustovoileipiä. Kaadoin isoon lasiin rasvatonta maitoa, nykyistä lempijuomaani. Asetuin tv-tuoliini ja avasin television.

Olo oli hutera, eivätkä siihen voileivät auttaneet. Tuntui kuin minä itse olisin romahtanut Kosmoksessa eikä Taina.

Tuijotin ruutua, mutta sen salat eivät auenneet.

Koko ajan oli silmien edessä jotakin muuta.

Mustatukkainen nainen. Lakkapäälikka.

En tuntenut myötätuntoa vollottavaa Tainaa kohtaan, hänen teatraalinen esityksensä vain hermostutti minua. Salissa oli hiljaista, tuntui kuin Tainan tyrske olisi kierrellyt pitkin seiniä ja pysähtynyt jokaisen pöydän kohdalla kertomaan, mistä on kysymys.

Siitä, että yhdessä pöydässä istuu törkeä mies, joka itkettää hentoa naista.

Ajattelin, että muissa pöydissä oli keskitytty kuuntelemaan, mitä meidän loosissamme tapahtui. Vaikka ei tapahtunut mitään. Yksi vain ulvoi kuin syötävä ja hoki, ettei kestä.

Aloin tehdä lähtöä, mutta Taina nosti kyyneleisen katseensa minuun. Se oli täynnä syytöstä. Yrität karata tilanteesta, jonka itse olet aiheuttanut, katse viestitti. En ymmärtänyt, mitä Taina ajoi takaa. Se ei voinut olla mitään hyvää minun kannaltani. Jäin paikalleni, kun Stina viittoili, että pysyisin siinä. Tai niin minä hänen viittoilemisensa tulkitsin.

Stina kietoi käsivartensa Tainan hartioiden ympärille ja tyynnytteli häntä parhaansa mukaan. Kyllä me ymmärrämme, että hänen hermonsa ovat riekaleina. Ensin huoli ja pelko Pipan katoamisesta, sitten suru hänen äitinsä kuolemasta. Sen päälle kaikki se rasitus ja stressi, jonka oman firman laajentaminen aiheutti. Naisyrittäjän elämä on muutenkin rankkaa. Joka suunnasta vähätellään ja yritetään kampittaa.

Minä voisin kyllä olla vähän empaattisempi ja sympaattisempi, vähän vähemmän ilkeä uupunutta ihmisraukkaa kohtaan.

Tämän Stina sanoi minulle, lempeän moittivasti, ei yhtään vihamielisesti. Hän jopa hymyili, tavalla, jossa oli hitunen salaliittolaisuutta. Siltä minusta tuntui.

Ja sen hitusen takia minä sitten suostuin suunnittelemaan laajaa henkilöhaastattelua Stinasta.

En onneksi ehtinyt sanoa sitä.

Taina pyyhki mustat kyyneleensä valkoiseen lautasliinaan. Hän katsoi minua marttyyrin ilmein.

»Kukas minua on tässä sopassa ymmärtänyt?» kiirehdin kysymään.

Hän niiskautti kuin pikkutyttö.

»En minä ainakaan», hän myönsi. »Eikä kukaan, joka tiesi miten teidän asianne ovat, olisi sinua ymmärtänyt. Kaikkein vähiten sitä, että sinä et ota vastuuta mistään. Etkä tehnyt mitään. Kun Pippa katosi, panit ovesi lukkoon ja kaihtimet kiinni ja yritit olla kuin ei mitään olisi tapahtunut. Työpaikkasikin dokasit.»

»Ai minä en ota vastuuta mistään? Kukahan tässä on perhettä elättänyt, raatanut yötä päivää, joutunut tekemään kompromisseja oman ajatusmaailmansa kanssa saadakseen leipää pöytään? Ja minä en tehnyt mitään. Mitä helvettiä minun olisi pitänyt tehdä? Ottaa auto alleni ja ruveta ajelemaan umpimähkään ympäriinsä vaimoani etsimässä? En kai minä idiootti ole. Autokin sitä paitsi meni työpaikan mukana. Jota minä muuten en dokannut.»

»Myit kyynisesti itsesi, teit rahasta mitä tahansa. Et ollenkaan käsitä, kuinka paljon se lisäsi Pipan kärsimystä. Ei Pippa sinun kanssasi rahan takia elänyt.»

»Pulskasti näytti kuitenkin elelevän minun kyynisyyteni tuottamilla tuloilla. Tienaamatta itse pennin jeesusta. Enkä ole täysin myynyt itseäni. En ole sinunkaan ostettavissasi, vaikka sitä äsken yritit.»

»Pippa rakasti sinua.»

Se tuli kuin lyönti poskelle.

»Jos olisin asioista yhtä hyvin perillä kuin sinä olet, en ilkeäisi päästää tuota sanaakaan suustani, sanoin.»

»Pilkkaat vielä. Löitkin sitä. Siitä on muuten vaikka kuinka paljon todisteita. Ja mitä muuta olet mahtanut tehdäkään? Sinähän tässä olet epäilty ollut.»

»Enää en ole. Huomasivat äkkiä haukkuvansa väärää puuta. Orava on jossakin toisessa.»

Aivan kuin Taina olisi vähän hätkähtänyt. »Miten niin?» hän mutisi.

Kerroin. Minulla sentään oli liikkeilleni parikin todistajaa. Tunsin, että leukani väpätti, kun sanoin, että joku toinenkin voisi osoittaa vähän sitä empaattisuutta ja sympaattisuutta, jota minulta vaaditaan.

»Se pimu on puhunut sinun puolestasi. Kyllä minä siitä tiesin. Pippakin tiesi. Kaikki siitä tiesivät. Hylkäsit sairaan vaimosi ja pörräsit sen bimbon ympärillä.»

Sanoin, ettei Susanna ole bimbo, vaan tavallinen nuori nainen, joka teki vain työtään. Niin kuin muuten minäkin. Tein vain työtäni, toistin. Sanoin vielä, että Susannaa kohtaan ei kannata kaunaa kantaa, hän oli täysin viaton meidän avioliittomme ongelmiin. Ja sitä paitsi hän on muuttanut toiselle puolelle maata opiskelemaan, joten kohtuullista olisi antaa hänen elää rauhassa sitä elämää, jonka hän on valinnut.

Elämää niin kaukana minusta kuin tässä valtakunnassa pääsee.

Sitä en sanonut.

»Tein vain työtäni», Taina matki. »Niin keskitysleirien krematorionhoitajatkin sanoivat. Niin kaikki sanovat.»

»Sinäkin vai?» kysyin.

Hän ei ollut kuulevinaan.

»Pipan katoamisen jälkeen et ole pitänyt edes poliisiin yhteyttä», Taina vielä yritti. »Minä sentään olen soittanut sille Forsnäsille monta kertaa viikossa.»

»Siitä se varmaan on ylettömän otettu.»

»Haista paska!»

Se tuli kovaa, lensi kattoon, pamahti keskelle salia ja mäjähteli seinille, nurkkia myöten.

Sanoin, että Tainan kaavailema yhteistyö minun kanssani alkoi huonosti. Ensin hän tarjoaa rahaa kuin olisin ammattihuora, jolla voi maksusta teettää mitä temppuja haluaa. Sitten rupeaa räyhäämään ja syyttelemään, järjestämään kohtauksia. Ymmärrän kyllä, että hän on ollut huolissaan ja ahdistunut, mutta niin olen minäkin ollut, vaikka en olekaan juossut ympäriinsä parkumassa ja muita huolestuneita ja ahdistuneita syyttelemässä.

Stina sanoi, ettei viitsi kuunnella yhtään enää. Hän nousi. Taina nykäisi hänet takaisin istumaan ja vaihtoi äänilajia. Hän pyysi anteeksi, ettei ollut kyennyt hillitsemään itseään, kaikkea oli vain tullut liikaa ja liian nopeassa tahdissa. Kai ihmisellä joskus vuotaa yli. Hän sanoi, ettei halunnut painostaa minua, ja jos olisin kiinnostunut keskustelemaan jutuntekotarkoituksessa Stinan kanssa, hän ei puuttuisi siihen millään tavalla.

Hän katsoi alta kulmiensa kuin mököttävä lapsi.

»En ole kiinnostunut», sanoin.

Stina rapsutti kynnellään tahraa pöytäliinasta. Taina tuijotti seinäkelloa. Hän niiskautteli vieläkin. Nenänpielet punoittivat. Poskien meikki oli hankautunut nenäliinaan. Ripsiväri oli märkyyttään paakuissa. Huulipuna oli levinnyt. Hän näytti esityksessään epäonnistuneelta klovnilta.

»Ehkä me voisimme keskustella kahdestaan», Stina sanoi pöytäliinan tahralle.

Sitten hän nosti katseensa minuun.

Kai minä näin siinä jotakin.

Sillä minä suostuin.

Sanoin, etten tiedä mitään heidän alastaan, rättikaupasta siis, enkä varsinkaan mallivälityksestä, enkä ehdottomasti mitään siitä, mitä jonkin putiikin media- ja yhteiskuntasuhteitten hoitaja tekee. Sanoin epäileväni, etteivät ainakaan talouselämän lehdet olisi sellaisesta bisneksestä tai siinä toimivasta ihmisestä kiinnostuneet. Juorulehdet ja naistenlehdet ehkä, jos Stinasta löytyisi jotain erityistä pureskeltavaa ja imeskeltävää yksityiselämän puolelta. Korostin, ettei minulla ollut sellaisiin julkaisuihin nykyisin suhteita.

»Niin just. Noin just asennoidutaan, kun yrittäjä on nainen», huusi Taina.

Stina taputti häntä käsivarrelle, ja hän vaikeni.

Stina sanoi, että hänen ammattinsa luonne selviäisi aikanaan, ei hänen työssään mitään mystistä ole. Kun sanoin, etten tiedä hänestäkään mitään, hän sanoi, ettei hänen elämässään paljon tietämistä ole. Sensaatioita siitä ei saisi revityksi millään. Mutta ehkä ennemminkin tyypillisyyksiä. Hän kertoi muuttaneensa vanhempiensa kanssa Ruotsiin jo pikkutyttönä 70-luvun alussa. Isä ja äiti eivät olleet viihtyneet, vaikka kokeilivat elämää sekä Göteborgissa että Tukholmassa. Työttöminäkin he olivat välillä olleet, ja niin muutettiin takaisin Vaasaan. Niiltä ajoilta hän muistaa Pipan ja Tainan, vaikka kävikin eri koulua, ruotsinkielistä, kun nämä taas suomenkielistä. Stina ei ollut paluumuuton jälkeen viihtynyt Vaasassa; se oli hänen mielestään koppava ja sisäänlämpiävä pikkukaupunki, jossa oli vaikea saada ystäviä, varsinkaan ruotsinkielisistä piireistä. Hän lähti ylioppilaaksi tultuaan takaisin Ruotsiin, opiskeli tiedotusoppia, sosiologiaa ja psykologiaa Tukholmassa, teki sekalaisia tiedotusalan töitä, oli välillä viestintäsihteerinä pikkufirmoissa, välillä taustatoimittajana tv-tuotannoissa.

Hän kertoi tämän yhteen pötköön kuin olisi ladellut tarinaansa työhönottohaastattelussa, kohautti sitten olkapäitään ja vaikeni.

»Oletko ollut naimisissa?» kysyin.

»Olin minä vähän aikaa. Se meni åt helvete... mönkään. En halua puhua siitä.»

»Ei sitten. Mitä sinulla ylipäätään on kerrottavaa? Jutuksi asti.»

Stina ja Taina vilkaisivat toisiaan. Stinan kasvoille nousi haalea punerrus.

»Minulla on kyllä yksi idea. Aika erikoinen. Oikeastaan aika mahtava idea.»

»Niin kuin sen teidän bisneksen alalta?»

»Joo. Tavallaan. Mutta luulen, että se voisi kiinnostaa laajemminkin.»

»Anna nyt jokin vinkki.»

»Ei siitä oikein voi. Minun täytyy miettiä tarkkaan, miten annan sen julkistettavaksi. Että se tulisi esille yllätyksellisenä mutta olisi toisaalta uskottava.»

»Jo pitää olla ihmeellinen idea.»

»Se on.»

Sovimme tapaamisesta parin päivän kuluttua Tainan luona, missä Stina toistaiseksi asui. Taina antoi korttinsa. Osoite oli Laivurinkadulla.

»Lupaan pysyä poissa», Taina sanoi.

»Se onkin ensimmäinen ehto.»

Ehdotin varmuuden vuoksi aamuaikaa; silloin Tainan olisi oltava töissä. Minulla ei ollut aavistustakaan, minne tyrkyttäisin juttua tästä naisesta, joka ei kovin kummia ollut saanut aikaan tässä maailmassa. Ja hänen mahtavan ideansa.

No, päässään saa kuka tahansa viritellä mitä tahansa.

Mutta Stina oli kaunis nainen.

Jumalattoman kaunis nainen.

Ja hänen katsoessaan oli ollut hitunen salaliittolaisuutta.

Miksi minä en saisi solmia jonkinlaista salaliittolaissuhdetta jumalattoman kauniin naisen kanssa?

Uteliaisuuteni oli herännyt. Vai mikä minussa heräsi? Mies, vihdoinkin?

Mikä sitten minussa heräsikin, illalla kotona se uuvahti.

Rupesin katumaan myöntyväisyyttäni. Kai minä olinkin myöntynyt Pipan takia, korvaukseksi jostakin konnantyöstäni, jonka laatua ja laajuutta en itse edes ymmärtänyt. Pippa se tietysti istui neljäntenä Kosmoksen loosissa vaatimassa suopeutta kalliille ystävälleen, jonka jatkuva loukkaaminen oli yksi painava syy hänen katoamiseensa. Olin yrittänyt tuhota hänen viimeisen toimivan ihmissuhteensa, väheksymällä ja vihaamalla hänelle läheistä tärkeää ihmistä.

Pippa istui neljäntenä kapakan pöydässä ja piti minulle ihmissuhdesaarnaa. Pippa oli kadonnut mutta läsnä ja kommentoi kaikkea, mitä minulle oli tapahtunut. Paheksui minua, kun sain raivarin. Paheksui minua, kun sain potkut. Paheksui minua, kun sain häädön. Paheksui minua, kun en paheksunut itse itseäni suhteestani Susanaan. Paheksui sitä, miten törkeästi tuo suhde minun puoleltani oli loppunut.

Yhteistyötä Kassu Leinon kanssa hän ei paheksunut. Sen hän hyväksyi. Tietysti: työn ja toimeentulon suhde on silloin moraalisessa tasapainossa, kun työtä on enemmän kuin jaksaa tehdä ja kun siitä saatavalla rahalla pysyy juuri ja juuri hengissä. Kituuttaminen on hyväksi minulle, yhteisölle, yhteiskunnalle, maailman köyhälistölle, ympäristölle globaalisessa katsannossa. Koko elonkehälle – sana, jota Pippa oli erityisen rakkaasti viljellyt silloin, kun ylipäätään vielä sanoja viljeli.

Elonkehä sulla on housuissas.

Niin en tietenkään koskaan sanonut.

Pipan elämänkatsomus, Pipan maailmankuva dominoi minua, vaikka ei hänellä mitään kokonaista elämänkatsomusta tai ehjää maailmankuvaa edes ollut. Pelkkiä huteria, keskenään ristiriitaisia mielikuvia ja uskomuksia, joihin hän ripustautui sen mukaan kuin oli hänelle itselleen edullista.

Jos minä olin ollut meidän avioliitossamme se itsekeskeinen narsisti, mitä hän sitten oli edustanut ajatuksineen ja näkemyksineen, joita puki ja riisui kuin asusteita?

Tiesin tarkkaan, minne Pippa oli kadonnut.

Minun päähäni.

5

AAMU OLI AURINKOINEN. Sisäpihalle antavista ikkunoistani näin vain pihakuiluun lankeavan hohteen ja kaistaleen sinistä taivasta, ilmansaasteiden haalistamaa, kuten Helsingissä aina. Mutta se oli sinistä, ja se oli taivasta, ja pihakuiluun lankeava hohde tuli auringosta.

Jos hyviä merkkejä oli olemassa, selkeä päivä harmaan syksyn keskellä oli hyvä merkki.

Kahvi oli täyteläistä ja virkistävää. Leivänpaahdin sinkosi ulos kaksi vasta leivotun tuoksuista kauraleivän viipaletta. Mustaleimainen emmental suli suussani.

Suihkussa hyräilin.

Puin ylleni puhtaat alusvaatteet ja sukat, pehmeät mustat samettihousut ja uusimman collegeni, viininpunaisen. Alla olevan valkoisen kauluspaidan ohuet raidat olivat samaa väriä. Harjasin maiharini hartiat ja kiillotin kenkäni. Tarkistin avaimet ja lompakon. Harkitsin hetken, ottaisinko nauhurin, mutta päätin, etten ota. Olin menossa tunnustelevaan keskusteluun, en haastattelemaan.

Menin ulos ovesta. Laskeuduin hissillä alakertaan. Avasin oven ja astuin kadulle. Ilmassa oli viipyvä tuoksahdus yöllistä raikkautta. Jopa häivähdys kesää, niin kuin Helsingissä joskus lokakuussa saattoi olla, kun ilmavirtaus kävi ilmaa lämpimämpänä pysyneeltä mereltä.

Minähän suorastaan pidin tästä kaupungista, kotikaupungistani. Sen kaduista, joilla ihmiset päämäärätietoisesti kulkivat töihin ja muihin asiallisiin askareisiinsa. Kaupoista, joiden ikkunoissa tänään näytti olevan paljon kauniita tavaroita, Fredan ja Roban kulmatalon liikkeessäkin häikäisevän valkoisia morsiuspukuja. Muistin kirjailijan, joka oli asunut talossa ja sen, että talo esiintyi hänen teoksissaan usein. Joskus ammoin oli morsiuspukuliikkeen paikalla ollut leikkeleliike, sharkutteri, jota piti kirjailijan isoäiti. Ja pojan huoneen alla oli ollut käsineliike Sormi. Liikekyltin hansikkaan etusormi oli osoittanut suoraan pojan ikkunaan.

Osoitti poikaa, josta oli tuleva.

Miksi ei minustakin voisi tulla kirjailijaa, vapaasta miehestä? Mikä estäisi?

Keinahtelevat mielleyhtymäni ilahduttivat minua. Nekin olivat hyvä merkki. Päivä oli tänään täynnä hyviä enteitä.

Kävelin kohti Viiskulmaa kiirettä pitämättä. Aurinko viirutti katukuiluja ja leimahteli ylimpien kerrosten ikkunoissa.

Maailmassa oli onnea, ja vaikka sitä ei juuri nyt ollut minun elämässäni, sitä saattoi olla tulossa, se saattoi olla lähenemässä hurjaa vauhtia niin, että kohta suorastaan törmäisin siihen.

Vuoden mittaan elämäni oli sentään kohentunut. Kun olin muuttanut Eerikinkadulle, en ollut uskaltanut lähteä edes kävelemään. En uskaltanut enkä osannut kävellä. En pystynyt panemaan jalkaa toisen eteen, paitsi jos minulla oli julmettu kiire enkä ehtinyt ajatella, että olen liikkeellä omien jalkojeni varassa.

Kadut pelottivat minua.

Kaduilla kulkevat ihmiset pelottivat minua.

Tuntui, että kaikki katsovat minua, näkevät sisääni ja lävitseni, näkevät pelkoni, arvottomuuteni ja avuttomuuteni. Näkevät etten ole matkalla mihinkään tärkeään tai edes asialliseen päämäärään.

Näkevät koko olemassaoloni turhanpäiväisyyden.

Tuntui että jokainen muu kadulla kulkija kantoi mukanaan asiaa, tehtävää, merkitystä, vain minä olin turha ja tarpeeton, ehkä suorastaan vahingollinen.

Opetin itseni kävelemään. Pakotin itseni kävelyille. Ensin vain pari korttelia katua alaspäin ja takaisin. Hoin itselleni, että jalka heilahtaa liikkeelle lantiosta asti, ei polvesta. Se auttoi, lakkasin töpöttelemästä. Sitten jo kiersin muutaman korttelin. Yritin näyttää siltä, että olin määrätietoisesti menossa johonkin.

Lopulta pystyin unohtamaan itseni, jalkani, askeleeni, näkemään ympäristön, iloitsemaan siitä, että minulla on jalat millä kävellä ja silmät, millä katsella. Rupesin kiertelemään keskikaupunkia, tekemään pitkiä lenkkejä pitkin rantoja. Onnistuin vaipumaan kulkiessani ajatuksiini, joskus miellyttäviinkin, sen sijaan, että olisin sydän hakaten miettinyt, mitä vastaantulijat ja muut kadulla kulkijat ajattelevat minusta.

Tunnistavatko minut, ajattelevatko, että siinähän laapustaa se lehdestään potkut saanut desperado, jonka eukko katosi, ja jota poliisi epäilee murhaajaksi?

Opin kävelemään.

Se on ihmiselle paljon.

Kuinka monta miljoonaa vuotta sen opettelemiseen lajilta kuluikaan?

Opin tekemään uudenlaisia töitä, jopa pitämään niistä. Opin pitämään omasta uudesta, vaatimattomasta elämäntavastani, kotona olemisesta, kirjan kanssa valvomisesta, kiireettömistä aamuista kahvikupin ääressä, pienistä arkipuuhistani. Opin nauttimaan yksityisyydestä, jossa sain olla hiljaa, puhumatta, koska ketään toista ei ollut. Lähettyvillä ei ollut ketään, joka olisi erittänyt ympärilleen vihamielistä, syyttävää mykkyyttään, joka oli enemmän huutoa kuin hiljaisuutta.

Koko elämässäni ei ollut semmoista syyttäjää, ei ainuttakaan vihamiestä.

Minun ei tarvinnut esittää kenellekään mitään. Harvinainen etuoikeus tässä ajassa ja maailmassa. Ymmärsin sen ja osasin antaa sille arvoa.

Kohtuus on kaunista eikä muuta kaunista olekaan, joku sanoi. En muista kuka. Se oli hyvä elämänohje, josta muistutin itseäni aina huonon hetken tullen. Ja huonoja hetkiä kyllä tuli.

Lakkapäälikka, rauhallinen ja lempeä-ääninen, odotti. Minua, jota kukaan ei ollut odottanut pitkään aikaan. Paitsi Kassu, eikä hänkään odottanut minua vaan minun töitäni.

Mutta nyt minua odotti joku.

Kaunis.

Nainen.

Laivurinkadun talo oli vanha, porraskäytävä avara, hissi vanhanaikainen, veräjällinen. Tainan asunto oli kolmannessa kerroksessa. En ottanut hissiä. Loikin portaat ja huohotin hiukan soittaessani ovikelloa.

Taina avasi heti kuin olisi ollut oven takana odottamassa. Hänellä oli takki päällä. Hän silmäsi minua päästä jalkoihin. Ilme oli nyrpeä.

»Tulit oikein juosten. Stina on suihkussa, mene olohuoneeseen odottamaan, mun täytyy kiitää», hän lateli, pujahti rappuun ja loksautti oven kiinni perässään.

Riisuin takkini ja löysin sille koukun täyteen ahdetun naulakon periltä. Hallimaisesta eteisestä meni ovia eri suuntiin, kaikki korkeita, valkoisiksi maalattuja peiliovia. Yhden takaa kuului katkeamatta voimakas suihkun kohina.

Kaksoisovet olohuoneeseen olivat auki. Suunnistin sinne.

Huone oli iso ja komeasti kalustettu, mutta hirveässä sekasotkussa. Valoa tulvi erkkerin ikkunoista, vaikka ne olivatkin pesemättömyyttään harmaat. Huoneen ilma sinersi. Tupakka haisi. Pölyhiukkaset tanssivat.

Kalustuksessa oli tavoiteltu englantilaisuutta, vai olisiko ollut amerikkalaisuutta, minähän en tyylejä tuntenut. Kovasti sen eteen oli nähty vaivaa. Joskus. Nyt muhkeilla kulmittain asetetuilla sohvilla ja samaan ryhmään kuuluvilla nojatuoleilla oli läjäpäin vaatteita, puhtaita ja likaisia, siltä näytti, raskastekoisella, matalalla sohvapöydällä lojui papereita ja lehtiä hujan hajan. Seinän peittävässä kirjahyllyssä oli kirjojen seassa lehtipinoja ja paperipinoja ja kippoa ja kuppia jos jonkinlaista. Ruokailuryhmän isolla soikealla pöydällä seilasi likaisia lautasia ja laseja ja rypistettyjä paperilautasliinoja. Keramiikkavadissa oli mustuneita banaaneja, lasikulhossa muinaisen salaatin jäänteet.

Tupakan lisäksi ilmassa oli jokin tunkka ja naaraanhaju, jota ei tehnyt mieli tarkemmin eritellä. Olin itsellisenä oppinut säntilliseksi ja siistiksi ja pidin sitä osoituksena elämänhallinnasta. Rutiinit tappavat, sanotaan, mutta se on pötyä. Rutiinit pitävät ihmisen ryhdissä, jäsentävät elämää, tuovat siihen edes jotain järkeä.

Kaiketi tämä kaaos kuvasti Tainan sekasortoista sieluntilaa, elämänhallinnan puutetta. Itseänsä se kyllä kuurasi ja tälläsi. Huomasin paheksuvani ja samalla olevani vähän vahingoniloinen. Torjuin tunteen ja yritin ajatella neutraalisti. En halunnut olla kuin äitini, jonka mielestä oma elämä koheni siitä, että näki toisen elämän ja huushollin olevan enemmän sotkussa. »Ei meillä sentän niin ruakottomasti eletä kun tolla Haapasella...»

Suihku kohisi.

Siirsin toisen sohvan vaateläjää ja istahdin. Muitten papereitten joukossa pöydällä oli kasa huolimattomasti avattuja, kapeita kirjekuoria, pullean näköisiä. Otin kuoren käteeni ja katsoin. Postileimasta ei saanut selvää, mutta postimerkki oli ruotsalainen, ja vasempaan yläkulmaan lähettäjäksi oli merkitty S. Björkman. Nimen alla oli kirjaimet EB.

Kääntelin kuoria käsissäni, panin pois, otin uudestaan hyppysiini.

Ei kai näissä mitään valtakunnan salaisuuksia ole.

Suihkun kohina kuului yhä.

Ei se sieltä ihan heti tule.

Voisin ainakin vähän vilkaista, niin saisin tietää edes jotain naisesta, jota olin tullut jututtamaan. Taustaksi. Ei tietenkään tirkistelymielessä vaan ihan ammatillisesta mielenkiinnosta.

Ei sen sitä tarvitse tietää.

Itsepä on sitä paitsi jättänyt levälleen.

Melkein kuin tarjolle.

Otin kirjeen kuoresta. Avasin taitteista. Luin. Otin toisen ja luin. Ja kolmannen. Neljännenkin otin, ja viidennen, ja yhä lisää.

Otsani hiestyi. Käteni tärisivät.

Kiskoin kirjeitä kuorista, luin muutaman rivin, heitin pois, otin uuden, luin alusta tai lopusta tai keskeltä, kokonaan en ehtinyt, sillä minulla oli yhtäkkiä hirveä kiire. Aikajärjestys oli sattumanvarainen, mutta sillä ei ollut mitään väliä. Varhaisin päiväys oli edelliseltä syksyltä, tuorein vajaan kuukauden takainen.

EB 6.10. ...*Minulle on nyt tehty hoitosuunnitelma. Menin pyörälle päästäni siitä kaikesta. Kyllä* tämä kokopäivätyötä tulee olemaan. Ruokavalio, liikuntaa, terapeutti viisi kertaa viikossa. Täällä voi valita dieetin, mutta minun tapauksessani aloitetaan sairaaladieetillä eli käytännöllisesti katsoen paastolla. Ja liikunta on aluksi uintia ja rauhallista kävelyä. Muuta eivät kuulemma niveleni kestä. Eikä sydän. Ilmoittauduin myös joogaan. Huomenna on ensimmäinen tapaaminen psykoterapeutin kanssa. Leikkauksia ei vielä voi ajatella, ensin pitää pudottaa painoa reippaasti ja saada kunto nousemaan, sanoi lääkäri... Hävettäisi helvetisti, ellen näkisi ympärilläni toisia samanlaisia bontsoja. On täällä tietysti niitäkin, joista ihmettelee, mitä ne täällä tekevät...

EB 6.11. ...terapeutti sanoi, että nyt kun olen päätökseni tehnyt, minun on keskityttävä hoitoihin ja operaatioihin ja lakattava vatkaamasta, teinkö oikein vai väärin. Man måste bara gå vidare... Niin tietysti, mutta en voi noin vain pyyhkäistä olemattomiin sitä, mitä minussa on. Kaikesta Pikku B:hen liittyvästä hän puhui hyvin empaattisesti. Petestä en osannut puhua mitään, en osaa selittää...

EB 25.11. Mieliala alkaa nousta. Ehkä se johtuu tanssiterapiasta, johon menin kaikkine läskeineni, vaikka hävetti niin pirusti. Mutta oli siellä muitakin tosi lihavia. Tömisteltiin kuin norsulauma. Mutta liikkuminen vapauttaa oikeasti. Itketti, kun ajatteli, miten olen piinannut itseäni kököttämällä neljän sei-

nän sisällä erakkona. Koetan keskittyä siihen, mitä
on nyt, mutta en voi välillä olla ajattelematta, miten
Peten elämä menee. Mullistinko sen? Toivottavasti
– toivottavasti en...

EB 15.10. ... Ensimmäinen rasvaimu oli eilen. Pai-
kat ovat helvetin kipeinä. Terapeutti tuli huoneeseeni,
sillä en voinut nousta sängystä. Kauhistuttaa ajatella
niitä leikkauksia ja kaikkea kipua, joka on odotetta-
vissa. Sairaaladieetillä paino putoaa nopeasti, mutta
sitä ei voi jatkaa pitkään. Veriarvoni ovat mitä ovat,
lääkäri puhui siitä, minkälaisen rasituksen kohteeksi
sydämeni joutuu näissä operaatioissa. Jankutti kuin
ei olisi uskonut minun käsittävän. Nyt kaikki paikat
tuntuvat roikkuvan, naama varsinkin...

EB 15.2. ...kummallista, ettet tiedä mitään Petes-
tä. Yritän olla ajattelematta häntä, mutta hän tulee
uniini, sille en voi mitään...

EB 24.12. ...jouluaattoyö. Sain herkutella jou-
lupöydässä tietyin rajoituksin. Olen jo omasta mie-
lestäni aivan toisen näköinen. Vaaka kyllä todistaa
muuta. Hammaslääkäri aloittaa työnsä vuodenvaih-
teen jälkeen...

EB 17.3. ...voinut kirjoittaa silmäleikkauksen
jälkeen, sillä silmäni ovat olleet aivan umpeen muu-
rautuneet. Näytän nyt tosi kamalalta, naama mustel-
milla ja joka paikkaa särkee ja kiristää, rinnat ovat
niin kipeät, että niitä ei voi koskettaakaan...

EB 24.8. ...haluan saada tämän loppuun niin

nopeasti kuin mahdollista. Tunnen itseni silvotuksi, ja silvottu minut onkin, mutta terapeutti sanoo, että kun olen kunnolla kuntoutunut, sellaiset tunteet menevät ohi... Hän ihailee ulkonäköäni joka päivä, varmaan se on vain ammatillista... Taideterapeutti kehuu töitteni kirkastuneita värejä, mutta itse epäilen, että olen valinnut värit vain häntä miellyttääkseni, että hän saisi onnistumisen tunteen. Ihan kuin lapsena, kun oli tärkeätä, että isä kehaisi. Äiti hössötti kimpussani aina, kehuskeli ja ihasteli, eikä se tuntunut miltään. Mutta isä kiitti harvoin. Tämä on tietysti aivan pöhköä, mutta välillä tuntuu kuin tekisin vääryyttä itselleni. Välillä taas olen varma siitä, että toimin oikein.

EB 15.9. ...haluan palata laivalla, olla kaikkien näkyvissä. Minä olen toinen nyt, enkä juokse pakoon enää mitään, en edes Peteä... Minulla on vimmattu tarve näyttää itseni, nähdä itseni toisten silmissä, kokea minkä vaikutuksen teen. Onkohan tämäkään ihan tervettä? Joka tapauksessa on vielä kestettävä vielä yksi pieni operaatio, se on huomenna... Jotenkin kammoan niitä botox-ruiskeita, joilla minua on siloiteltu, vaikka täällä sanotaan, että ne eivät vain poista ryppyjä vaan antavat myös kasvoille levollisen ilmeen. Levollisen? Ehkä ennemmin elottoman? Onneksi niitä ei tarvitse enää ottaa; naamani on sileä kuin viilikulhon pinta.

Käteni tärisivät, pääni hehkui, joka paikkaa pisteli.
Kirjeitä oli toista kymmentä.
Jokaisen allekirjoittajana oli Pippa.

Suihku oli lakannut kohisemasta.
Stina oli tullut äänettömästi huoneeseen. Hänellä oli yllään valkoinen froteekylpytakki ja päässään turbaaniksi kietaistu valkoinen froteepyyhe. Hän oli paljain jaloin. Hän kiersi sotkuisen ruokapöydän, poimi siltä tupakka-askin ja sytkärin ja asettui istumaan nojatuoliin minua vastapäätä.
Hän oli aivan tyyni. Hän katsoi minua silmiin. Minä katsoin häntä silmiin.
Hänen silmänsä olivat vihertävän harmaat.

Hän laski tupakka-askin ja sytkärin pöydälle, kiersi turbaanin auki, heitti pyyhkeen tuolille ja rupesi haromaan sormin kuiviksi hiuksiaan.
Hyvin lyhyiksi leikattuja vaaleita hiuksiaan.
Hän veti sormiaan pojantukkansa läpi, ravisti päätään, haroi taas, ravisti uudelleen päätään, sytytti tupakan ja veti savun syvälle keuhkoihinsa.
»Luit kirjeet», hän sanoi. »Hyvä. Se oli tarkoituskin.»

Sanat olivat nyrkkitappelussa päässäni.
»Mitä s-saatanaa t-tämä on?»
Stina käänsi katseensa kohti ikkunaa ja oli pitkään hiljaa.

»Se on juuri sitä, mitä ajatteletkin sen olevan», hän sanoi.

»Mitä minä ajattelen, mitä? M-mitä ilveilyä tämä on olevinaan?»

»Ei ilveilyä ollenkaan», hän sanoi. »Ei varsinaisesti.»

»Missä Pippa on? Mistä nuo kirjeet on lähetetty? Mikä helvetin EB?»

»Kysymys kerrallaan. EB on kauneusklinikka. Eternal Beauty Clinics. Etelä-Ruotsissa. Malmön lähellä. Oikein kuuluisa paikka, potilaita kaikkialta Euroopasta. Miehiäkin. Vuosi vuodelta enemmän miehiä kuulemma. Pitävät sitä ilahduttavana merkkinä sukupuolten välisen tasa-arvon edistymisestä. Dieettejä, plastiikkakirurgiaa, psykoterapiaa, yksilöllistä ja ryhmissä. Stylistejä, kosmetologeja, kampaajia, fysioterapeutteja, ilmaisutaidon opettajia, liikunnanohjaajia... Ihan vaikka mitä. Hienoa hotellitason elämää upeassa kartanoympäristössä. Lääkärit ja hoitajat kuin filmitähtiä. Niillä on varmaan hyvät henkilökunta-alennukset. Kaikki on erittäin luottamuksellista. Ja pirun kallista.»

»Minkä hiton takia...»

»Se on uudestisyntymisen paikka. Ihminen lähtee sieltä kuin Luojansa kädestä. Nousee kuin Afrodite meren vaahdosta. Uutena, nuorena, hoikkana, tyylikkäänä ja täynnä tervettä itsetuntoa. Siihen tyyliin ne mainostavat. Niillä on esite, jonka otsikkona on

Uusi luomiskertomus. Siinä kerrotaan, miten uusi Adam ja Eeva syntyvät ja palaavat paratiisiin. Tai siis maailmasta tulee paratiisi, kun ihmiset pysyvät nuorina ja kauniina ja rakastamisen arvoisina.»

»Älä lässytä. Missä Pippa on? Taina on tiennyt koko ajan. Sinä olet tiennyt koko ajan. Voi vittu teitä perkeleitä.»

Stina tumppasi tupakkansa hitaasti ja huolellisesti.

»Oli pakko...»

»Turpa kiinni, ämmä. Missä Pippa on? Missä se on?»

Stina nousi tuolista ja asettui seisomaan sen viereen käsi sirosti selkänojalla, sääri toisen eteen ojennettuna, poseerausasentoon. Hän nosti toisen kätensä niskaan ja heilautti päätään, jäi seisomaan leuka pystyssä.

»Tässä», hän sanoi.

Kimposin sohvalta kuin minut olisi laukaistu ja syöksähdin hänen kimppuunsa. Tarrasin hänen kylpytakkinsa rinnuksiin, mutta en ehtinyt edes ravistella. Tunsin sekunnin ajan vahvan otteen vyötäisilläni, sitten rajun nykäisyn, joka tempaisi jalkani irti lattiasta, ja sitten olinkin selälläni parketilla.

Stina katsoi minua korkeuksista, seisoi siinä kädet lanteilla ja jalat harallaan.

»Kävin naisten itsepuolustuskurssinkin», hän sanoi.

Kömmin pystyyn, istuin takaisin sohvaan ja vain tuijotin. Stinakin oli istuutunut. Hän nyppi kylpytakkinsa vyötä eikä katsonut minuun.

»Missä se musta polkkatukka on?»

»Kylppärin naulassa. Ja vihreät piilolinssit ovat yöpöydällä rasiassa, tyhmä. On minulla ruskeat ja sinisetkin.»

»En minä sentään ihan mitä tahansa paskaa niele», sanoin. »Mikä Pippa sinä olet? Ihan eri ihminen. Teissä ei ole mitään samaa.»

»Eikö? Jos niin onnellisesti on, vaiva kannatti nähdä.»

Painoin pääni käsiini.

»Minä tulen hulluksi», sanoin.

»Et tule. Enhän minäkään tullut. Ennemminkin päinvastoin. Paranin.»

Mietin kämmenteni takana. Nainen on hullu, ja minun on terveellisintä häipyä täältä heti helvettiin.

»Voisitko mitenkään selittää, mistä on kysymys?» pyysin lauhkeasti.

Hän selitti.

Kaikki oli alkanut – hän laski oikein sormillaan – kaksi vuotta ja viisi kuukautta ja kahdeksan päivää sitten, jos tästä päivästä lasketaan. Se oli huhtikuu, kuukausista julmin, kuten hän hymähtäen totesi.

Hän oli voittanut lotossa.

»Justjoo», minä sanoin.

Hän vakuutti, että se oli totta. Se oli porukkalotto, päävoitto, mutta voittosumma jaettiin yli kymmenen ihmisen kesken, ei siitä miljoonapotteja tullut. Aika paljon kuitenkin. Niin paljon, että hän tajusi pitelevänsä käsissään rahamäärää, jonka avulla hän voisi kokonaan muuttaa elämänsä. Hän voisi lähteä tiehensä minun luotani, kauas hautausmaasta ja kauas omasta ahdistuksestaan, kamalista muistoistaan, siitä kaikesta painajaismaisesta, mitä elämä silloin oli. Hän voisi aloittaa alusta, hän kertoi ajatelleensa. Myöhemmin hän kyllä oppi, ja aika nopeastikin, ettei ihminen voi aloittaa alusta, se on lapsellinen haave. Mikä on ihmiseen tullut, se pysyy, vaikka sen kuinka yrittäisi kieltää.

Sanoin etten mielelläni kuunnellut hänen elämänfilosofisia julistuksiaan. Faktat riittävät.

Sanoin, etteivät ihmiset sillä tavalla lotossa voita, ja että kai minä olisin sen huomannut, jos semmoinen tuuri olisi omalle vaimolle käynyt. Tai jollekin Kulosaaren ostarin kioskin lottoporukalle.

Hän nauroi ja sanoi, että joka viikko joku voittaa, enemmän tai vähemmän, yksin tai porukassa. Lottosinko minä, seurasinko arvontaa, luinko voittouutisia? Myönsin, että en.

»Ethän sinä tiennyt, että minä edes lottosin. Ethän sinä tiennyt muutenkaan, mitä minä puuhasin. Minä olisin voinut olla vaikka huumediileri, etkä sinä olisi tietänyt siitä tuon taivaallista. Minä olisin voinut pitää vaikka bordellia meidän kämpässä kaiket päivät.»

»Et olisi.»

Hän lehahti punaiseksi kaulaansa myöten.

»Älä nälvi. Aiotko loppuikäsi vittuilla minulle niistä läskeistä, joita minulla ei enää ole?»

Pippa ei koskaan käyttänyt sitä sanaa.

En vastannut. Hän jatkoi. Hän kertoi ensin ajatelleensa, että lottovoitto koituisi meidän yhteiseksi onneksemme, minä pääsisin irti nöyryyttävistä hommistani, voisimme elää riippumattomina, vapaina tai ainakin vapaampina, perustaa vaikka oman pienen viestintäyrityksen, ainakin valita työmme. Mutta sitten hän oli oivaltanut, että olin jo mennyt liian kauas, tai hän, ja että en minä olisi hänen kanssaan onnelliseksi ruvennut, vaikka hän olisi voittanut miljardin. Niin sitten kypsyi toinen suunnitelma. Tainan avulla. Sitä lähdettiin toteuttamaan hitaasti, huolellisesti, perusteellisesti.

Ensin hän vaihtoi nimensä.

»Björkman on äidin tyttönimi, mitä sinä et tietenkään muista, jos joskus ylipäätään olet sen kuullut. Hyvin monet naiset ottavat nykyisin äitinsä tyttönimen. Minun nimeni ovat Pirjo Helen Kristina. Muutin Kristinan puhuttelunimeksi. Siitä tuli itsestään Stina. Nimenmuutos ei ollut temppu eikä mikään, se on nykyään pelkkä ilmoitusasia, eikä siitä tarvitse enää missään julkisesti kuuluttaa. Sitten vain hankittiin passit ja henkilökortit ja pankkikortit uudella nimellä.»

»Miten kaikki tuommoinen on mahdollista tehdä aviomiehen selän takana?»

»Siksi, että aviomies piti vaimoaan koko ajan selkänsä takana. Jos olisit joskus kääntynyt päin ja nähnyt minut, olisit ehkä huomannutkin, että jotain on menossa.»

Ajan annettiin kulua, varmuuden vuoksi. Passi ja muut paperit olivat olleet voimassa jo toista vuotta, ennen kuin Pippa ja Taina yhdessä häipyivät. Uudet vaatteetkin Pippa oli hankkinut jo elokuussa. Jos nyt vaikka poliisi kyselisi, ei kukaan myyjä muista niin etäisiä ostoksia eikä osaa yhdistää niitä paljon myöhemmin tapahtuneeseen katoamiseen. Paikka EB-klinikkaan oli varattu ajoissa, hoidon luottamuksellisuus oli varmistettu. Naiset ajoivat Tainan autolla pohjoiseen ja menivät Kaaresuvannossa yli ja sitten pudottelivat etelään kohti Malmötä. Missään vaiheessa heitä ei kukaan kontrolloinut, ei edes papereita kyselty rajalla.

»Taina on ollut korvaamaton tuki», huokaisi Stina.

Sanoin sen hyvin uskovani.

»Mutta täytyyhän sinulla olla entinen sosiaaliturvatunnus. Ja poliisit tutkivat niin pirun tarkasti.»

»Ainakin sanoivat tutkineensa. Mutta eivät näköjään tutkineet. Hassua kyllä, minähän olin näkyvissä koko ajan, monen kymmenen ihmisen kanssa tekemisissä joka päivä. Mitä siitä voi päätellä? Ettei minun kohtalostani toden teolla välitetty? Ensin poliisi tietysti ajatteli, että minä olen vain yksi tarpeekseen saanut muija, joka karkaa miehensä luota. Eihän se ole rikos. Päinvastoin. Siihen naisia yllytetään, jos mies on väkivaltainen. Häivy, et voi muuttaa sitä äijää. Häivy, se vain pahenee. Häivy, ennen kuin kuolet. Ota uusi nimi, leikkauta itsellesi uusi naama...»

Hän sanoi, että perheväkivaltatapauksissa on melkein säännönmukaista, että uhri pakenee, piiloutuu, vaihtaa nimeä, henkilöllisyyttä, ulkonäköä, maata. Väkivallantekijälle viranomaisetkaan eivät kuulemma mahda paljon mitään.

»Älä nyt liioittele. Minä en kuulu siihen joukkoon. Jos minä joskus vähän muksautin...»

Hän ei ollut kuulevinaan.

»Sitten ne innostuivat epäilemään sinua murhaajaksi. Kun se idea valui tyhjiin, koko juttu ei niitä enää kiinnostanut. Kai ne uskoivat, niin kuin sinäkin olet uskonut, että tein itsarin masennuksissani. Lottovoiton jälkeen en oikeastaan edes ollut masentunut. Jos vaikutin poissaolevalta, se johtui siitä, että minulla oli paljon mietittävää. Poliisi tiesi, että jos olin tehnyt itsarin, ruumis ilmaantuisi ennemmin tai myöhemmin, joko maasta tai vedestä. Omaa raatoaan ei valitettavasti voi hävittää. Ei vaikka räjäyttäisi itsensä. Jotain aina jää.»

»Sanopas yksi asia. Tiesikö äitisi?»

»Tiesi ja tiesi. Jotain sille piti selittää, kun se oli

seota kuvitelmiinsa. Ei se paikkaa tiennyt, mutta Tainan välityksellä lupasin äidille, että palaan, kun olen siihen henkisesti valmis. Se rauhoitti sitä riittävästi. Luulen, että se muutti Espanjaankin osaksi sen takia, ettei vahingossa hölöttäisi täällä mitään ja päästäisi sinua minun jäljilleni.»

Muistin anopin kirjeen. Kömpelö hämäysyritys, eikä minulla ollut mikään kello kilkattanut. Piru periköön senkin ämmän. Onneksi on jo perinytkin.

»Et ollut hautajaisissakaan.»

»Enhän minä voinut. Siellä olisi voinut olla vaikka poliisi kyttäämässä. Dekkareissa poliisit käyvät aina hautajaisissa katsomassa, paljastaisiko joku epäilyksenalainen siellä itsensä. Oikein fiksu kyttä löytää arvoituksen ratkaisun jonkun hautajaisvieraan naamasta.»

»Höpöhöpö. Sinä luet liikaa dekkareita.»

»Voi olla.»

»Lotossa et kyllä voittanut. Ei ihmiselle sellaista tapahdu.»

Hänen ilmeensä kiristyi.

»Ehkä en. Ehkä Taina lainasi. Tai äiti antoi ennakkoperintöä. Olihan sillä mistä antaa. Tai ehkä säästin talousrahoista. Sinähän olit aina niin avokätinen.»

Kun hän rupesi kiihtymään ja puhumaan nopeammin, hänen ääneensä tuli jotain tuttua. Hyvin kaukaisesti tuttua, sillä koska minä olin Pipan ääntä viimeksi kuunnellut? Todella kuunnellut. Siitä on sata vuotta.

Kun hän jatkoi, hän puhui seinille, ikkunalle, huonekaluille, ei katsonut minuun päinkään.

»Sinä kylmenit minua kohtaan, et välittänyt minusta yhtään. Inhosit. Et tiedä, kuinka hirveää on nähdä semmoinen inho toisen silmissä. Varsinkin kun itsekin inhoaa itseään. Minusta tuntui, että sinä syytit minua vauvan vammaisuudesta ja kuolemasta, vaikka minkä minä millekään voin? Syytin itsekin itseäni enkä päässyt lapsesta irti, en sen elämästä enkä sen kuolemasta. Etkä sinä auttanut. Etenit vain urallasi ja kiihkoilit sen vastenmielisen lehtesi kanssa. Olit mahtavaa asemastasi, vaikka se oli semmoinen haistapaskan asema, raadonsyöjän virka. Ja pidit vieraita naisia, et edes välittänyt peitellä sitä. Luulit, että olen niin hölmö, etten huomaa. Tai elän niin muissa maailmoissa, etten välitä. Sinä se muissa maailmoissa elit.»

»Helvetti mitä tekopyhyyttä. Millä olisi eletty, jos minä en olisi raatanut niska limassa niissä muissa maailmoissa? Sinun kyynelvesilläsikö?»

»Ehkä minä olisin toipunut työkykyiseksi, jos et olisi tempautunut siihen virtuaalimaailmaasi.»

»Kyllä kai joo. Raha, jota myös sinä käytit, ei ainakaan ollut virtuaalista. Ja sillä maksettiin sekin ape, jota mätit mahaasi yötä päivää.»

Naista paistatti. Hän käänsi päänsä. Katsoin profiilia. Pippa tuo ei ole. Vai onko? Jos on, tässä ei ole mitään järkeä. Onko tässä mitään järkeä?

»Miksi piti toimia salaa? Järjestää minulle tällainen piina?»

Hän naurahti.

»Mieti vähän. Jos olisin sanonut, että voitin lotossa ja hellurei nyt lähden Ruotsiin ja muutun uudeksi ihmiseksi, olisitko sanonut, että kiva kiva, siitä vaan? Olisitko päästänyt?»

Mietin vähän. En ainakaan olisi sanonut, että kiva kiva siitä vaan. Se ei ollut minun kieltäni. Eikä Pipankaan, ei ainakaan ennen. Jos tuo ihminen oli Pippa, hän oli todella kehittänyt uuden tavan ilmaista itseään, uuden tavan olla olemassa.

Mutta miksi se edellytti minun nitistämistäni?

»Sinä tuhosit minun elämäni», sanoin hitaasti, ällistyneenä siitä, että niin oli. »Pilasit sen. Tuhosit minun urani ja koko elämäni.»

»Niinkö pääsi käymään? Ja minäkö olisin pystynyt siihen?»

Stina puhui välinpitämättömästi ja tarkasteli kynsiään. Sitten hän nosti katseensa.

»Nyt voisit mennä matkoihisi, että pääsen pukeutumaan», hän sanoi. »Minulla on kiire.»

»Mihin?»

»Minulla on lounastreffit Simo Pakarisen kanssa. Aion myydä tarinani *Viikonpäiville*.»

Hyppäsin pystyyn ja olin eteisessä parilla harppauksella. Hän läpsytteli paljain jaloin perässäni. Kiskoin takin päälleni. Hän avasi minulle oven.

»Miksi?» käännyin kysymään, kun olin jo rappukäytävän puolella.

»Mieti sitä.»

Ovi rämähti kiinni. Olin jo menossa hissiin, mutta käännyin takaisin ja soitin ovikelloa. Hän avasi heti.

»No?»

»Missä se medaljonki on?»

Hänen kätensä lennähti kaulalle. Hän veti henkeä.

»Mikä medaljonki – ai, se. Sen minä viskasin menomatkalla Tornionjokeen», hän sanoi.

Painoin oven kiinni ja jäin sen taakse kuuntelemaan. En kuullut askelia. Stina oli jäänyt eteiseen seisomaan. Menin hissiin.

6

Pysyin kotona toista viikkoa. Kävin vain lähimmässä ruokakaupassa. Edes Alkoon en poikennut, sillä tuntui tärkeältä pitää pää kirkkaana, etten toimisi harkitsemattomasti. Lähinnä pelkäsin, että juovuspäissäni yrittäisin tavoittaa Stinaa tai Tainaa, yrittäisin haukkua, selittää, vaatia heitä sanomaan, että höpöhöpö, me vain vähän pilailimme sinun kustannuksellasi.

Yritin kuitenkin pysyä työn syrjässä. Kääntelin muutaman sivun päivässä globalisaatiokriittistä artikkelia Kassun pamflettisarjaan. Työ ei maistunut; teksti oli kiihkeästi argumentoivaa, mutta minun lauseistani tuli kömpelöitä ja selitteleviä. Käännös nytkähti hiukan paremmin liikkeelle vain niinä päivinä, kun Kassu soitti ja kyseli, mikä minua vaivaa. Ei minua mikään vaivaa. No, töpinäksi sitten. Muutaman tunnin panin töpinäksi, sitten työ rupesi takkuamaan ja hidastelemaan kuin virtalähteessä olisi jokin vika.

Virtalähteessäni olikin jokin vika; jauhoin tyhjää,

kiersin yhtä ja samaa ajatusta: suurta kusetusta, jonka kohteeksi olin joutunut.

Miksi minä?

Miksi kaikki tämä tapahtui minulle, ja ilman, että olin sormeani nostanut tapahtumien edistämiseksi, saati ohjailemiseksi?

Miksi minun takiani, minun pääni menoksi tämä suunnaton vaiva? Olinko niin arvokas saalis?

Jauhoin kysymyksiäni samalla, kun mekaanisesti siivosin, tiskasin, pesin vaatteitani, laitoin ruokaa. Pidin rutiineistani kiinni kaksin käsin, se piti minut elämässä, järjissäni, auttoi säilyttämään itsetunnon rippeitä. Siivosin jääkaapin, jynssäsin kylpyhuoneen, panin tavarat työpöydälläni pikkutarkkaan järjestykseen. Kelloni soi joka aamu kahdeksalta, söin aamiaisen, joka aamu samanlaisen, tiskasin, istuin pöydän ääreen, tein jotain, jos pystyin, jos en, istuin siinä muuten vain. Suunnittelin huolellisesti ateriani ja söin joka päivä täsmälleen samaan aikaan, kahdeltatoista ja viideltä. Jos ruoka oli valmista kymmentä tai viittä minuuttia ennen määräaikaani, odotin.

Joka päivä kävelin tuhat askelta, asuntoni nurkasta nurkkaan. Laskin askeleet. Työväenlehdessä ollessani olin kuullut juttuja siitä, miten jatkosodan ajan poliittiset vangit hoitivat mielenterveyttään selleissään. He kävelivät sellinsä nurkasta nurkkaan ja laskivat askeleensa. Se kuului päivittäisrutiiniin ja tapahtui aina samaan aikaan. He myös lausuivat puoliääneen runoja kävellessään tai laskivat osaamillaan kielillä tuhanteen. Ne jotka olivat perehtyneet Marxiin, Engelsiin ja Leniniin, mutisivat lauseita *Pääomasta, Perheen ja yksityisomistuksen alkuperästä*, yrittivät muistaa *Mitä on tehtävä*. Sankarillisimmat opiskelivatkin, kirjoittivat vessapaperille muistamiaan pätkiä teoriasta, sujauttivat niitä salaa toisilleen verstaissa ja ulkoilun aikana. Kun kiinnijääminen uhkasi, paperi piti niellä. Työväenlehden toimituspäällikkö, nainen, jalopiirteinen ja kauniisti harmaantunut kuin aateliskodin isoäiti, muisteli naureskellen, että *Imperialismi kapitalismin korkeimpana asteena* oli erityisen kuivaa pureskeltavaa.

Mutta minä en ollut perehtynyt Marxiin, Engelsiin enkä Leniniin, minä entinen sydämen sosialisti. Enkä enää osannut runoja ulkoa, vaikka olin niitä Pipan raskauden aikana harjoitetun ääneen luvun aikana oppinutkin. En osannut kuin sen yhden: *Katsotaan onko tämä totta...*

Se taas tulla jyski väkisin päähäni, kun taitoin tuhannen askeleen taivaltani lattialla.

Tämä elämä, jota elän...

Tuntui, että jos en kontrolloi itseäni joka sekunti, putoan maailman laidalta ja olen mennyttä miestä. Maailmahan on pannukakku, pallo on pelkkää sumutusta, lohdutusta, uskontoa, suuri salaliitto.

Maailma on pannukakku, ja sen laidalta voi pudota.

Itsekuristani huolimatta sorruin ahmimaan noin joka toinen päivä. Silloin menin hyvin suunnitellun aterian jälkeen kauppaan uudestaan, ja kuormasin kärryt täyteen. Annoin periksi makeanhimolle, joka oli iskenyt minuun pian Pipan katoamisen jälkeen. Riivaus tuntui pahenevan. Saatoin syödä pakkauksen donitseja ja kaksi isoa suklaalevyä yhtä kyytiä. Ensin se helpotti, tuntui mahtavalta, voimakkaalta, sitten vain yökötti niin, että lopulta oli työnnettävä sormet kurkkuun ja tyhjennettävä itsensä vessanpönttöön. Voima palasi, mutta vain hetkeksi, sitten tulvahti suunnaton häpeä. Se oli niin rankkaa, että sen jälkeen ei voinut kuin maata hiljaa pimeässä.

En olisi voinut ikinä tunnustaa, edes lääkärille, että minulla on tällainen naisten vaiva.

Tajusin, että häpeään voi kuolla.

Iso ruskea kirjekuori tömähti postiluukusta. Sisällä oli *Viikonpäivien* uusi numero, jonka kansilehteen Simba Pakarinen taas huomaavaisesti oli klemmarilla kiinnittänyt korttinsa. Yhteistyöstä kiittäen. Nimikirjoitus leiskahti kopeana lappusen laidasta laitaan.

Juttu ylsi kolmelle aukeamalle.

»Kadonnut vaimo palasi uutena ihmisenä.» »HALUAN ALOITTAA KOKONAAN ALUSTA.»

Stinasta oli otettu upeita studiokuvia. Vertailun

vuoksi mukana oli myös vuosi sitten julkaistu läski-kuva Pipasta. Tekstissä ylistettiin Stinan kauneutta ja nuoruutta, ihmeellistä muutosta, joka suurenmoisella EB-klinikalla oli saatu aikaan. Prinsessasatu, henkeä salpaava tuhkimotarina. Toimenpiteitä selostettiin palstakaupalla: plastiikkakirurgiaa, hampaitten oi-komishoitoja, rasvaimuja, ruiskeita, hoitoja, voitei-ta. Erillisessä laatikossa oli haastateltu suomalaista plastiikkakirurgian erikoislääkäriä, joka suitsutti jokaisen naisen oikeudesta ja suorastaan velvollisuu-desta investoida itseensä ja käyttää hyväkseen kaikki ne keinot, joita kehittynyt lääketiede voi tarjota. Äijä oli sovinnaisella tavalla komea, ilmiselvästi oli anta-nut vuolla omankin naamansa.

»Tärkeintä on tietenkin, että klinikalla autetaan ihmistä löytämään oma sisäinen kauneutensa, hy-väksymään itsensä ja saavuttamaan henkinen tasa-paino», hehkutti Stina.

Kun toimittaja – tai nimetön »työryhmä» se oli tälläkin kertaa – ihmetteli, miten on mahdollista, että Pippa on pystynyt oleskelemaan klinikalla mel-kein vuoden kenenkään, edes poliisin, pääsemättä siitä selville, hän »totesi väläyttäen häikäisevän hymyn», että kaikki perustui klinikan ja asiakkaan väliseen ehdottomaan luottamukseen. Klinikalla vallitsi ihmeellinen välittämisen ja huolehtivaisuuden ilmapiiri, jossa myös asiakkaat saattoivat kohdata toisensa ihmisinä kasvoista kasvoihin ilman sosiaalisia naamioita. Hoitohenkilökunta oli suurenmoisen empaattista ja todella paneutuvaa, mutta ilman läheisimmän ystävän eli Tainan tukea tämä suunnaton, aikaa vievä ja osin tuskallinenkin projekti olisi kuitenkin jäänyt toteutumatta.

»Haluamatta loukata kenenkään uskonnollisia tunteita, sanoisin, että olen kokenut uudesti syntymisen ihmeen, elänyt luomiskertomuksen todeksi omassa kehossani», kaunis haastateltavamme totesi.

Vertasin uusia kuvia vanhaan. En nähnyt vanhassa Pipassa ja vasta luodussa Stinassa mitään yhteistä. Vai oliko sittenkin jotain? Hymyssä? Katseessa? Edes korvanipukassa? Vaikka kai korvanipukatkin voidaan leikata, helpomminkin kuin silmät, joiden nurkkiin tehdyt viillot lehden mukaan olivat antaneet »haastateltavamme katseeseen jännittävää itämaista eksoottisuutta».

Mietin miltä naisista mahtoi tuntua luopua pala palalta itsestään, siitä mitä oli tottunut pitämään itseensä, omaan fyysiseen olemukseensa kuuluvana. Nyt pala nenää, nyt pari kaistaletta kasvojen ihoa, nyt pikku paakku leuan alta, pari isompaa rinnoista. Silmäluomet. Suupielet. Huulet. Hampaat. Kaiken sen silpomisen ja vierailla aineilla toppaamisen jälkeen peilistä katsoisi tyystin vieras ihminen.

Miten koskaan voisi tottua valepukuun, johon oli loppuiäkseen laittautunut?

Eivätkö naiset tunne sääliä tuhotuksi tuomittuja neniään, silmäluomiaan, rintojaan kohtaan? Eikö heidän tule ikävä jätesäiliöön heitettyjä osia itsestään? Niin kuin jotain elävää, niin kuin lasta, joka ennen syntymäänsä on ollut osa heidän omaa elimistöään?

Sotainvalidit tuntevat aavesärkyä amputoiduissa jäsenissään koko loppuelämänsä; monessa aviohetekassa on vaimo sodan jälkeen koettanut poru kurkussa hieroa olematonta jalkaa. Lähettävätkö myös leikatut nenät ja rinnat kipuviestejä aivoihin?

Mietin miten ihonalaista rasvaa imettäisiin johonkin säiliöön. Onko se juoksevaa kuin pullomargariini, voidemaista vai kiinteätä kuin tali? Minkä väristä se on? Näytetäänkö sitä potilaalle itselleen jälkeenpäin?

Mihin kaikki poistetut ihmisruumiin osat joutuvat? Poltetaanko ne? Vedetäänkö vessasta alas?

Ehkä ne syötetään koirille.

Tai kanoille.

Ehkä EB-klinikka oli hienon uudestisyntymisideologiansa täydennykseksi oma suljettu ekosysteeminsä. Kuvittelin EB-klinikan takapihalle, katseilta piiloon, valtavan kanatarhan, ehkä myös sikalan, erikoisrehun, johon on jauhettu kaikenlaista, mitä klinikka tuottaa. Runsaalla proteiinilla syötetyt kanat voivat hyvin ja munivat maukkaita kananmunia, joita tarjoiltaisiin klinikan aamiaispöydissä. Men visst, meidän munamme ovat taattua luomua ja lähiruokaa, kuten meillä kaikki, esimerkiksi tuo ihana savukinkku, jota rouva juuri pistelee poskeensa.

Vahtivatko EB-klinikkaa hyvin ruokitut isot koirat? Suojelevat sitä esimerkiksi raivostuneilta aviomiehiltä, joiden vaimot ovat lähteneet sinne salaa ja sijoittavat hoitoihinsa perheen asuntolainan lyhennyksiin kerätyt rahat.

Käännyin kyljelleni, sillä minua oksetti. Kreivitär d'X katseli minua seinältä. Puolipimeässä se näytti ilmehtivän. Pieni alaston kaksoisolento kreivittären kämmenellä kimmelsi öljyisesti. Sen valkoinen iho näytti värähtelevän.

Minun alamäkeen suistuneen urani *Viikonpäivät* kertasi huolellisesti. Potkut saatuani olin hävinnyt lähes tyystin näkyvistä. Lehden mukaan »kirjoittelin» joihinkin julkaisuihin ja »avustelin» erästä »epäkaupallista» pienkustantajaa. Kaunis haastateltava kohotti ilmeikkäästi kulmakarvojaan, kun häneltä kysyttiin paluusta aviomiehen luo. »Outo kysymys», hän vastasi salaperäisesti hymyillen ja muuttui vieläkin salaperäisemmäksi, kun häneltä kysyttiin mahdollisesta uudesta rakkaudesta. Se asia kuului hänen »yksityisyytensä piiriin».

Minusta oli kuvakin, mustavalkoinen tuhru, jossa nuhjuisiin lököpöksyihin ja venyneeseen huppariin pukeutunut vatsakas ja parrakas mies seisoo kadulla tarkastellen ilmeisesti antikvaarisen kirjakaupan näyteikkunaa. Näytin köyhältä, lihavalta ja joutilaalta. Pummilta. Salaa otettu kuva; olin siis vielä niin tärkeä, että kannatti panna joku Lehtisen Jussi perääni, käyttää aikaa ja rahaa minun surkeuteni todistamiseen.

Minun julkiseen häpäisemiseeni, sillä siitähän kysymys oli.

Oli ollut alusta asti.

Siitä aina on kysymys.

Kansalle muka annetaan, mitä kansa haluaa. Ei kansa ymmärrä haluta mitään, mistä se ei mitään tiedä ja mitä se ei tiedä muittenkin haluavan. Ihmisille pitää kädestä pitäen opettaa, että tätä te haluatte, tästä te olette kiinnostuneita, koska muutkin ovat. Kukaan ei halua olla erilainen, ei edes yksilöllinen, jos ei muu porukka ole yksilöllinen samalla tavalla.

Minä kai sen tiesin, jos kuka, kun olin niitä naruja vedellyt.

Ja kun niitä naruja aikansa vetelee, alkaa luulla olevansa yläpuolella sen, minkä kanssa puuhaa.

Olin kuvitellut olevani turvassa. Olin toimittaja, joka teki vain työtään, ja minua suojeli kokonainen, vain työtään tekevä ammattikunta, jonka kollegiaalisuuteen saatoin luottaa.

Mikä kuului minun »yksityisyyteni piiriin» nyt, kun olin toisella puolella, en enää tekijöiden vaan kokijoiden puolella?

Ei näköjään paljon.

Mutta ainakin minun ihoni rajasi minun yksityisyyteni piirin.

Sen alle en päästä.

Puhelimeni soi harvakseltaan. Aina se oli Kassu, joka vaikutti kerta kerralta huolestuneemmalta.

»Teetkö sinä siellä jotain?»

»Teen koko ajan. Töitä.»

»Pistä nyt välillä nenäsi ulos. Tulisit käymään, keitetään kahvit ja jutellaan.»

»Tulen tulen, mutta tänään en millään ehdi.»

Kotoa lähtemisen kammoni oli palannut. Pulssi nousi jo, kun kuvittelin itseni kadulle etenemään johonkin suuntaan, pitemmälle kuin viereisessä talossa olevaan kauppaan. Siihenkin pujahdin hiljaisimpina aikoina, hiippailin hyllyjen välissä katsomatta kehenkään. Pelkäsin tunnistavaa ilmettä vastaantulijan naamalla: »Eikö tuo ole se, josta lehdessä kerrottiin?»

Selkäni takana puhuttiin, vaikka olin yksin kotona lukkojen takana.

»Et sinä voi loppuiäksesi sulkeutua kämppääsi jonkin paskalehden jutun takia», Kassu sanoi.

»Mitä höpötät? En ole sulkeutunut mihinkään. Minulla on vain kiire. Sinun töittesi takia.»

»Missäs vaiheessa ne ovat?»

»Hyvässä vaiheessa.»

Kun ovikello soi, hiivin eteiseen ja katsoin ovisilmästä.

Forsnäs ja Sarkia.

En avaa niille perkeleille.

Avasin.

Forsnäsillä oli litteä musta nahkasalkku, sitä vetoketjulla suljettavaa tyyliä, jossa ei ollut kantokahvaa ja joka oli muodissa joskus 60-luvulla. Hän käveli ripein askelin pöytäni ääreen ja istui työtuoliini luontevasti kuin omaansa. Sarkia syöksähti tv-tuoliin, ja minun oli asetuttava kököttämään sänkyni laidalle.

Forsnäs avasi salkkunsa ja veti sieltä esille *Viikonpäivät*. Hän avasi lehden pöydälle ja tutki pitkän aikaa Stinan haastattelua mitään puhumatta. Sarkia oli ottanut keikkuvassa ja pyörivässä tuolissa lepoasennon, nostanut käsivartensa niskan taakse ristiin ja ojentanut pitkät säärensä suoriksi. Hän oli löytänyt katosta jonkin kiinnostavan kohdan, johon keskitti katseensa.

Forsnäs läpsäytti lehteä niin äkkinäisesti, että säpsähdin.

»Ette kai te usko, että tämä naishenkilö on teidän kadonnut vaimonne?»

»En. Kai.»

»Siis uskotte.»

»En tiedä, mihin uskoa. Tässä tilanteessa. Ei kai totuus minun uskoni asia olekaan.»

»Minä arvasin, että te lennätte lankaan.»

»Jutusta päätellen en ole ainoa.»

»Siitä ei voi päätellä yhtään mitään. Sen julkaisemisen motiiveja voi tietysti arvella. Mutta tuo nainen ei ole teidän vaimonne.»

»Kuka hän sitten on?»

»Sitä emme vielä tiedä.»

»Miksi ette kysy häneltä itseltään?»

»Hän on kadonnut.»

Retkahdin sängylle selälleni ja aloin hohottaa. Vesi tirskui silmistäni.

Forsnäs rupesi ryiskelemään.

»Noh!» hän haukahti. »Ei tarvitse liioitella. Täsmennän. Stina Björkmanina esiintynyt nainen on pakannut tavaransa ja lähtenyt eikä tiedetä minne.»

Nousin istumaan.

»Puristakaa totuus siitä toisesta sitten.»

»Tuo on raakaa puhetta. Meidän tyyliimme ei kuulu puristaa totuuksia kenestäkään. Ihmiset kypsyvät kyllä kertomaan. Taina Lindénkin.»

»Näkis vaan.»

Sarkia nytkäytti tuolin pystyasentoon, levitti jalkansa ja rupesi nojailemaan polviinsa. Tukan laine valahti silmille. Sen takaa hän kurkki minua.

»Teitä on kusetettu oikein kunnolla», hän mölähti.

Kiitti kun kerroit tuon, pölkkypää. Käänsin katseeni Forsnäsiin, joka rypisteli kulmiaan ja imeskeli alahuultaan. Hän oli ilmiselvästi hyvin kiihtynyt.

»Jos saisi jonkinlaista selitystä», sanoin.

Kurkussani oli tikkuja.

Forsnäs kertoi heidän menneen heti Viikonpäivien jutun ilmestyttyä Taina Lindénin asunnolle. Taina oli ollut siellä yksin, itkettyneenä ja sekasortoisessa mielentilassa. Hän väitti kivenkovaan, että Stina Björkman on Pippa Arjosto ja että ketään ei ollut haluttu huijata eikä petkuttaa. Stina oli pelästynyt itse herättämäänsä julkisuutta ja tullut katumapäälle. Hän ei halunnutkaan palata takaisin Suomeen, ei minun luokseni varsinkaan, vaikka hän oli sitä suunnitellut. Taina Lindénin mukaan Stina Björkman oli muutenkin epävakaassa henkisessä tilassa, vierasti olemustaan ja peilikuvaansa, mitä tietysti saattoi odottaakin, koska muutos oli ollut nopea ja raju.

Taina oli yrittänyt kääntää hänen päätään, vakuuttanut, että työ hänen firmassaan vakiinnuttaisi tilanteen ja auttaisi sopeutumaan. He olivat valvoneet pitkään, tulleet juoneeksi runsaasti viiniä, lopulta riidelleet. Taina oli mennyt nukkumaan, Stina jäänyt olohuoneeseen. Miettimään, hän oli sanonut. Kun Taina aamulla oli herännyt, Stina oli poissa. Taina vannoi, ettei tiennyt muuta.

Forsnäs vaikeni ja katseli minua kiinteästi.

»Pelästyikö tämä nainen jotenkin teitä? Uhkailitteko te häntä, kun kävitte Lindénin asunnossa?» hän kysyi.

»Minä? Minä melkein rakastuin häneen.»

Forsnäsin kulmakarvat kohosivat. Hän sipaisi viiksiään.

»Sepä romanttista. Oliko se teistä merkki siitä, että hän todella on vaimonne?»

»Minä rakastuin häneen jo ennen kuin sellainen tuli mieleenikään. Tai siis ennen kuin hän itse kertoi olevansa Pippa. Tai siis melkein rakastuin. Ihastuin. Melkein. Ne tulivat Kosmokseen. Lupasin tehdä hänestä jutun.»

Sarkia pärskähti ja alkoi nauraa kurnuttaa. Forsnäs mulkaisi häntä, ja hän vaikeni. Forsnäs mulkaisi minua.

»Te? Hänestä? Jutun?»

Yritin selittää. Juttuidea tuntui vielä päättömämmältä kuin se oli tuntunut Kosmoksessa. Forsnäs puisteli päätään, käänsi katseensa lehteen ja tutki Stinan kuvia tarkkaavaisesti.

Tunsin taas olevani loukossa, epäiltynä, kuulusteltuna, syyllisenä johonkin, josta en millään saanut selkoa. Mitä enemmän selostin, sitä epäilyttävämmältä kuulostin omissa korvissani.

Forsnäs oli laskenut luomensa rakoselleen ja näytti siltä, etten voisi sanoa mitään, mitä hän ei jo tietäisi.

»Asia on aivan selvä», Forsnäs sanoi yhtäkkiä, läimäytti lehden kiinni ja työnsi sen salkkuunsa, vetoketju surahti sulkeutuessaan.

»Mistä te tiedätte, että Stina Björkman ei ole se, joka sanoo olevansa?»

»Koska hän on joku muu. Meillä on hyvin selkeä tutkintalinja, jota nyt seuraamme.»

»Eikö siitä voisi kertoa edes jotain?»

»Se ei olisi asian selvittämiselle eduksi. Sen voin sanoa, että Taina Lindén ja tämä... tämä... toinen tekivät meille suuren palveluksen antaessaan avomielisen juttunsa tuolle lehdelle. He eivät ehkä tulleet sitä ajatelleeksi, kun heillä oli muut motiivit. Kostonhimo sokeuttaa, aijai se sokeuttaa pahasti, sen on tässä työssä oppinut tajuamaan. Siihen kun tulee vielä tämä julkisuuden kipeys...»

Hän puisti päätään, naurahti, rykäisi itsensä totiseksi.

»Vaimonne Pirjo Arjosto todella muutti nimensä Stina Björkmaniksi. Ja hän voitti niin sanotussa porukkalotossa. Huomattavan summan. Ja hän hankki Stina Björkmanina passin. Ja tietysti muutkin asianmukaiset paperit. Sitä ei ollut vaikea selvittää, tiedot ovat viranomaisilla eivätkä ne ole mitään salaisuuksia. Emme tosin tiedä vielä, missä passi ja muut asiakirjat nyt ovat. Ehkä tuo nainen vei ne mukanaan. Tai sitten ne ovat Taina Lindénillä.

»Entä jos ne ovat Pipalla itsellään.»

Forsnäsin kasvoille tuli outo ilme. Ehkä hän tunsi, että yritin astua hänen reviirilleen ja otti siitä heti nokkiinsa.

»Se ei ole mahdotonta. Mutta ei myöskään todennäköistä», hän sanoi minuun katsomatta.

En uskaltanut kysyä, miksi poliisi ei aikaisemmin ollut kääntynyt väestörekisterin, Veikkauksen tai vaikka Kelan puoleen, jos nimenmuutokset ja lottovoitot olivat noin näppärästi selvitettävissä.

Forsnäs vaikutti innostuneelta.

En halunnut pilata hänen mielialaansa.

Äkkiä Forsnäs nousi ja marssi eteiseen. Sarkia kampeutui pitkille jaloilleen ja harppoi perässä. Forsnäs kietoi viininpunaisen kaulaliinansa huolellisesti kaulaansa ja painoi päähänsä tummanharmaan hattunsa. Sarkia verhoutui vihreään loimeensa, pyöritti kaulansa ympärille pitkän, löysän neulehuivin ja otti Forsnäsin ulsterin naulakosta auttaakseen sen hänen ylleen.

Seisoin kynnyksellä kädet taskussa, sanattomana, koska ei ollut mitään sanottavaa.

Kuuntelin itseäni, vaatimuksia, jotka kajahtelivat sisälläni olevissa tyhjissä onkaloissa.

Vatsassani ammotti valtava musta kraatteri, ja sen pohjalla ulvoi nälkäinen susi, oma luomukseni.

Tunsin, että voisin napata Forsnäsin päästä hatun, haukata sen lieristä palan ja pureskella sen kuin siivun näkkileipää.

Tai levyn suklaata.

Tai paksun viipaleen juustoa.

Tai mitä tahansa, ihan mitä tahansa.

»Palaamme asiaan hyvin pian», Forsnäs sanoi ja ojensi minulle pienen ja hoidetun kätensä.

Kun he olivat sulkeneet oven perässään, käännyin ja menin keittokomeroon. Avasin jääkaapin oven. Avasin seinäkaapin oven. Rupesin lastaamaan ruokia pöydälle.

Kaikkea oli.

Silloin soi ovikello. Menin avaamaan. Se oli Forsnäs.

»Unohdin sanoa, että myös Taina Lindénin hallussa olleet kirjeet ovat aitoja. Ne ovat teidän vaimonne kirjoittamia. Nyt ne ovat meillä. Olen tutkinut ne viimeistä pilkkua myöten.»

Kasvoni lehahtivat kuumiksi.

Forsnäs kosketti hattunsa lieriä, kääntyi ja poistui portaisiin.

Seisoin pöytäni ääressä ja katsoin edessäni olevia ruokapakkauksia. Rupesin nostelemaan niitä takaisin kaappeihin.

7

PÄIVÄT OLIVAT PIMEITÄ ja hiljaisia. Yritin kuunnella itseäni, löytää sisältäni jonkin äänen, omani tai jonkun toisen, joka liittäisi minut muuhun maailmaan, ihmisiin, joita maailmassa sentään vielä oli.

Vai oliko?

Millainen oli Pipan ääni? Vielä äskettäin se oli herättänyt minut öisinkin, moittinut minua pahoista teoistani. Enää en tavoittanut sitä.

Kun Pippa oli vastaillut yksisanaisesti minun kysymyksiini tai sanonut ylipäätään jotakin, kun oli pakko sanoa, hänen äänensä oli muistaakseni ollut matala. Ja vähän käheä niin kuin ihmisellä, joka puhuu harvoin. Joskus se oli pulppuillut kirkkaana ja iloisena. Muistin sen, mutta en saanut sitä kuulumaan.

Muuttuuko ihmisen ääni, kun hän lihoo kaksin- tai kolminkertaiseksi? Kai se muuttuu, kai sillä ruumiissa jokin kaikupohja on. Miksi muuten tenorit olisivat pieniä ja bassot suuria, sopraanot lihavia ja altot laihoja. Vai miten se meni?

Tavoitin Pipan ääntä, mutta Pippa oli mykkä, aivan niin kuin hän alkoi myös olla näkymätön; en saanut hänen kasvojaan enää mieleeni. Hän oli muuttunut tuntomerkkiluetteloksi. Myös Stina alkoi haihtua, mustan tukkalaatikon keskellä oli vain vaalea soikio, siinä kauniisti kaartuvat kulmakarvat kuin musta lintu siivet levällään tyhjällä taivaalla.

Mielikuvalle Tainasta kävi toisin; hän alkoi nääntyä, kurtistua ja kuihtua, ilme hänen kasvoillaan vaihtui kuin nopeutetussa filmissä, ja aina vain surkeammaksi ja piinatummaksi.

Minun mieleni kidutti ja näännytti häntä, vaikka en tehnyt mitään.

En ollut koskaan tehnyt hänelle mitään, en ollut halunnutkaan tehdä; silti hän työntyi mieleeni hengiltä kidutettavaksi.

Kassukin oli lakannut soittelemasta. Oliko Forsnäs ottanut häneen yhteyttä ja pyytänyt olemaan soittelematta? Miksi hän niin olisi tehnyt?

Kerran puhelin soi yöllä. Sieltä kuului vain huohotusta, kuin pitkään itkeneen ihmisen nyyhkytyksestä raskasta hengitystä.

»Pippa?» kysyin varovasti, kuiskaten, mutta silloin puhelin suljettiin.

Lokakuu oli juuri vaihtunut marraskuuksi, kun Forsnäs soitti. Hänen äänensä oli juhlava ja innoittunut.

»Kohtalon sormi on tarttunut tapahtumien kulkuun», hän ilmoitti.

Mitä olisin vastannut? Oho! Sepä mukavaa! Jopa nyt jotakin! En tiennyt mitä sanoa. En sanonut mitään.

»Haloo!», Forsnäs huusi.

»Kyllä minä täällä olen.»

»Sepä hyvä. Me nimittäin tulemme sinne välittömästi. Tätä asiaa ei voi selvittää puhelimessa.»

Hän kuulosti siltä kuin hänellä olisi hyviä uutisia.

Forsnäs oli pukeutunut tummanharmaaseen liituraitaan. Paita oli vaaleansininen ja mustapohjaisessa solmiossa kukki pienenpieniä vaaleansinisiä kellokukkia. Sarkialla oli ruskean samettipukunsa alla paksu harmaanvihreä villapaita, näytti kotikutoiselta. Tuore vaimo taisi olla käsityöihmisiä. Sitä paitsi hänellä oli nuha ja yskä. Hän niiskutti ja köhi ja veti heti sisään päästyään valtaisan nenäliinan esiin.

»Ulkotöitä. Jalat pääsi kastumaan», hän sanoi turistettuaan ison punaisen nenänsä.

Forsnäs asettui taas minun pöytäni taakse. Sarkia kiirehti valtaamaan tv-tuolin, johon asettui lähes makuulle ja kaivoi taskustaan pastillirasian, josta survoi kourallisen suuhunsa. Forsnäs vilkaisi häneen happamasti, avasi sitten litteän salkkunsa ja nosti sieltä pienen muovipussin. Sen sisältä hän noukki paperipäällysteisen paketin, avasi sen ja otti sormiinsa pienen kullanvärisen esineen.

»Tunnistatteko tämän?» hän kysyi.

Hän riiputti etusormessaan kultaista medaljonkia.

Forsnäs ojensi medaljongin minulle. Vetäydyin taaksepäin. Forsnäs kallistui eteenpäin, koru sormen nenässä.

»Siitä on kaikki mahdolliset jäljet tutkittu. Ottakaa pois vain.»

Otin korun kämmenelleni. Soikioon oli kaiverrettu kaksi toisiinsa kietoutunutta koristeellista P-kirjainta. Avasin medaljongin. Sen molemmissa puoliskoissa oli kosteuden lähes tuhoamat jäänteet valokuvista. Kahdesta pienestä mustavalkoisesta kasvokuvasta.

Toisesta erottui vain kaistale vaaleaa tukkaa, toisesta vasen korva.

Tukka oli Pipan tukka.

Korva oli minun korvani.

»Kyllä tämä on se», sanoin.

Purskahdin itkuun.

En ollut tottunut itkemään. En ollut oppinut itkemään, en, vaikka Pippa oli pikku-Birgitan kuoleman jälkeen minua siihen patistanut. »Sinun täytyy oppia itkemään.» Nytkin vastustin itkuani kaikin voimin; siksi se tuli väkivaltaisina pyrskähdyksinä, rumaäänisenä korskumisena, tunki kurkustani kuin iso, kulmikas kappale, kunnes suli pikkulapsen häpeilemättömäksi kollotukseksi, joka sai kyyneleet roiskumaan, liman valumaan nenästä ja kuolan suusta.

»Siinä on minun kuvani», ulisin.

Forsnäs käänsi katseensa ikkunasta, Sarkia läskipohjakenkiensä kärjistä. Forsnäs otti medaljongin käteensä ja tutki kuvia hyvin läheltä.

»Tämäkö korva?»

»Ni-hiin.»

»Eikö ole aika luonnollista, että tällaisessa esineessä on teidän kuvanne? Tehän olitte mies ja vaimo. Rakastavaisia. Ainakin joskus.»

»Pippa otti minun kuvani pois ja pani siihen sen... sen vauvan kuvan. Mutta se onkin...se olikin pannut sen takaisin.»

Sain hillityksi itseni. Pyyhin silmäni ja nenäni, yritin pidätellä nikotustani.

Forsnäs otti pöydältäni kuulakärkikynän ja napsutteli sen terää sisään ja ulos. Kuulin oman sydämeni pumppauksen. Rintakehääni ravisuttivat jälkinyyhkeet, joille en voinut mitään. Ne herättivät hämärän lapsuusmuiston, jonkin hirveän, koko ruumista puistattaneen itkun, jota ei saanut loppumaan, vaikka uhattiin uudella selkäsaunalla, kunnes lakkaisin nyyhkimästä. »Loppuuko se teeskentely, mitä?»

Forsnäs heitti kynän pöydälle, pyöräytti tuolin huoneeseen päin ja katsoi minua.

»Vaimonne on löytynyt», hän sanoi.

Jäykistyin. Nyyhkeet loppuivat siihen paikkaan.

»Taas», sanoin.

Forsnäsin ilme kiristyi.

»Lopettakaa jo, herran tähden, tuo esittäminen», hän puuskahti. »Tässä ei ole pienintäkään sijaa minkäänlaiselle irvistelylle. Vaimonne on löytynyt kuolleena.»

8

»**H**ÄNET MURHATTIIN! Hänet murhattiin!» muistan huutaneeni.
»Ei häntä murhattu», muistan Forsnäsin sanoneen, hyvin lempeästi. Hyvin monta kertaa.

Tapahtumien kokonaisuus alkoi hahmottua minulle vasta vähitellen, tosiasiat sukelsivat tajuntaani kuin sumusta, häipyivät taas, palasivat ja häipyivät, kunnes saivat jonkinlaista kiinteyttä, yhdistyivät toisiin tosiasioihin eivätkä enää häipyneet.

En ollut surullinen, en ollut helpottunut, en tuntenut ahdistusta, en vain saanut tajuntaani mahtumaan kaikkea sitä, mitä sinne oli yhtäkkiä työnnetty.

Poliisi oli tehnyt viimeisteltyä työtä, ennen kuin minulle kerrottiin tuloksista. Valmiiksi paketoituja, vastaansanomattomia tosiasioita kannettiin toisesta todellisuudesta eteeni, siihen pimeyteen, jossa vaelsin, yksin, epäluulojeni, pelkojeni ja syyllisyyteni puserruksessa.

Poliisi, poliisit? En ollut tullut koskaan edes miettineeksi, minkälainen tutkijajoukko Pipan katoamistapauksen kimpussa hääräsi, mikä Forsnäsin ja Sarkian rooli tässä työssä oli, paitsi puhuttajan ja sanansaattajan.

Ja kasvattajan, minkä Forsnäs ilmiselvästi myös oli ottanut tehtäväkseen.

Vuosi oli kulunut. Sen aikana ei minun mielestäni juuri kukaan ollut tehnyt juuri mitään, paitsi minusta syyllistä, hullua, murhaajaa.

Hullua murhaajaa.

Olin tuntenut, että kaikki toimivat liitossa minua vastaan: Pippa ja Taina, Forsnäs ja Sarkia, Pakarinen ja Virransivu ja koko toimituksen konkkaronkka, Susanna ja mamma-Birgitta. Lehtisen Jussinkin ne olivat panneet vakoilemaan minua.

Kun yksityiskohdat alkoivat kiertyä kokonaisuudeksi, aloin tuntea Forsnäsiä kohtaan outoja tunteita. Pojan tunteita isää kohtaan? En tiedä, samanlaisia tunteita en muista oman isäni ja minun välillä olleen, äijä oli minun silmissäni ollut paskiainen aina. Nyt tuntui kuin tuo huvittava, tärkeilevä, sormenpäitä myöten puleerattu kuiva kamreeri olisi yksin ratkaissut koko katoamismysteerin, pelkästään istumalla pöytänsä ääressä ja ajattelemalla. Oli vaikea kuvitella hänen sotanneen sormiaan missään vaiheessa.

Sarkian taas oli vaikea kuvitella ajatelleen itsenäi-

sesti mitään. Häntä pidin Forsnäsin aseenkantajana
ja ajatusten kaikupohjana. Mutta hän oli sentään
kastellut jalkansa ja saanut siitä hyvästä nuhan.
Molempien suhteen saatoin olla väärässä.
Ja ilmeisesti olinkin.
Forsnäs oli oikeassa; ehkä luin liikaa dekkareita.
Vaikka en lukenut niitä ollenkaan.
Kysymys onkin tavasta katsoa maailmaa. Juo-
nitse. Sen kyllä olin ammattini myötä oppinut. Tai
ehkä olin oppinut sen jo aikaisemmin ja sen takia
hankkiutunutkin alalle, jolla juonitse katsomisesta
oli hyötyä.

Forsnäsin julistama kohtalon sormi oli anoppini
mökin ostaneen miehen koira, nuori ja terhakka
labradorinnoutaja. Nimeltään Pete, sanoi Forsnäs ja
sai Sarkian hirnahtamaan. Forsnäsin poskille nousi
heikko punerrus, hän vilkaisi minua ja sanoi, että
miehen nimi oli Esko Kuusela ja että hän oli kotoisin
Kokkolasta. Kohautin olkapäitäni.
    Mies oli ollut koiransa kanssa mökin lähimaas-
tossa etsimässä myöhäisiä suppilovahveroita. Niitä
oli löytynytkin.
    Mutta koira oli löytänyt jotain muuta.
    Koira oli vapaasti juoksenneltuaan jäänyt kaiva-
maan soistunutta tontinkulmaa. Esko Kuusela oli
luullut koiransa innostuneen jonkin pikkueläimen
raadosta, jonka syömisestä se saisi taatun ripulin.

Hän oli komentanut koiraa, mutta se ei ollut totellut. Kun hän oli kävellyt paikalle, maasta oli pilkistänyt vetoketjulla suljettu muovisäkki. Koira oli ehtinyt jo repiä sitä; repeämästä näkyi ihmisen paljas jalka.

Ruumis oli alaston. Se oli maannut oikeuslääkärin arvion mukaan matalassa haudassaan noin kaksi kuukautta. Todettiin, että kysymyksessä on hoikan 170-senttisen naisen ruumis. Tutkimuksissa selvisi, että Esko Kuusela oli ostanut mökin rouva Birgitta Hannulalta. Hän oli käväissyt siellä useita kertoja pitkin syksyä, mutta ei ollut huomannut mitään erityistä. Koira tosin ei ollut käynyt mökillä elokuun jälkeen; se oli astunut koirapuistossa lasinpalaan, halkaissut polkuanturansa ja joutunut pitämään sidettä jalassaan ja kartonkitötteröä päässään useita viikkoja.

Kysyin, miksi minua ei ollut heti hälytetty paikalle.

»Sinne metsäänkö?» Forsnäs kysyi. »Mitä hyötyä siitä olisi ollut?»

»Olisin halunnut olla paikalla. Tunnistamassa.»

»Kuulkaa, ette te olisi halunnut. En minäkään siellä ollut. Minun työni on aivotyötä. En ole niitä poliiseja, jotka väijyvät puskissa.»

»Kaverinne siellä kuitenkin kasteli jalkansa.»

»Ei suinkaan. Hän retkeili vaimonsa kanssa luonnossa ja putosi ojaan.»

Sarkia rouskutti pastilleja eikä sanonut mitään.

Forsnäs kertoi, että oikeuslääkäri tutki vainajan. Tunnistus tehtiin hammaskartasta. Se oli varminta ja helppo järjestää. Pippahan oli jättänyt lompakkoonsa vanhan ajanvarauslapun, ja lompakko oli poliisilla, joten hammaslääkäri löytyi heti.

Myös medaljongilla oli merkitystä. Taina Lindén oli valahtanut valkoiseksi sen nähdessään.

Sanoin, että Stina Björkman oli hätkähtänyt, kun kysyin medaljongista ja kertoi sitten heittäneensä sen Tornionjokeen.

»Ja meille ette maininnut siitä», Forsnäs sanoi moittivasti. »Eikö se saanut hälytyskelloja soimaan päässänne?»

»Minulla vonkui sellainen hälytys päässäni koko ajan, ettei siinä mikään ylimääräinen kello enää olisi kuulunut.»

Forsnäs laski luomensa rakoselleen ja risti kätensä vatsansa päälle. Hänen ilmeeseensä oli tullut jotain raskasta.

»Keskustelu Taina Lindénin kanssa oli lyhyt ja avomielinen», hän sanoi. »Neiti Lindén ei enää jaksanut pitää puoliaan.»

Hän huokasi ja vaikeni.

»Mitä te pihtaatte?» minä huusin. »Tiesin, että se ämmä on tappanut Pipan. Sanokaa se, jumalauta!»

»Ette te tiennyt», Forsnäs sanoi. »Eikä Taina Lindén tappanut. Teidän vaimoanne ei tapettu. Vainajassa ei näkynyt väkivallan merkkejä.»

En uskonut Forsnäsiä. Jankutin moneen kertaan, että Taina Lindén on tappanut Pipan, yksin tai yhdessä sen toisen kanssa, ja piru tietää, miksi.

Forsnäs oikaisi minua sitkeästi ja toistuvasti: »Henkirikosta ei ole tapahtunut.»

On tietysti, kun kerran Pippa on kuollut. Kuinka naiivi poliisi oikein voi olla? Mitä muuta muka voisi olla tapahtunut?

»Jos te malttaisitte kuunnella, niin kertoisin.»

Minä en malttanut. Onko se akka lukkojen takana? vaadin saada tietää. Ja missä se musta huora on? huusin. Miksi ne saavat kirmata vapaana, ne helvetin noidat, kun minua on pidetty vankina täällä... täällä... täällä...?

»Nahkanne sisällä?» Forsnäs ehdotti.

»Minä en ole ainakaan tappanut ketään!» karjuin.

»Teidän vaimoanne ei surmattu, uskokaa se», Forsnäs sanoi kärsivällisesti.

Minä en uskonut. Kesti kauan ennen kuin ymmärsin, mitä minulle oli kerrottu.

Kun vainaja oli tunnistettu Pipaksi, Forsnäs otti medaljongin mukaansa ja marssi Sarkian kanssa suorinta tietä Taina Lindénin luo. Nainen oli itkuinen ja hermostunut, koska oli riidellyt Stina Björkmanin kanssa, ja tämä oli yön aikana lähtenyt. Taina oli vannonut, ettei tiedä minne. Hän oli myös vakuuttanut, että Stina Björkman on Pippa. Hän näytti todisteeksi Pipan kirjeet, jotka Forsnäs silmäiltyään pani salkkuunsa.

Sitten Forsnäs oli ojentanut Tainan nähtäväksi medaljongin ja kertoi, mistä se oli löytynyt.

Taina oli kalvennut, istunut hetken hiljaa ja ilmeettömänä ja sitten ruvennut puhumaan.

Koko ruumistani pisteli. Nousin ylös ja lähdin kohti keittokomeroa.

»Otatteko kahvia?» kysyin.

Forsnäs katsoi minua niin hämmästyneenä, että punastuin. En ollut koskaan tarjonnut mitään.

»Kiitos mielelläni», hän sanoi.

»Jos olisi teetä», kuului Sarkian suunnasta.

Menin keittokomeroon. Latasin kahvinkeittimen, valutin kattilaan vettä ja nostin sen hellalle. Otin kaapista kaksi kahvikuppia ja yhden isomman teetä varten. Ruokakaapista otin teepussin ja panin sen kuppiin. Ravistelin kahdesta vajaasta keksipaketista keksit lautaselle: dominoita ja kaurakeksejä. Kuumaa vettä loiskahti pöydälle, kun kaadoin sitä teekuppiin. Kun kahvi oli valunut, kaadoin sen kuppeihin. Panin tavarat tarjottimelle ja vein tarjottimen työpöydälleni. Sarkia hyppäsi tuolistaan ja tuli hakemaan kuppinsa, nappasi kaksi dominoa ja kaksi kaurakeksiä hyppysiinsä, meni takaisin tuoliin, rupesi syömään ja juomaan. Forsnäs otti kahvikupin, tipautti siihen palan sokeria ja hämmensi pikkusormi pystyssä. Pidin omaa kuppiani kaksin käsin.

Näin kaiken kirkkaasti, kuin liiassa valossa, jossa jokainen esine häikäisi.

Myös kuuloni oli tarkka: keksi mureni Sarkian suussa, lusikka kilahti Forsnäsin kupin laitaan, kurkkuni lotkahti.

Pippa oli voittanut uuden elämän. Sitä Taina oli kertonut useaan kertaan vakuuttaneensa, kun Pippa ei aluksi ollut ollenkaan käsittää lottovoittonsa merkityksellisyyttä. Kyllä, kyllä, neiti Lindén tunnusti, että hänen oli käynyt kateeksi. Ensin. Mutta hän nieli kateutensa, Pippahan oli hänen rakkain ystävänsä ja siskonsa, jolle hän soi kaiken hyvän tässä maailmassa.

Pippa oli aluksi vakavissaan suunnitellut, että voittorahoillaan hän pystyy ikään kuin ostamaan minut ulos inhoamastaan lehdestä, jonka vaikutukset elämääni olivat olleet pelkästään huonot, vieneet minua moraalisesti alaspäin ja sitoneet minut keinomaailmaan, jonka kanssa Pippa ei halunnut olla missään tekemisissä.

Sitten Pippa oli ymmärtänyt, ettei meidän avioliittomme raunioille mitään rakentuisi. Tainalla oli omat ehdotuksensa. Pippa voisi tulla putiikin osakkaaksi, liikettä voitaisiin laajentaa ja monipuolistaa. Pippa voisi olla firmassa vaikka viestintäpäällikkö.

Mutta Pippaa ei muotiala kiinnostanut, se oli hänen mielestään tyhjänpäiväistä.

Taina sai Pipan uskomaan, että minulta lottovoitto kannattaa toistaiseksi salata. Kertomisesta tulisi vain harmia.

Pippa oli purskahtanut itkuun ja vaikertanut, että voi kun voisi muuttua kokonaan toiseksi ihmiseksi.

Taina oli sanonut, että se nyt oli pienimpiä ongelmia nykymaailmassa, sen kun ottaa itseään niskasta kiinni ja toimii. Plastiikkakirurgien numerot löytyvät keltaisilta sivuilta. Pippa oli parkunut, että semmoinen leikkely ja muokkaus sotii koko hänen elämännäkemystään ja kaikkia periaatteitaan vastaan. Oli tullut riita, ja Taina oli lähtenyt ovet paukkuen.

Mutta sitten Pippa oli taas soittanut.

Eihän sillä ketään muutakaan ollut, oli Taina sanonut.

Taina oli tietysti kuullut EB-klinikasta asiakkailtaan ja ottanut yhteyttä. Komea neliväriesite, paksu kuin postimyyntiluettelo, tuli paluupostissa. Pippakin innostui. He rupesivat ensin leikillään, sitten vakavissaan suunnittelemaan Pipan lähtöä klinikalle.

Oli toimittava salaa, koska minä en olisi suunnitelmiin suostunut.

»Olisitteko suostunut?» Forsnäs kysyi.

»Nehän olivat hänen rahojaan», livautin.

»Olisitteko suostunut siihen, että häntä olisi leikelty hänen rahoillaan?»

»En tiedä. Ehkä. En. En piru vie olisi.»

»Etkä sitten palaa sen luokse takaisin, niin hullu et saa olla», oli Taina vannottanut.

Mutta Pippa ei ollut sanonut siihen mitään.

Voittorahat jaettiin. Pippa otti puolet. Puolet jäi Tainalle. Seteleinä. Minkä takia seteleinä? Forsnäs oli tivannut, mutta Tainan vastaukset olivat olleet epämääräisiä. Silloin niitä ei voinut jäljittää. Ilmitulemisen vaara oli pienempi. Minkä takia puolet jäi Tainalle? Se oli varmuusvaranto, Taina sanoi. Hyvä piilo, hän sanoi. Pippa oli antanut rahat hänelle, oikeastaan, hän sanoi. Hänelle kuuluikin osuus, koska hän oli nähnyt suuren vaivan, hän sanoi. Sitten hän perui sanomisensa. Idea oli kokonaan Pipan, hän oli vain tehnyt, mitä Pippa oli häneltä pyytänyt.

Taina vuokrasi auton ja haki Pipan. He ajoivat pohjoiseen ja Kaaresuvannosta Ruotsin puolelle. Tainan oli tankattava pari kertaa, mutta Pipan ei tarvinnut matkan aikana edes nousta autosta.

Klinikalla Pippa oli vajaan kymmenen kuukautta. Hänestä oli tehty uusi ihminen. Tai melkein. Omasta mielestään hän ei vielä ollut tarpeeksi laiha ja kaunis.

Forsnäs puisteli päätään.

»Olen lukenut, että jotkut naiset jäävät kauneusleikkauskoukkuun. Hassaavat siihen kaikki rahansa. Yhdessä lehdessä oli juttu naisesta, joka seuraavaksi kertoi leikkauttavansa silmiensä sisäkulmissa olevat tummat kuopat. Minun piti mennä oikein peilistä katsomaan, mitä hän tarkoitti. Minullakin on silmien sisäkulmissa tummat kuopat. Eikös kaikilla ole?»

»Kaikkea tekin luette», minä sanoin.

»Parturissa tulee silmäillyksi kaikenlaista», hän sanoi. »Semmoistakin, mikä osoittautuu hyödylliseksi. Eikö tuommoisessa leikkauskoukussa ole jotenkin samanlainen psyykkinen pohja kuin anoreksiassa?»

»Tai bulimiassa», sanoin ja ajattelin ensin Pippaa ja sitten itseäni.

Forsnäs otti kasvoilleen paheksuvan ilmeen.

»En suoraan sanoen ymmärrä ollenkaan, miten ihmiset suostuvat tuollaiseen fyysiseen ja henkiseen väkivaltaan ongelmissa, jotka voisivat itse hoitaa kohtuullisella itsekurilla ja muuttamalla elämänasennettaan.»

Vilkaisin Sarkiaa. Hän istui jalat suorina, oli kääntänyt katseensa hurskaasti kattoon ja pyöritteli ristissä olevien käsiensä peukaloita.

Forsnäs katsahti häntä ja sitten minua ja kiivastui.

»Ja miksi te, aikuinen mies, valehtelitte vaimostanne? Se hölmöys on koko tämän jutun alkujuuri.

Ettekö ymmärrä, että valehteleminen on vaativa laji? Ei yksi valhe riitä, niitä pitää olla lisää ja lisää. Ja mitä enemmän niitä on, sitä mahdottomampi on enää kertoa totuutta.»

»Onko tämä kuulustelu?»

»Ei ole.»

»Valitkaa sitten. Yksi: valehtelin imagosyistä. Kaksi: valehtelin suojellakseni vaimoani juoruämmiltä. Kolme: se vain lipsahti. Jos olisin myöhemmin kertonut totuuden, olisin vaikuttanut idiootilta. Ja kaikki olisivat miettineet, mitä muuta olen valehdellut, kun tuonkin valehtelin.»

»Kaikki?»

»Kaikki ne, joiden mielipiteellä oli jokin merkitys. Siinä vaiheessa.»

Olin näkevinäni hymyn häiveen hänen kasvoillaan.

Lääkärit varoittivat Pippaa, että häntä on operoitu liian usein liian lyhyessä ajassa, kun ottaa huomioon, että valtava ylipaino oli ehtinyt vuosien mittaan merkittävästi rasittaa hänen sydäntään ja koko elimistöä. Myös psyykeään, koetettiin hienotunteisesti korostaa. Häntä neuvottiin pitämään kunnon palautumistauko, käymään terapioissa, miettimään kaikessa rauhassa, mitkä toimenpiteet olivat vielä tarpeen, jos mitkään.

Suostuttelut eivät auttaneet.

Kun Pippa vaatimalla vaati, hänelle tehtiin vielä yksi rasvaimu.

Se olisi viimeinen, tottakai, Pippa lupasi.

Se oli viimeinen.

Pippa kuoli leikkauspöydälle sydänpysähdykseen.

»Minä päivänä se tapahtui?»

»Kuolintodistuksen mukaan kuudestoista syyskuuta.»

»Hänen viimeinen kirjeensä oli päivätty viidestoista syyskuuta.»

»Niin oli. Se oli hyvin optimistinen kirje.»

Klinikalla hermostuttiin potilaan kuolemantapauksesta. Laitoksella oli rikkeetön maine. Sen palveluksessa oli huippuosaajia. Se oli toiminut yhdeksän vuotta eikä yhtään kuolemantapausta sen olemassaolon aikana ollut kirjattu. Mitään kielteistä ei sen toiminnasta ollut esitetty ainakaan julkisuudessa.

Valituksia ei saanut tulla, taottiin kaikkien sen työntekijöiden päähän. Eikä valituksia ollut tullut. Jos ongelmia ilmeni, ne hoidettiin luottamuksellisesti klinikan ja asiakkaan kesken. Mikä tahansa tuli halvemmaksi kuin maineen menetys.

Ja nyt pöydällä makasi ruumis.

Se uhkasi koko laitoksen olemassaoloa.

Se ei saisi tulla tietoon.

Taina hälytettiin paikalle. Koko henkilökunta oli

syvästi närkästynyt. Rouva oli vaatimalla vaatinut operaatioita tiuhaan tahtiin, vaikka tiesi riskit. Ja sitten meni ja kuoli, teki tällaisen korjaamattoman vahingon klinikalle, joka oli toiminut pilkulleen hänen vaatimustensa mukaisesti. Jos tieto leviäisi julkisuuteen, klinikan maine olisi mennyttä.

»Ne rupesivat esittämään, että veisin ruumiin mennessäni ja hoitaisin hautauksen Suomen puolella. Saisin tietenkin mukaani kuolintodistuksen. Asiassa ei ole mitään lain vastaista, kuolemassa ei mitään epäselvää, kirurgi oli tehnyt parhaansa, kaikki olivat tehneet parhaansa, hoitovirheitä ei ollut tapahtunut. Sydän vain oli loppu; mahdotonta sitä oli sataprosenttisen varmasti tietää, kohtalaisen nuoresta ihmisestä, jota kyllä oli varoitettu», oli Taina kertonut.

Taina ei voinut uskoa Pipan kuolleen, ennen kuin tämän ruumis näytettiin hänelle. Se oli ollut sokki. Hän ei ollut uskoa, että se laiha nainen oli Pippa, naamakin oli aivan toisen ihmisen. Taina ei ollut käynyt EB-klinikalla, ettei salaisuus olisi paljastunut. Kirjeet olivat heidän ainoa yhteytensä.

Taina mietti järkyttyneenä mihin voisi ryhtyä. Hautaustoimisto oli poissa laskuista, hänelle sanottiin. Sitä kautta asia vuotaisi varmasti julkisuuteen. Ne kysyivät, eikö hänellä ollut Ruotsissa ketään tuttavaa, joka voisi auttaa kuljetuksessa. Hänelle vihjattiin, että vaivannäkö korvattaisiin hänelle runsaskätisesti.

Kun raha mainittiin, Taina muisti muutkin rahat. Nyt kun Pippa oli kuollut, ne kuuluisivat lain mukaan minulle. Ja mahdollisesti vielä anopinkin rahat. Sellaista veristä vääryyttä hän ei voisi sallia.

Ja Taina muisti Evan, Eva Hellströmin.

Eva oli Vaasan aikojen tuttava, jota hän oli tapaillut muutaman kerran vuosien mittaan käydessään firmansa asioissa Tukholmassa. Eva oli vähän saman näköinen kuin Pippa nuorempana, ruumiinrakenteeltaan, väreiltään, kasvonpiirteiltäänkin. He olivat Pipan kanssa kiinnittäneet siihen huomiota jo kouluaikana ja pilailleet papan mahdollisesta syrjähypystä. Aikaa myöten yhdennäköisyys oli tosin vähentynyt. Eva oli milloin blondi milloin brunetti, oli antanut oikaista nököhampaansa, eikä hän ollut niitä naisia, jotka päästivät itsensä lihomaan muodottomaksi.

»Mutta en minä siinä vaiheessa ajatellut muuta kuin sitä, että ilman apua en pääse Pipan kanssa Suomeen», oli Taina sanonut.

Taina oli oivaltanut, että hänellä vasta olisikin selittämistä, kun hän veisi Pipan ruumiin mennessään Helsinkiin. Ei ihmistä voi haudata salaa, ei ainakaan hautausmaahan. Eikä salaa toisilta ihmisiltä, ei ainakaan aviomieheltä. Nainen on ollut lähes kymmenen kuukautta kateissa ja hän on esittänyt yhtä järkyttynyttä ja tietämätöntä kuin muutkin, ja yhtäkkiä on ruumis takaluukussa.

Jos ruumis olisi Ruotsissa pystynyt romahdutta-maan EB-klinikan, mitä se olisi tehnyt hänen Aman-da-putiikilleen? Ja hänelle henkilökohtaisesti?

Eva suostui auttamaan. Mutta ei ilmaiseksi.

Eva tuli Tukholmasta autolla. Se oli farmariau-to. Ei oma, kaverilta lainattu, ja sekin maksaa, Eva sanoi. Kaverin nimeä hän ei sanonut. Parempi että kaikki tietävät toisistaan niin vähän kuin mahdol-lista, Eva sanoi. Taina arveli, ettei sellaista kaveria ollut, auto oli varmasti Evan, koska se oli ollut Hel-singissä koko Evan oleskelun ajan.

Vainaja pantiin ruumissäkkiin ja suljettiin pahvi-laatikkoon, joka käärittiin ruskeaan käärepaperiin. Jos rajalla jotain kysyttäisiin, mitä sanottaisiin? Kummin päin se lihakauppa nykyisin meneekään, käyvätkö ruotsalaiset hamstraamassa Suomessa vai päinvastoin? oli Eva kysynyt. Taina oli purskahtanut itkuun. Lopeta pillitys tai tämä menee mönkään, Eva oli tiuskaissut ja sanonut sitten: »Se on soutulaite, ja sillä siisti.»

»Pahvilaatikkoon. Mihin helvetin pahvilaatik-koon?»

»Se oli kuulemma soutulaitteen pahvilaatikko. Neiti Lindén sanoi heidän saaneen sen klinikalta.»

»Säästävätkö ne pahvilaatikot ruumiitten salakul-jetusta varten?»

»Sitähän minä en voi tietää.»

He pääsivät pysähtymättä rajan yli. Suomen puolella Taina tuli helpottuneena kertoneeksi Evalle koko Pipan ja hänen suunnitelman, lottovoitonkin. Eva oli ollut sitä mieltä, ettei rahoja sovi jättää mihinkään mätänemään. Evalla oli ideoita. Mitä pitemmälle ajettiin öistä tietä, sitä järkevämmiltä ne rupesivat kuulostamaan.

He ajoivat Hannuloiden mökille.

Taina sanoi olleensa niin järkyttynyt, ettei muista yksityiskohtia. Eikä hän huomannut ottaa medaljonkia Pipan kaulasta. Ja Pippahan oli paketissa. Tai säkissä. Hän ei muista, mutta ehkä Eva oli purkanut paketin. Maatumisen nopeuttamiseksi? En muista, en muista, en muista, oli Taina hokenut.

Ja Evasta tuli Stina Björkman.

Eva häipyi ja vei rahat mennessään. Hän tiesi kätkön, ja pankkikortti ja henkilöpaperit olivatkin koko ajan olleet hänen hallussaan. Tietenkin. Koska hän oli Stina Björkman.

»Tämä oli Taina Lindénin versio tapausten kulusta», Forsnäs sanoi. »Tietenkin siihen sisältyi erinäisiä tunteenilmauksia, joita en pysty toistamaan.»

En uskonut tarinaan sekuntiakaan.

Sanoin sen Forsnäsille.

»Satua. Koko tarina on jostakin virtuaalimaailmasta.»

»Virtuaalimaailmasta», hän puuskahti. »Ette ole

yhtenäkään elämänne päivänä elänyt muualla kuin virtuaalimaailmassa. Kaikki, mikä teitä ympäröi, kaikki minkä kanssa jouduitte tekemisiin, on se sitten syötävää, nähtävää, kuultavaa tai käsin kosketeltavaa, on ihmisen suunnittelemaa ja rakentamaa. Ihmisen tekemä rakennelma, luomus, kuvitelma maailmasta. Sen teidän mielenne ja tajuntanne on muovannut. Ette te ole todellisessa maailmassa käynytkään.»

»Jos sen noin käsittää, ette sitten tekään», sanoin. Forsnäs naurahti. Sivusilmällä näin, että Sarkian suu oli auki, mutta ehkä se johtui hänen tukkoisesta nenästään.

»Menen minä joskus metsään», Forsnäs sanoi. »Jopa semmoiseen omia aikojaan kasvaneeseen metsään, jota ihminen ei ole muokannut mieleisekseen.»

»Metsään olette mennyt nytkin. Tulkaa pois. Kyllä te poliisimiehenä käsitätte, ettei sellaista mitä äsken kerroitte, voi tapahtua. Lottovoitto. Uudestisyntyminen. Suohauta. Se akka on syöttänyt teille pajunköyttä niin kuin ne akat yhdessä ovat syöttäneet Viikonpäiville.»

»Meillä on ruumis», sanoi Forsnäs. »Taina Lindén on tunnustanut haudanneensa vainajan yhdessä Eva Hellströmin kanssa.»

Sitä en voinut kiistää.

»Emme tietenkään usko kaikkea, mitä Taina Lindén kertoi,» Forsnäs jatkoi. »Hänellä on ollut omat intressinsä, ja on vieläkin. Me tietysti tarkistamme hänen puheensa. Ja koetamme löytää tämän Evan.»

»Joka on oikeasti kuka?»

»Aika tarkkaan juuri se, mikä kertoi teille olevansa. Älykäs nainen. Tietää, että jos valehtelee, kannattaa valehdella niin lähelle totuutta kuin suinkin.»

»On varmaan myös uudesti synnytetty EB-klinikalla.»

»Täsmälleen. Klinikka antoi joitakin pyytämiämme tietoja, vaikka ne pauhasivat siellä kovasti luottamuksellisuudesta ja vaitiolovelvollisuudesta. Ruotsin poliisi on antanut meille kollegiaalista apua. Se on ollut suureksi hyödyksi.»

»Se siitä salaisuudesta sitten. Kohta se on kaikissa lehdissä molemmissa maissa.»

»Se on ilmeistä.»

»Missä se nainen nyt mahtaa olla?»

»Sitä on todella vaikea tietää. Onhan maapallolla paikkoja. Mutta kyllä me hänet löydämme. Siinä on julkisuus suureksi avuksi. Median tiedot eivät tietenkään aina ole paikkansa pitäviä, mutta ne pojat ja tytöt jaksavat penkoa. Siinä tulee sitten esille yhtä ja toista tarpeetonta ja vahingollistakin. Niille tuntuu olevan saman tekevää, millaisen tunkion kasaavat. Mutta sinnikästä väkeä, sinnikästä väkeä.»

»Jotain hyötyä sitten mediastakin.»

Forsnäs otti taskustaan vitivalkoisen nenäliinan ja taputteli sillä otsaansa. Minuun nousi äkillinen murhanhimo, joka tuntui fyysisenä pistelynä sisälläni. Ajattelin, miten nousisin tästä tuolistani, astuisin hänen eteensä, tarttuisin hänen päähänsä ja kääntäisin hitaasti, hyvin hitaasti tuon tärkeilevän pikku paskiaisen nenän niskaan.

Ääneni oli karhea, kun sanoin: »Haluan nähdä Pipan.»

»En usko, että haluatte», Forsnäs sanoi. »Ei sitä teiltä tietenkään voi kieltääkään. Mutta en suosittele.»

Halusin ilmaa. Kävelin ikkunalle ja avasin sen. Kosteaa kylmyyttä alkoi tulla sisään kuin puhaltamalla. Jäin seisomaan siihen, työnsin päänikin ulos ja vedin muutaman kerran henkeä niin syvään, että keuhkoja pisteli. En kääntynyt, kun puhuin.

»Menkää pois», sanoin kovalla äänellä pihakuiluun.

III

*Voi! Kauheita eivät ole luurangot, vaan se että
enää en pelkää noita luurankoja.*

Anton Tšehov (1860–1904):
Muistikirjasta.
Suom. Martti Anhava

1

KEVÄT TULI VARHAIN SINÄ VUONNA. Se on petollista, tulee kylmä alkukesä, ennusti äitini aina synkkään tyyliinsä pilaten ilot, jotka Tampereen kuivuvat kadut ja pihat, vapautuvat rannat, puistojen lumen alta paljastuva, löytäjän ja keräilijän vaistot herättävä roina pikkupojalle tarjosivat.

Muistiin jäi, että äiti oli yleensä oikeassa. Kesän iloja odotellessaankaan ei pidä nuolaista ennen kuin tipahtaa, myydä nahkaa ennen kuin karhu on kaadettu; mitä paremmin asiat ovat sitä varmemmin ne kääntyvät huonolle tolalle.

»Älä toivo mitään äläkä rakasta ketään, niin et pety koskaan», hän oli kirjoittanut vanhemman tyttärensä muistovärssykirjaankin.

Se jäi mieleen.

Nyt kuitenkin iloitsin. Kävelin pitkiä lenkkejä kaupungilla. Keskikaupungin puistoissa kävin päivittäin. Halusin seurata, miten silmut paisuivat, miten vaaleanvihreä, nahkea pieni lehti nopeasti tummeni ja kasvoi. Otin kaupunkia haltuuni puu puulta, kivi kiveltä, kadunkulma kadunkulmalta. Tämä olisi minun kotikaupunkini, aina, eikä minun tarvitsisi täällä pelätä ketään eikä hävetä mitään.

Kävin melkein joka päivä kahvilla kauppatorin kahvikojussa, söin kuumaa lihapiirakkaa, katsoin häpeilemättä ihmisiä, jotka olivat samassa puuhassa. Vastapaistetut munkit tuoksuivat. Merituuli kantoi savusilakan ja raa'an kalan hajua, lokit kiertelivät kolera-altaan yläpuolella vaanimassa reunakiveyksillä istuskelevien eväitä, makkaranpätkiä ja jäätelötötteröitä. Kiertelin kauppahallissa, sen läpitunkevassa palvilihan tuoksussa, ja siitäkin tuli lapsuus mieleen. Istuskelin Espan puistossa, jota tulppaanit, narsissit ja krookukset värittivät jo ennen kuin lehti puhkesi puihin.

Ajattelin harvoin menneitä. Minut oli vedetty läpi viemäriputkiston. Olin selvinnyt siitä hengissä.

Joskus ihmettelin siviilisäätyäni: leski.

Maistelin sanaa.

Leskimies.

Miesleski.

Pitäisikö sen tuntua joltakin? Ei se tuntunut.

Olin haudannut vaimoni. Hän oli jo ollut maassa, säkkiin sullottuna, häpäistynä. Halusin hänet ilmaan, savuksi taivaalle, ja jäännökset puhtaana tuhkana uurnaan, jossa hän pääsisi lapsensa viereen, samaan hautaan Malmin hautausmaalle.

En vaatinut arkkua avattavaksi jäähyväisiä varten. En pelännyt sitä, mitä Pipan ruumiille oli tapahtunut maan sisällä, ruumispussissa, kahden kuukauden aikana. Pelkäsin, että kannen alla makaisi joku vieras, muukalainen, jonka kasvoja en tunnistaisi.

Forsnäs oli kertonut, että Taina oli puhutettaessa purskahtanut itkuun ja selittänyt suostuneensa Evan esittämiin toimenpiteisiin, koska vainaja, jonka hän klinikalla näki, ei ollut muistuttanut vähääkään hänen ystäväänsä Pippaa. Se oli ollut vieras ihminen, ja hän oli säikähtänyt sitä. Siitä halusi vain päästä eroon.

En ollut käynyt pikku Birgitan haudalla hautajaisten jälkeen. Minun oli mentävä hautausmaan toimistoon kyselemään ja katsomaan kartasta, missä korttelissa, minkä kujasen varrella lapseni tässä kuolleiden kaupungissa asui. Virkailija etsi oikean haudan ja alkoi selittää asiallisesti, miten monta uurnaa mahtuu samaan kahden hengen hautaan.

Hengen? Kahden hengen?

En sanonut mitään, mutta tunsin tyytyväisyyttä siitä, että minullakin jo oli tässä kaupungissa asumus varattuna.

Ja maksettukin, huomautti äiti päässäni.

Marraskuu oli jo pitkällä, kun vaimoni ruumis luovutettiin minulle.

Seisoin Hietaniemen krematoriokappelissa yksin ja katsoin, miten valkoinen arkku hitaasti liukui sinisten verhojen taakse valoon. Hiljainen urkumusiikki tuli nauhalta.

En itkenyt. Sen sijaan mietin sitä hiukan outoa seikkaa, että tiesin tarkkaan, mitä verhojen taakse liukuvalle arkulle ja siinä makaavalle vainajalle tapahtuu. Kauan sitten, työväenlehtivuosinani, minut oli lähetetty krematoriota ylläpitävän yhdistyksen infoon. Yhdistys halusi hälventää polttohautausta kohtaan tunnettuja ennakkoluuloja ja kumota legendoja, joita siihen liitettiin. Olin itsekin niitä kuullut, kaikki olivat. Tiedettiin, että polton aikana ruumiit kuumuuden vaikutuksesta nousivat istumaan ja kouristelivat kammottavasti, vääntelehtivät kuin kovissa tuskissa. Että polttaminen korkeassa kuumuudessa synnytti ääniä, jotka kuulostivat hirveiltä valituksilta. Krematorion toimintaa esitellyt mies, harvinaisen puhelias ja iloinen veikko, sanoi ymmärtävänsä, että polttohautausta kohtaan tunnetut ennakkoluulot pohjautuvat mielikuviin helvetin lieskoissa kärisevistä syntisistä. Hän kehotti katsomaan uunin valvontaluukusta. Katsoin. En nähnyt muuta kuin hehkuvaa valoa. Kaikki palaa, mies sanoi. Ja se mikä ei pala hienonnetaan morttelissa. Jäljelle jää puhdas, vaalea, kevyt tuhka. Ihminen on tomu ja tuhka, kirjaimellisesti. Eikä hänessä enää ole mitään mätänevää.

Joimme pullakahvitkin siinä infossa. Tuntui kuin olisi ollut jonkun hautajaisissa. Jonkun, jonka kuolemaa ei tarvinnut surra.

Perin Pipan ja hänen kauttaan mamma Birgitankin. Oikeastaan perin vain anoppini, sillä Pipan lottovoittorahoista ei löytynyt jälkeäkään. Eva Hellströmiä ei löydetty, vaikka hänestä oli tehty kansainvälinen etsintäkuulutus. Forsnäs soitteli joskus ja kertoili yrityksistä jäljittää häntä. Ruotsissa hän ei ainakaan ollut, todennäköisesti ei Euroopassa ollenkaan. Ei tiedetty, minkä nimisenä ja näköisenä hän kulki. Hänellä oli ainakin kahdet henkilöllisyyspaperit, Pipan ja omansa, miksi ei sitten kolmannetkin? Hänellä oli peruukkeja kassillinen ja piilolinssejä kaikissa sateenkaaren väreissä.

Näin pienessä asiassa ei toisten maitten poliiseja saa innostumaan yhteistyöhön, Forsnäs pahoitteli. Rahojen kavaltamista oli vaikea todistaa, kun raha oli seteleinä. Oliko sellaisia rahoja edes olemassa? Jos oli, olivatko ne ehkä sittenkin Taina Lindénillä, joka kiisti sen jyrkästi samalla kun pysyi vankkumatta sillä kannalla, että ne rahat olisivat kuuluneet hänelle, jos ei lain niin ainakin oikeuden mukaan. Ja jos ne jostain löytyisivät, hän taistelisi itselleen oikeuden niihin. Niin Pippakin tahtoisi, jos voisi vielä tahtonsa ilmaista, siitä Taina Lindén oli varma. Mutta muutaman setelinipun voi kätkeä mihin tahansa ja käyttää vaikka kympin kerrallaan. Tainan ei voitu todistaa käyttäneen Pipan rahoja liikkeensä laajentamiseen; siihen oli otettu pankkilaina. Amandan konkurssin jälkeen Taina oli elänyt vaatimattomasti, ilmeisesti sillä välirahalla, jonka oli saanut, kun oli vaihtanut asuntonsa pienempään.

Suhtauduin Forsnäsin puheluihin tyynesti. Asia ei kiinnostanut minua, olin kiusaantunut hänen tunnollisesta raportoinnistaan, mutta en kehdannut sitä Forsnäsille sanoa. Ehkä hänkin oli kiusaantunut, mutta ei kehdannut sitä minulle sanoa. Olin saanut osani, enemmän kuin olisin ansainnut. Anoppi olisi samaa mieltä. Vaivannäöttä saatu raha hävetti minua, en osannut enkä halunnut pelata sillä, miettiä sijoitusvaihtoehtoja, olla yksi niistä »puliveivareista» ja »besorkkaajista», joita isäni oli aina äänekkäästi halveksinut.

Taina Lindén oli myös saanut osansa. Hänet tuomittiin lyhyeen ehdolliseen vankeusrangaistukseen ja kohtalaisiin sakkoihin. Kavallus- tai petossyytteitä ei nostettu; näyttöä ei ollut.

Taina Lindén sai tuomion terveydensuojeluasetuksen, ajoneuvolain, hautaustoimilain ja rikoslain perusteella. En olisi ymmärtänyt tuomiosta mitään, ellei Forsnäs olisi minulle etukäteen noita lakeja ja niiden perusteella mahdollisesti nostettavia syytteitä selvittänyt.

Hän oli oikein innostunut, tutkinut lakikirjaa perusteellisesti ja varmaan käynyt keskusteluja sekä oikeuslääkärin että syyttäjän kanssa. Minulle hän piti aiheesta luennon kysymättä, halusinko ottaa tämän opetuksen vastaan.

»Terveydensuojeluasetuksen neljännenkymmenennen pykälän mukaan vainajan ruumis on haudattava viivytyksettä tiiviissä asianmukaisessa arkussa tai muussa vastaavassa. Voiko ruumispussi olla muu vastaava? Ei voi. Sehän oli repeillytkin. Sitä paitsi sama pykälä määrää, että ruumis on haudattava vähintään puolentoista metrin syvyyteen. Eikä se kuoppa ollut metriäkään.»

»En välittäisi kuulla näitä yksityiskohtia», yritin, mutta Forsnäs jatkoi sormi pystyssä.

»Saman asetuksen pykälä neljäkymmentäyksi taas määrää, että ruumiin kuljettaminen on sallittua vain siihen tarkoitukseen varatussa kulkuneuvossa. Ja ajoneuvolaki taas määrittelee, että ruumiin kuljetukseen tarkoitetun ajoneuvon on oltava M-luokan ajoneuvo, jossa on erikoisvarusteita tätä tarkoitusta varten.»

»Mikä on M-luokka?» kysyin, mutta Forsnäs ei ollut kuulevinaan.

»Hautaustoimilain toisessa pykälässä taas määrätään, että vainajan ruumista tulee käsitellä arvokkaalla ja vainajan muistoa kunnioittavalla tavalla. Nämä hirveät naiset sulloivat ruumiin farmarivolvon tavaratilaan ja raahasivat sitä pitkin metsiä.»

»Ei Pippaa viimeisinä aikoina kohdeltu kovin kunnioittavasti elävänäkään», mutisin.

Sen Forsnäs kyllä kuuli. Hänen suuret silmänsä välähtivät ilkeästi.

»Itseännekö tarkoitatte?» hän kysyi.

En vastannut.

Forsnäsin puhe tempautui paasaukseksi.

»Ja rikoslaki sitten! Luku seitsemäntoista, rikokset yleistä järjestystä vastaan. Pykälän kaksitoista kohta kaksi sanoo, että se, joka käsittelee hautaamatonta ruumista pahennusta herättävällä tavalla, on tuomittava hautarauhan rikkomisesta sakkoon tai vankeuteen enintään yhdeksi vuodeksi. Tässä se on! Tämä on kova pykälä heitä vastaan.»

»Ja vielä rikoslain neljäskymmeneskahdeksas luku. Ympäristörikokset, pykälä yksi, kohta yksi. Joka tahallaan tai törkeästä huolimattomuudesta saattaa, päästää tai jättää ympäristöön esineen, ainetta, säteilyä tai muuta sellaista lain tai sen nojalla annetun säännöksen taikka yleisen tai yksityistapausta koskevan määräyksen vastaisesti taikka ilman laissa edellytettyä lupaa tai lupaehtojen vastaisesti, siten, että teko on omiaan aiheuttamaan ympäristön pilaantumista tai roskaantumista taikka vaaraa terveydelle, on tuomittava ympäristön turmelemisesta sakkoon tai vankeuteen enintään kahdeksi vuodeksi...»

»Herrajumala», minä sanoin.

Forsnäs katsoi voitonriemuisena ympärilleen. Sarkia ja minä olimme hänen ainoa yleisönsä. Sarkian suu oli auki, alahuuli roikkui pitkänä. Minä mietin, pitäisikö taputtaa.

Forsnäs rykäisi itsensä asiallisen näköiseksi ja aloitti taas: »Sitten on vielä erikseen säädökset ruumiin kuljettamisesta valtakunnasta toiseen...»

»Säästäkää minut niiltä», sanoin.

»No, en ole niitä vielä tarkistanutkaan, mutta voitte olla varma, että niitä on.»

Boutique Amandan konkurssin myötä Taina menetti asemansa seurapiireissä. Lehtijutut tietysti edistivät asiaa. Media oli päättänyt tehdä Tainasta tarinan konnan ja kaluta hänet luuta myöten. Entisillä ystävillä oli kiire sanoutua hänestä irti, vakuuttaa, että kysymyksessä oli ollut vain asiakassuhde ja sekin satunnainen.

Lehtijutuista virisi myös hetken kuumana käynyt keskustelu kauneuskirurgiasta yleensä ja erityisesti sen eettisestä pohjasta. Tunnetut ikääntyneet kaunottaret kiistivät haastatteluissa jyrkästi, että heille olisi tehty minkäänlaisia operaatioita; he vain hoitavat itseään huolellisesti, syövät terveellisesti ja harrastavat liikuntaa, pitkiä yöunia ja raittiita elämäntapoja. EB-klinikasta he eivät olleet koskaan kuulleetkaan ja jos olivat, niin vain puolituttuja naisia koskevien juorujen yhteydessä.

Kuvissa he hymyilivät leukanahka kireällä ja silikoniruiskeilla turvotettu suu tötteröllä.

Tainasta tuli sylkykuppi, varsinkin naisten vihan kohde; hänen koettiin pettäneen juonillaan koko naissukukunnan. Joku uskalsi ihmetellä, miten on mahdollista, että kauneuskirurgia yleistyy hurjaa vauhtia samaan aikaan, kun naiset pontevasti tuomitsevat sen silpomisena ja ulkonäködiktatuurina. Miksi sitä pitää hävetä, jos se on edistystä? Minäkin ihmettelin sitä loukossani. Ihmettelijöille kerrottiin, että periaatteellinen kanta asiaan on otettava siitä huolimatta, että naista alistavat ja esineellistävät käytännöt lisääntyvät. Eikä vain siitä huolimatta vaan suorastaan sen takia.

Viikonpäivät kuittasi Pipan löytymisen ja kaiken muunkin yhden sivun uutismaisella jutulla. *Tässä ja nyt* sen sijaan paneutui päättäväisesti asiaan, kaivoi esille vanhan myymälävarkaudenkin todistaakseen, että Viikonpäivien päätoimittaja oli pelkästä kostonhimosta keittänyt koko sopan ja kaikkien journalismin eettisten sääntöjen vastaisesti asettautunut rikollisesti toimineiden naisten pelivälineeksi kilpailevan lehden kunniallista päätoimittajaa vastaan. Tapani Lahdensaari ihmetteli pääkirjoituspalstallaan, eikö tällaiseen toimintaan ryhtyneen lehden päätoimittajaa olisi syytä epäillä ainakin avunannosta rikokseen, jos ei pahemmastakin.

Eräänä päivänä sitten olivat Kotka ja Korppi ovella.
»Mikäs teidät tänne lennätti?» kysyin.
»Hyvänen aika», tuli kuin yhdestä kurkusta. Ne porhalsivat sisään ja riisuivat takkinsa, joiden alta paljastuivat mustat jakkupuvut, kuin samasta muotista, paitsi että toinen oli ainakin neljä numeroa isompi kuin toinen. Ne panivat työpöydälleni tuliaisensa, kimpun keltaisia krysanteemeja ja punkkupullon. Niiden viereen Kotka nosti mustan käsilaukkunsa. Arvasin, että siinä on nauhuri.
»En anna sanankaan haastattelua paskalehdellenne», sanoin.

Ne esittivät järkyttynyttä. Eikö minulla vihdoinkin ollut oikeus puolustautua ja puhdistautua kaikista minuun kohdistuneista epäilyksistä? *Tässä ja nyt* -lehti teki minulle suuren palveluksen tarjoamalla palstatilansa tähän tarkoitukseen. Koko toimitus tukee minua, luonnollisesti, koska olen entinen kollega ja rakas vanha ystävä, jonka kohtalosta ja jopa toimeentulosta on kannettu huolta koko tämän raskaan vuoden ajan. Eikö ollut suorastaan minun velvollisuuteni astua esiin, suoda kanssaihmisilleni, koko lehden laajalle lukijakunnalle mahdollisuus tuntea myötätuntoa, jakaa tätä murheen taakkaa? He ymmärsivät, että surussani on paljon purkamatonta vihaa, kostonhimoakin. Lehti oli valmis tarjoutumaan kanavaksi näille tunteille, auttamaan minua saamaan hyvityksen kärsimyksistäni. Purkautumiseni olisi itselleni suorastaan terapiaa surutyössä, jonka näin voisin jakaa kymmenien ja satojen tuhansien myötätuntoisten ihmisten kanssa.

»Suru ei ole työtä, eikä sitä voi jakaa», sanoin.

Mutta tuohan on aivan vanhanaikainen ajatus, ne päivittelivät. Enkö tajunnut, miten tärkeää roolia kaikissa elämän katastrofeissa, isoissa ja pienissä, nykyään näytteli kriisiapu, joka oli juuri surutyön jakamista ja murheen taakan siirtämistä toisille, ehkä akuutissa tilanteessa kestävämmille hartioille? Entisten työtoverien joukko suorastaan paloi halusta rientää avukseni. Lahdensaari sanoi, että intiimeimpiäkään asioita kaihtamaton syvähaastattelu, se on juuri meidän tehtävämme, sellainen juttu kuuluu meille ilman muuta...

»Menkää helvettiin täältä», sanoin.

Ne istuivat divaanillani rinnakkain pyörein silmin kuin kaksi pöllöä oksalla.

En ollut ottanut kukkia paketista enkä avannut punkkupulloa, vaikka tiesin niiden sitä odottaneen. Viini oli tarkoitettu tunnelman sulattamiseen. Parin lasillisen jälkeen saattaisin jopa ratketa itkuun, avautua pohjia myöten.

»Menkääs nyt siitä», sanoin. »Minulla ei ole aikaa tämmöiseen.»

Mutta mitä muuta minulla voisi olla kuin aikaa? Ylipäätään ja varsinkaan nyt?

»Se on minun asiani.»

Ne istuivat hetken hiljaa.

»Kun ei irtoa niin ei irtoa», sanoi Korppi yhtäkkiä kyllästyneesti ja hyppäsi seisomaan.

Ne marssivat selät suorina eteiseen. En mennyt perässä. Kuulin, miten ne pukivat päälleen ja avasivat oven.

»Juttu tehdään ilman haastatteluakin», kajahti porraskäytävästä.

»Sen minä kyllä tiedän», huusin takaisin.

Ja niin he tekivät. Jutussa kerrottiin, miten minä oli murheen painosta vajonnut lähes autistiseen tilaan ja esitettiin epäilys, etten kuuna päivänä toivu normaali-ihmiseksi raskaitten koettelemusteni jälkeen. Jutussa toivottiin myös, että tiedotusvälineet tajuaisivat vastuunsa kertoessaan yksityisten ihmisten elämään syvästi vaikuttavista tapahtumista. »Media ei saa alentua kenenkään koston välikappaleeksi», jutussa sanottiin ja huomautettiin painokkaasti, että *Tässä ja nyt* -lehti ei ollut kirjoittanut sanaakaan koko tapahtumasarjasta ennen tätä. Häpeä tiedotusvälineille, jotka rahastavat vääristellyillä juoruilla ja suoranaisilla valheilla, kertasi Lahdensaari pääkirjoituspalstalla.

2

KESÄKUUSTA TULI KYLMÄ. Juhannuksen alusviikolla tuuli koillisesta, satoi, taivas pysyi pilvessä reunasta reunaan.

Ovikello soi. Odotinkin sitä, sillä lähetin oli määrä tuoda minulle oikovedospaketti.

Avasin oven.

Rappukäytävässä seisoi farkkuihin ja punaiseen anorakkiin pukeutunut vaalea nainen, joka piti sylissään lasta. Lapsella oli yllään kirkkaan keltainen sadetakki, päässään saman värinen sydvesti ja suussaan sininen tutti.

Nainen pyyhkäisi kostuneita otsahiuksiaan taaksepäin. Ele oli tuttu. Nainen hymyili. Lapsi katsoi minua totisin, kirkkain silmin. Ne olivat saman väriset kuin naisella, siniset kuin kissankellot.

»Ajateltiin Petterin kanssa, että on korkea aika tutustua isään», nainen sanoi.

Hän veti tutin lapsen suusta, pyyhkäisi huulelle jääneen sylkipisaran.

Lapsi ojensi kätensä, levitti ensin kaikki sormet

haralleen ja osoitti sitten minua etusormellaan.

»Toi», hän sanoi.

Väistyin ovelta päästääkseni heidät sisään.

Viihdyn hyvin Näyttelijäntiellä, viisikymmentäluvun kerrostaloasunnossa, jonka ostimme. Olen aina pitänyt Pohjois-Haagasta, vaikka eihän sekään enää ole niin kuin ennen.

Asunnossamme on kolme huonetta ja keittiö ja sen lisäksi pieni ja kapea, aikoinaan palvelijanhuoneeksi suunniteltu koppero. Se on nyt poikani makuuhuone, mutta olen varautunut muuttamaan töineni siihen, kun poikani tarvitsee tilaa tietokoneelleen, stereoilleen, peleilleen, julisteilleen, levyilleen ja videoilleen. Rakentamisaikaan muodikkaan pitkänomaisen baarikeittiön toisella puolella on ruokailutila. Kylpyhuoneessa on täyspitkä amme, mutta ei tilaa pesukoneelle. Näissä taloissa onkin vielä taloyhtiön pesutupa ja sauna. Olohuoneen ikkunat antavat kahteen suuntaan, ja kun talo on kumpareella, näköala on uudesta tylystä rakennuskannasta huolimatta komea. Selkeinä kesäiltoina ihailemme isolta parvekkeeltamme auringonlaskua, joka hetkeksi leimahtaa sisään ja valelee kaiken kullanpunaisella värillään.

Petteri vierasti minua aluksi, ja minä vierastin häntä. En ollut koskaan ollut läheisissä tekemisissä tuon ikäisen lapsen kanssa. Hän oli vuoden ja kaksi kuukautta, ei enää vauva, mutta ei oikein vielä pikkupoikakaan. Kävelemään hän oli juuri oppinut.

»Toi» oli hänen ensimmäinen sanansa. »Sillä voi ilmaista kaiken», Susanna nauroi. Ja niin sillä voikin. Pihalla hiiviskelevää kissaa tarkoittava »toi» oli aivan erilainen kuin se »toi», jolla tarkoitettiin halua saada viipale makkaraa pöydällä olevalta asetilta. Tai minua.

Hän katseli alkuun minua tarkkaavaisesti äitinsä sylistä, mutta kun minä katsoin häntä, hän käänsi päänsä, kietoi kätensä äidin kaulaan ja puristautui tämän rintaa vasten. Välillä hän kurkkasi varovasti. Minä kurkkasin takaisin. Hän käänsi äkkiä päänsä. Kurkkasi taas. Kallistin päätäni ja kurkkasin takaisin.

Eräänä päivänä hän kapusi alas äitinsä sylistä, ylitti vaappuen lattian, tuli luokseni ja kohotti käsiään, jotta nostaisin hänet syliini.

Aloin olla paljon Petterin kanssa kahden, sillä Susanna jatkoi opiskeluaan Joensuussa ja joutui usein matkustamaan sinne tenttien, pakollisten luentojen ja seminaarien takia.

Kun Susanna on poissa, otan pojan nukkumaan parisänkyyn viereeni. Jos herään ennen häntä, niin kuin useimmiten herään, koska haluan herätä, makaan kyljelläni, pää käsivarren varassa, kämmen poskea vasten ja vain katselen häntä; hänen suljettuja, vähän värähteleviä silmäluomiaan, raollaan olevaa pehmoista suuta, jonka pielessä kimaltelee kuolapisara, hänen vaaleaa tukkaansa, otsalle liimaantunutta hikistä kiehkuraa, hänen unesta punehtuneita poskiaan, kuuntelen hänen lähes kuulumattoman keveätä hengitystään, nuuhkin hänen lapsentuoksuaan. Hän puristaa kainalossaan vaaleanharmaata, nuhjaantunutta kangasnorsua, jonka kärsän pää on imeskelty tummanpuhuvaksi koppuraksi kuin siinä olisi suunnaton rupi.

Katson poikani pään päälle ojentunutta käsivartta, sormet levällään tyynyllä lepäävää pientä kättä, sen hentoja sormia. Panen varovasti oman käteni hänen kätensä viereen. Käteni näyttää suurelta ja ruhjomaan kykenevältä kuin maansiirtokoneen koura.

Ajattelen, miten monella tavalla, miten helposti, ihminen voi rikkoutua jo ennen syntymäänsä, syntyessään, heti syntymänsä jälkeen.

Ajattelen, minkälainen ihme on se, että minun poikani on ehjä, ehjänä syntynyt.

Että hän ylipäänsä on syntynyt.

Poikani avaa silmänsä, mutta on vielä hetken poissa, näkee vielä vähän aikaa unimaailmaansa, sitten minut, hymyilee minulle. Minä hymyilen hänelle. Hän ryömii syliini, tunkee päänsä kaulakuoppaani, tunnen leukani alla kuuman päälaen, aukileen hennon tykytyksen, ja pehmeät hiukset, ihollani märän suun ja nenän, joka on hiukan kylmä.

3

SUSANNA EI ENÄÄ MATKUSTELE eikä muutenkaan juuri liiku kodin ulkopuolella. Hän on valtavan lihava. Hänen kasvonsa ovat turvonneet ja läiskäiset, hiukset, jotka nyt ovat lyhyet, riippuvat kiillottomina suortuvina. Hän haisee kitkerästi hielle.

Istumme aamiaispöydässä, Hesari on vaimollani, minä vahdin poikaani, joka istuu syöttötuolissaan, läiskii muovilusikalla velliään ja nauraa, kun saa roiskeita kasvoilleen. Yritän ohjata lusikkakättä. Hän huutaa: Itte! Itte! Hän kaapaisee vauhdikkaasti velliä lautaselta, vie lusikan kohti suutaan, avaa suun ammolleen ja juuri, kun lusikka on pääsemäisillään sisään, hän kääntää sen nurin ja velli valahtaa rinnuksille. Otan lusikkakäden, kaapaisemme yhdessä velliä lautaselta, ohjaan kättä, hän huutaa: »Itte! Itte!» Lusikka lähestyy avointa suuta ja kun se on melkein perillä, hän taivuttaa rannettaan kiehtovan sirosti ja harkitun näköisesti, lusikka kääntyy, ja velli valahtaa rinnuksille.

Susanna taittaa Hesarin, nousee molemmin käsin selkäänsä pidellen, voihkien ja puhkuen aamiaispöydästä, hän on taas syönyt itsensä ähkyyn, ja lähtee löntystämään kohti kylpyhuonetta. Paljaat jalat läiskyvät, hän kulkee vaappuen, kaakertaa kuin ankka, ja tuntuu kuin lattia vaimeasti jymähtelisi hänen askeltensa alla. Teltan kokoisen puuvillamekon alta pistävät pölkkymäiset pohkeet, niiden jatkona turvonneet jalkaterät, joihin eivät enää mahdu kuin lenkkarit ja kumisaappaat. Sillä ei ole paljon merkitystä, sillä emme käy missään, emme edes kävelemässä; muutamaa kymmentä metriä pitempään hän ei ole aikoihin jaksanut kävellä. Hän väsähtää muutenkin helposti, kärsii närästyksestä, ilmavaivoista ja virtsankarkailusta, pillahtelee tuon tuostakin itkuun, eikä hän ole vähääkään kiinnostunut asioista, joista ihmiset yleensä tavatessaan puhuvat. Hänellä on valtava syömähimo, mitä hän ei häpeä, mutta valittelee sitä suureen ääneen. Hän ei syö salaa. Hän ahmii lakritsia suupielet mustina, juo litroittain virvoitusjuomia, syö vadillisen juustovoileipiä illalla television ääressä. Hän ei pysty eikä haluakaan pidätellä röyhtäyksiään tai ilmavaivojaan. Hän voi nukkua vain selällään ja kuorsaa öisin niin, että minun on pakko tunkea tulpat korviini.

Hän ei pysty pitämään Petteriä sylissään edes istuallaan saati käsivarrellaan seisaallaan. Petteri tepsuttelee hänen perässään, tarttuu mekon helmaan, tarrautuu sääriin, kun hän istuu, mutta ei pääse äidin syliin. Siitä seuraa itkukohtauksia ja kiukuttelua monta kertaa päivässä.

Silloin vaimoni kasvoille nousee tuskainen ilme, joskus hän purskahtaa itkuun yhdessä lapsen kanssa ja tämän suureksi ällistykseksi. Poika istuu illat minun sylissäni, minä katson televisiota, Petteri jättimäiseksi paisunutta äitiään, tarkasti ja miettivän näköisenä, yrittäen saada selkoa tästä kummallisesta muodonmuutoksesta, tuosta suunnattomasta otuksesta, jolla ei ole muuta yhteistä äidin kanssa kuin haju.

Onneksi tätä piinaa ei enää kestä kauan.

Kun ultraäänitutkimuksessa todettiin, että tulossa on kaksoset, tyrmistyimme täydellisesti. Sellainen mahdollisuus ei ollut tullut kummankaan mieleen. Kun uskoimme, että se ei ole ainoastaan mahdollista vaan se on totta, aloimme tuntea suunnatonta iloa.

Olemme ottaneet asian puheeksi vain varovasti, kautta rantain, mutta tiedän myös vaimoni toivovan, että ainakin toinen niistä on tyttö.

Kaikki LOISTOpokkarit

Tiedustele saatavuutta myyntipisteestäsi

	Intohimosta rikokseen
Abagnale, Frank W.	Ota kiinni jos saat
Abu-Hanna, Umayya	Nurinkurin
Adams, Douglas	Linnunradan käsikirja liftareille
Adams, Douglas	Maailmanlopun ravintola
Adams, Douglas	Elämä, maailmankaikkeus – ja kaikki
Adams, Douglas	Terve, ja kiitos kaloista
Adams, Douglas	Enimmäkseen harmiton
Adams, Douglas	Dirk Gentlyn holistinen etsivätoimisto
Adams, Douglas	Sielun pitkä pimeä teehetki
Adler, Elizabeth	Hotelli Riviera
Adler, Elizabeth	Kesä Toscanassa
Akunin, Boris	Akilleen kuolema
Akunin, Boris	Asaselin salaliitto
Akunin, Boris	Leviatanin purjehdus
Akunin, Boris	Patasotilas
Akunin, Boris	Turkkilainen gambiitti
Allen, Roger E.	Nalle Puh ja johtamisen taito
Allen, Roger E.	Nalle Puh ja menestyksen taito
Allen, Roger E.	Nalle Puh ja ongelmanratkaisun taito
Allende, Isabel	Rouva Fortunan tytär
Almodóvar, Pedro	Kuumetta nivusissa
Alvtegen, Karin	Tuntematon
Angel, Anja	Kuoleman sokea piste
Atkins, Robert C.	Tri Atkinsin uusin painonpudotusohjelma
Atwood, Margaret	Oryx ja Crake
Atwood, Margaret	Sokea surmaaja
Aulanko, Mari	Minä osaan – Anna aivojesi toimia
Austen, Jane	Ylpeys ja ennakkoluulo
Auster, Paul	New York -trilogia
	(Lasikaupunki, Aaveita, Lukittu huone)
Axelsson, Majgull	Huhtikuun noita
Binchy, Maeve	Illallistarinoita
Binchy, Maeve	Italian illat
Binchy, Maeve	Punaisen höyhenen keittiö
Binchy, Maeve	Punapyökin varjossa
Binchy, Maeve	Talo Dublinissa
Binchy, Maeve	Tulikärpästen kesä
Bloom, Harold	Lukemisen ylistys
Borges, Jorge Luis	Haarautuvien polkujen puutarha
Bourdain, Anthony	Kobraa lautasella